A-Z BOL

C000264802

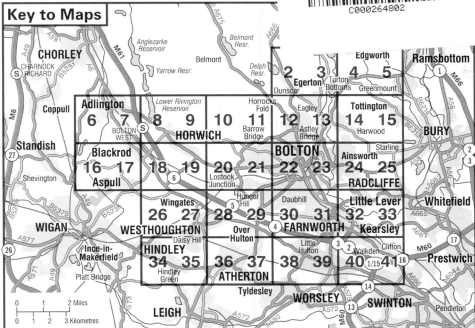

Key to Maps

CHORLEY — CHARNOCK RICHARD (S) — Coppull — Standish (27) — Shevington — WIGAN (26) — Ince-in-Makerfield — Platt Bridge

Anglezarke Reservoir — Yarrow Resr. — Belmont — Belmont Resr. — Delph Resr.

Adlington — Lower Rivington Reservoir — BOLTON WEST (S) — HORWICH — Blackrod — Aspull — Wingates — WESTHOUGHTON — Daisy Hill — HINDLEY — Hindley Green — LEIGH

Horrocks Fold — Barrow Bridge — Lostock Junction — Hunger Hill — Over Hulton — ATHERTON — Tyldesley

Edgworth — Egerton — Dunscar — Turton Bottoms — Greenmount — Eagley — Astley Bridge — BOLTON — Daubhill — FARNWORTH — Little Hulton — WORSLEY

Ramsbottom (1) — Tottington — Harwood — BURY — Starling — Ainsworth — RADCLIFFE — Little Lever — Kearsley — Walkden — Clifton — SWINTON — Pendleton — Whitefield — Prestwich

2 3 4 5
6 7 8 9 10 11 12 13 14 15
16 17 18 19 20 21 22 23 24 25
26 27 28 29 30 31 32 33
34 35 36 37 38 39 40 41

0 1 2 Miles
0 1 2 3 Kilometres

Reference

Motorway	**M61**
A Road	**A58**
B Road	**B6226**
Dual Carriageway	
One-way Street	→
Traffic flow on 'A' Roads is also indicated by a heavy line on the driver's left.	→
Restricted Access	
Pedestrianized Road	
Track / Footpath	
Railway	Level Crossing / Station / Tunnel

Local Authority Boundary	— · —
Posttown Boundary	
Postcode Boundary within Posttowns	
Built-up Area	MILL ST.
Map Continuation	10
Car Park (Selected)	P
Church or Chapel	†
Fire Station	■
Hospital	H
House Numbers 'A' and 'B' Roads only	13 / 8
Information Centre	i
National Grid Reference	375

Police Station	▲
Post Office	★
Toilet	▽
with facilities for the Disabled	♿
Educational Establishment	
Hospital or Hospice	
Industrial Building	
Leisure or Recreational Facility	
Place of Interest	
Public Building	
Shopping Centre or Market	
Other Selected Buildings	

Scale

1:15,840

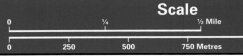

0 ¼ ½ Mile
0 250 500 750 Metres 1 Kilometre

4 inches (10.16 cm) to 1 mile
6.31cm to 1kilometre

Copyright of Geographers' A-Z Map Company Limited

Head Office :
Fairfield Road, Borough Green, Sevenoaks, Kent TN15 8PP
Tel: 01732 781000 (General Enquiries & Trade Sales)

Showrooms :
44 Gray's Inn Road, London WC1X 8HX
Tel: 020 7440 9500 (Retail Sales)
www.a-zmaps.co.uk

Ordnance Survey® This product includes mapping data licensed from Ordnance Survey® with the permission of the Controller of Her Majesty's Stationery Office.
© Crown Copyright 2002. Licence number 100017302
EDITION 2 2002
Copyright © Geographers' A-Z Map Co. Ltd. 2002

2
A
B
C
D
1
2
3
4
5
6
17
16
15
14
370
71
Top o' th' Brow
Old Mans
GREENS
Charter's Moss Plantation
BLACKBURN
A666
TURTON HEIGHTS
Little Moor Clough
Three Lowes
STONES BANK ROAD
Rostrones
Horridge's Farm
Top o' th' Meadow Plantation
Buffs
Stone Circles
CHEETHAM
BLACKBURN WITH DARWEN
BOLTON
Dimple
Dimple Hall
Dimple House
DELPH RESERVOIR
Delph Brook
Victoria Farm
COX
Lynwood
Howarth's Fold Farm
Egerton Prim. Sch.
New Butterworth's Farm
Siss Hey
LONGWORTH
Ckt. Ground
Whittle Hill Farm
415
Belmont Or Eagley Brook
Higher Critchley Fold
Longworth Clough
Lower Critchley Fold
Dewhurst Clough
Little Stanrose Farm
Egerton
Egerton Ho.
LONGWORTH
DUNSCAR GOLF COURSE
Works
DEAKINS BUSINESS PARK
Prospect Place
Walmsley C. of E. Prim. Sch.
Cox Green
North Dingle
Gale Farm
Gale Clough
Smith Fold
Fernhill Farm
Fernhill
Brook
Club House
12
Res.
Dunscar Fold Farm
DARWEN RD.
ROAD

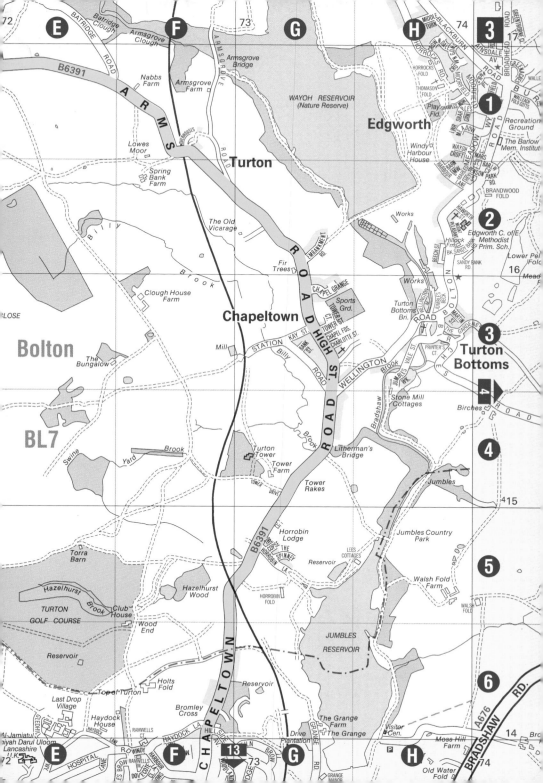

3
Edgworth
Turton
Chapeltown
Turton Bottoms
Bolton
BL7
WAYOH RESERVOIR
(Nature Reserve)
JUMBLES RESERVOIR
Jumbles Country Park
TURTON GOLF COURSE
B6391
ARMS ROAD
HIGH ST.
CHAPELTOWN ROAD
BLACKBURN ROAD
BOLTON ROAD
BRADSHAW RD.
A676
Armsgrove Bridge
Armsgrove Farm
Nabbs Farm
Lowes Moor
Spring Bank Farm
The Old Vicarage
Fir Trees
Clough House Farm
The Bungalow
Mill
Turton Tower
Tower Farm
Tower Rakes
Litherman's Bridge
Horrobin Lodge
Torra Barn
Hazelhurst Wood
Club House
Wood End
Reservoir
Holts Fold
Top of Turton
Last Drop Village
Haydock House
Bromley Cross
The Grange Farm
The Grange
Drive Plantation
Visitor Cen.
Moss Hill Farm
Old Water Fold
Walsh Fold Farm
Stone Mill Cottages
Birches
Jumbles
Windy Harbour House
Edgworth C. of E. Methodist Prim. Sch.
Recreation Ground
The Barlow Mem. Institute
Sports Grd.
Works
Play Fld.
13
4

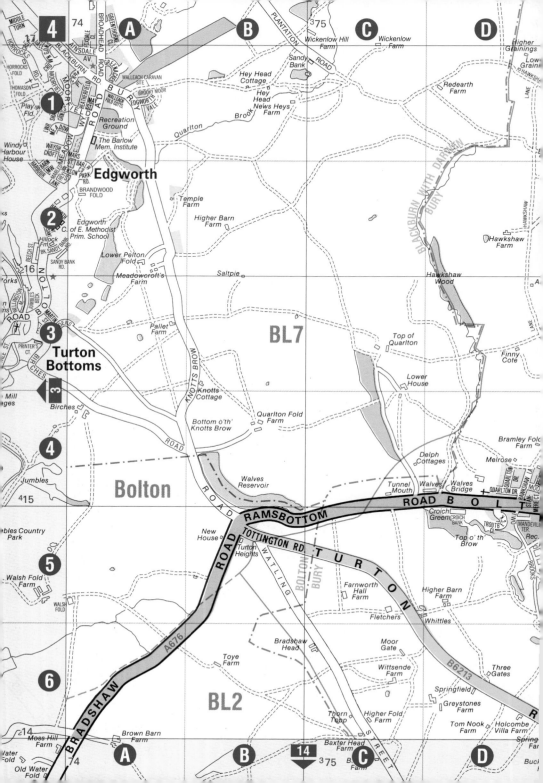
4
74
A
B
C
D
375
Edgworth
Turton Bottoms
BL7
Bolton
BL2
Recreation Ground
The Barlow Mem. Institute
Walleach Caravan Site
Wickenlow Hill Farm
Wickenlow Farm
Higher Grainings
Sandy Bank
Hey Head Cottage
Hey Head
News Heys Farm
Redearth Farm
Quarlton Brook
Brandwood Fold
Temple Farm
Higher Barn Farm
Edgworth C. of E. Methodist Prim. School
Hillock Fm.
Lower Pelton Fold
Meadowcroft's Farm
Saltpie
Hawkshaw Farm
Hawkshaw Wood
Pallet Farm
Top of Quarlton
Finny Cote
Lower House
Knotts Cottage
Knotts Brow
Quarlton Fold Farm
Bottom o'th' Knotts Brow
Birches
Bramley Fold Farm
Melrose
Delph Cottages
Walves Reservoir
Tunnel Mouth
Walves
Walves Bridge
Croich Green
Top o' th' Brow
Jumbles
Jumbles Country Park
New House
Turton Heights
Ramsbottom Road
Tottington Rd.
Turton Road
Bolton Road
Walsh Fold Farm
Farnworth Hall Farm
Higher Barn Farm
Fletchers
Whittles
Bradshaw Head
Moor Gate
Toye Farm
Wittsende Farm
Three Gates
Springfield
Greystones Farm
Thorn Topp
Higher Fold Farm
Tom Nook Farm
Holcombe Villa Farm
Brown Barn Farm
Moss Hill Farm
Baxter Head Farm
Old Water Fold
Bradshaw
Watling Street
Plantation Road
Bury Road
Blackburn Rd.
Blackburn with Darwen
Bury
Bolton
A676
B6213
3
14
1
2
3
4
5
6
415
16
17

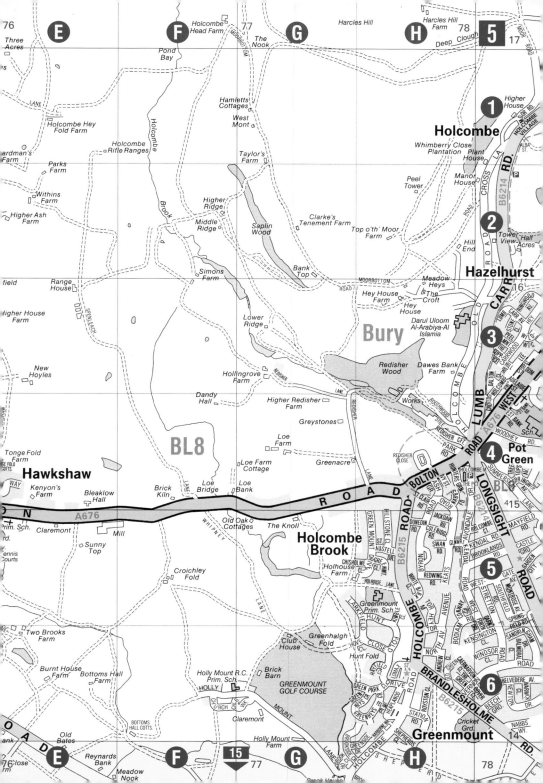

5
E
F
G
H
76
77
78
17
16
15
14
Harcles Hill
Harcles Hill Farm
Deep Clough
Holcombe Head Farm
The Nook
Three Acres
Pond Bay
MOORBOTTOM
MOOR ROAD
Holcombe Hey Fold Farm
Hamletts Cottages
West Mont
Holcombe Rifle Ranges
Holcombe Brook
Taylor's Farm
Parks Farm
Withins Farm
Higher Ash Farm
Higher Ridge
Middle Ridge
Saplin Wood
Clarke's Tenement Farm
Top o'th' Moor Farm
Holcombe
Higher House
Whimberry Close Plantation
Plant House
Manor House
Peel Tower
CROSS LA.
CARR RD.
B6214
HOLCOMBE VILLAGE
ALBA ST.
Tower View
Half Acres
Hill End
Hazelhurst
Bank Top
Simons Farm
Range House
SPENLEACH
MOORBOTTOM ROAD
Meadow Heys
The Croft
Hey House Farm
Hey House
Higher House Farm
Lower Ridge
Darul Uloom Al-Arabiya-Al Islamia
Bury
LUMB CARR ROAD
OLD HOLCOMBE ROAD
New Hoyles
Hollingrove Farm
REDISHER LANE
Redisher Wood
Dawes Bank Farm
Dandy Hall
Higher Redisher Farm
Works
BOOTHWOOD STILE
Greystones
REDISHER CFT.
PARK RD.
WEST ST.
A676
WOODHEY RD.
Sch.
BL8
Loe Farm
Tonge Fold Farm
REDISHER CLOSE
Greenacre
Pot Green
Hawkshaw
Loe Farm Cottage
Kenyon's Farm
Bleaklow Hall
Brick Kiln
Loe Bridge
Loe Bank
BOLTON ROAD
HOLCOMBE M.
THE PCT
LONGSIGHT
SUMMERSEAT
MAYFIELD RD.
A676
WHIPNEY LANE
Old Oak Cottages
The Knoll
Claremont
Mill
Prim. Sch.
Holcombe Brook
Sunny Top
Tennis Courts
Croichley Fold
GREEN MOUNT DRIVE
HILLSTONE CL.
ST. AUSTELL DR.
CHISHOLME CL.
Holhouse Farm
HOLHOUSE LANE
B6215
DUNEDIN RD.
COLERIDGE RD.
JACKDAW RD.
SWAN RD.
BYRON
WHITE BARK CL.
REDWING RD.
KEATS
KENDAL ROAD
KENDAL RD.
BROOKLANDS
HOLCOMBE CT.
AVONDALE
WESTSTRETTON
SOUTHFIELD RD.
MONTROSE AV.
GATE AV.
CASTLE GRO.
GARDEN CITY
ROAD
Greenmount Prim. Sch.
LARKFIELD
HUNT FOLD
KIMBLE CL.
TOR HEY
AVENUE
CONWAY
BODIAM
KENSINGTON CL.
SPRINGFIELD RD.
SANDRINGHAM DR.
BALMORAL CL.
WINDSOR CL.
NORTH AV.
ANDREW
Two Brooks Farm
Greenhalgh Fold
Club House
HOVE CLOSE
Hunt Fold
HOLCOMBE ROAD
BRANDLESHOLME ROAD
Burnt House Farm
Bottoms Hall Farm
Holly Mount R.C. Prim. Sch.
Brick Barn
GREENMOUNT GOLF COURSE
HOLLY MOUNT
CHURCH WK.
GREEN PARK CL.
LOMAX DRIVE
HEAPLANDS
ROYSTON CL.
BELVEDERE AV.
NEWTON
WARWICK DR.
BEECH GRO.
Cricket Grd.
STATION RD.
NABBS WY.
Claremont
BOTTOMS HALL COTTS.
Old Bates
Holly Mount Farm
Greenmount
SHEPHERDS CL.
Reynards Bank
Meadow Nook
Close

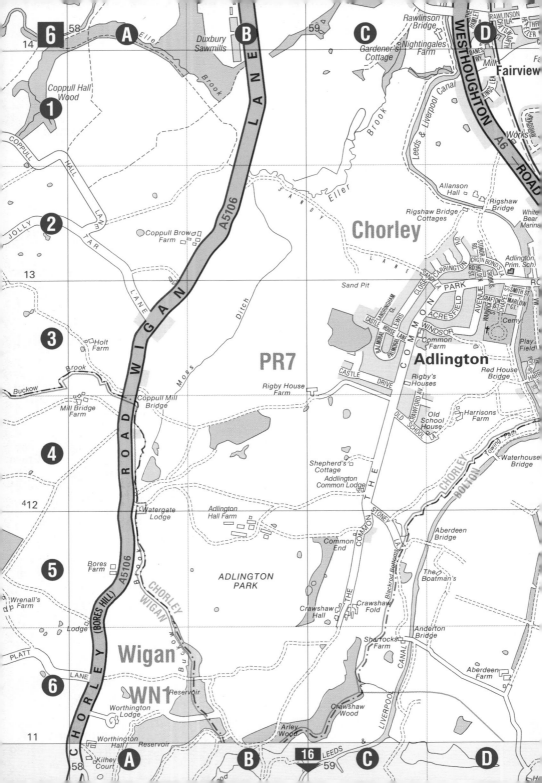

Eller Brook
Duxbury Sawmills
WIGAN LANE
A5106
Coppull Hall Wood
COPPULL HALL LANE
JOLLY TAR LANE
Coppull Brow Farm
Rawlinson Bridge
Gardener's Cottage
Nightingales Farm
Fairview
WESTHOUGHTON ROAD
A6
Leeds & Liverpool Canal
Works
Sandy Lane
Allanson Hall
Rigshaw Bridge
Rigshaw Bridge Cottages
White Bear Marina
Chorley
Adlington Prim. Sch.
Sand Pit
Moss Ditch
Holt Farm
Buckow Brook
Mill Bridge Farm
Coppull Mill Bridge
PR7
Adlington
Castle Drive
Rigby House Farm
Common Farm
Red House Bridge
Rigby's Houses
Cemy.
Play. Field
Old School House
Harrisons Farm
Old School La.
Towing Path
Waterhouse Bridge
Shepherd's Cottage
Addlington Common Lodge
The Common
CHORLEY BOLTON
Watergate Lodge
Adlington Hall Farm
Stoney La.
Aberdeen Bridge
Common End
Bores Farm
ADLINGTON PARK
The Boatman's
Blackrod Bottoms
Wrenall's Farm
Crawshaw Hall
Crawshaw Fold
CHORLEY WIGAN
BORES HILL
Lodge
Sharrocks Farm
Anderton Bridge
Wigan
PLATT LANE
Aberdeen Farm
WN1
Reservoir
Worthington Lodge
Crawshaw Wood
Arley Wood
Worthington Hall
Kilhey Court
LEEDS & LIVERPOOL CANAL
CHORLEY ROAD
16

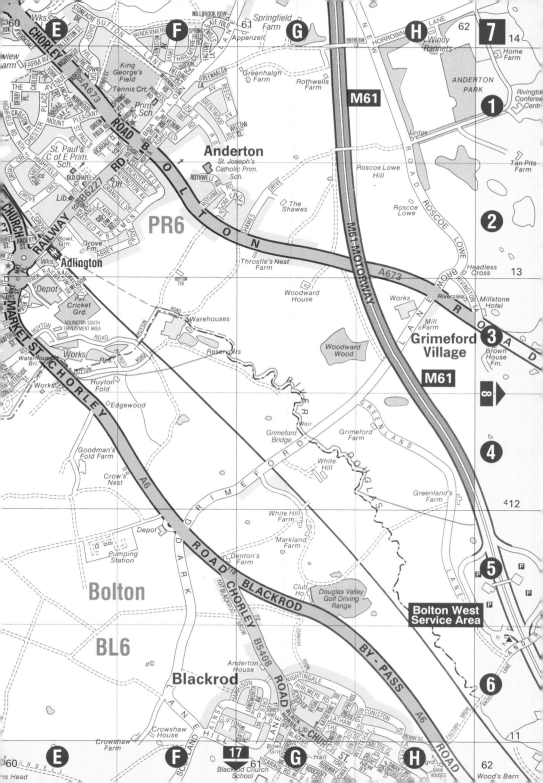

E
F
G
H
7
61
62
14
Springfield Farm
Appenzell
Windy Rannets
Home Farm
ANDERTON PARK
Rivington Conference Centre
Greenhalgh Farm
Rothwells Farm
M61
King George's Field
Tennis Crt.
Prim. Sch.
1
Lodge
Anderton
St. Joseph's Catholic Prim. Sch.
St. Paul's C of E Prim. Sch.
Tan Pits Farm
Roscoe Lowe Hill
Roscoe Lowe
The Shawes
PR6
2
Adlington
Bowl. Grn.
Grove Fm.
Throstle's Nest Farm
M61-MOTORWAY
A673
BOLTON ROAD
Headless Cross
13
Depot
Pav. Cricket Grd.
ADLINGTON SOUTH EMPLOYMENT AREA
Woodward House
Works
Riverslea
Millstone Hotel
Warehouses
Mill Farm
Grimeford Village
3
Brown House Fm.
Reservoirs
Woodward Wood
Works
Res.
Waterhouse Bri.
Huyton Fold
M61
8
Edgewood
RIVER DOUGLAS
Weir
Grimeford Bridge
Grimeford Farm
Goodman's Fold Farm
White Hill
4
Crow's Nest
A6
CHORLEY ROAD
GRIMEFORD LANE
Greenland's Farm
12
White Hill Farm
Depot
Markland Farm
Pumping Station
Denton's Farm
5
Bolton
BLACKROD BY-PASS
Club Ho.
Douglas Valley Golf Driving Range
Bolton West Service Area
BL6
B5408
Anderton House
Blackrod
6
Crowshaw House
Crowshaw Farm
11
17
Blackrod Church School
BANK HOUSES
Wood's Barn
360

LEVER PARK
Breres' Meadow Pit
Hall Closes
Rivington Terraced Gardens
The Nursery
Home Farm
ANDERTON PARK
Rivington Conference Centre
LOWER RIVINGTON RESERVOIR
Great Ho. Barn
Great Ho. Information Centre
Top o'th' Hill Farm
Ward's Cott.
Gilsbrook
Tan Pits Farm
Crosses
Brown Cot
Higher Derbyshires
Pall Mall
Chorley
PR6
Liverpool Castle
Middle Derbyshires
Headless Cross
Knowle House
Millstone Hotel
Crosse's Wood
Crosse's Creek
Rivington & Blackrod High School
Playing Field
Mill Farm
Grimeford Village
Brown House Fm.
Rivington Lodge
Douglas Diversion
Red Cot
Old Lord's Farm
Hamer's Creek
Hamer's Cott.
Jepson's Bri.
Mill Stone Embankment
Lower Rivington Embankment
A673
Anderton Manor Farm
Berne House
Dryfield
Lakeland Farm
Pendennis
Water Treatment Works
Jepson's Clough
Great Ryeley
Greenland's Farm
Squirrel Hotel
Anderton Ford Bri.
Playing Fields
Bolton West Service Area
Mill Bri.
Anderton Old Hall Farm
Crown Clough
River Douglas
Weir
M61
M61 MOTORWAY
BOLTON ROAD
RIVINGTON LANE
ROSCOE LOWE BROW
GREENLAND
SQUIRREL LANE
ANDERTON LANE
DRYFIELD LANE
PARK AVENUE
ROYNTON ROAD
SCHOLES BANK
LEE LANE
CHORLEY NEW ROAD
CROWN LANE
VALE AVENUE
MASON
B6226
B5238
Resr.
Wks.
Reservoir
Depot
Works
Vale Ho.
Playing Fields
Hall
HORWICH
Wood's Barn Farm
Playgrd.
BANK HOUSES
BLACKROD BY-PASS ROAD
FACTORY BROW
18
7

9
E
F
G
H
364
365
66
14
RIVINGTON
MOOR
BELMONT
Tower
RIVINGTON
PIKE
BROWN
HILL
ROAD
GEORGES
Douglas
River
Crooked Edge Clough
CROOKED EDGE
HILL
Two
Lads
Bolton
BL6
CHORLEY
BOLTON
Pike
Cottage
LANE
Higher
Knoll
Weirs
WILDER'S
MOOR
13
Quarries
(Dis.)
Shaw's Clough
Shaw's
Wood
Waterfall
Knoll
Wood
Waterfall
ORMSTONS
Adam
Hill
Old Lord's
Height
Wilder's
Wood
Ormstons
Farm
Reservoir
Wilderswood
Makinson
Moor
10
Well
Cott.
BRINK'S
ROW
Wilderswood
Farm
Hodgkinson's
Fold
RAKE
OLD
Montcliffe
White
Brow
Stony
Croft
WEST VW.
Montcliffe
Stone Quarries
HART'S
HOUSES
Firs
Cottage
Marklands
House
Stanley
Wood
412
Lodge
Farm
Weir
MILL YARD
Reservoir
Grundy
Cotts.
Works
Reservoir
MAKINSON
LA.
Hopwood
Hill
EDGE HILL
BROW
WALLSUCHES
Depot
Foxholes
Wood
Resr.
MATCHMOOR
LANE
Wallsuches
Weir
LA. FOXHOLES
STREET
Wks.
Horwich
Prim. Sch.
PIKE VIEW
EVANS ST.
MILL
GINGHAM
TOP OF
WALLSUCHES
Park
Reservoir
CHURCH
STREET
CHORLEY
B6226
OLD
Tup
Row
Wd.
Leisure
Cen.
SCHOOL
ST.
Vic.
FLEET
Ridgmont
Cemetery
PARK
MELBOURNE
WAY
MEDWAY DR.
DRIVE
THE BROADWAY
STRAND
Ridgmont
Ridgmont
Park
RIDGMONT CL.
GREENWAY
LANE
ROAD
BOTTOM
6
ROAD
BROOKLANDS
AVENUE
VICTORIA
GROSVENOR
PARK
KENSINGTON
LAMBETH
CL.
DRIVE
MAYFAIR
White
Croft
STREET
Ridgmont
Boardman's
Farm
HIGHER
BARN
MOORLAND
DR.
LATHAM
ROW
RIDGMONT
DR.
MOSS
BARNCROFT
DR.
VICARAGE
NEVY FOLD AV.
MOOR PLATT
CL.
Knowles
Farm
Bottom
o'th' Moor
CHAPEL
OLD
Suckling
Calf Farm
11
Bottom
o'th' Mo
STOCKS
BOND
FAIRWAYS
Lever Park
School
HORWICH
GOLF COURSE
Youth
Cen.
ROAD
Club
Bolton College
(Horwich Campus)
19
BUCKINGHAM
NEW
The
Ferns
Nevy Fold
Farm
Bolton
Fold
Colemans

10
66
67
A
B
C
D
1
2
3
4
5
6
14
13
12
11
COUNTING HILL
DADD
Dean Ditch
SMITHILLS MOOR
Smithills Shooting Hut
Bolton
COAL PIT
Holden's Farm
Holden's Plantation
Gilligant's Farm
Green Nook
Brown Lowe
Roscow's Tenement Farm
Dean Brook
Chadwick's Close Farm
Sheep Cote Green Farm
Hampson Farm
Adam Hill
BURNT EDGE
BURNT EDGE
Tank
New Field Clough
Slack Hall
Old Harpers Farm
White Brow
Walker Fold
ROAD
COLLIER
Walker Fold Farm
Newfields
BL6
LANE
EDGE
LANE
Walker Fold Brow
Masts
Mast
Mount Briton
Heather Hall
Stanley Wood
Lodge Farm
Hole Hill Farm
Grundy Cotts.
MAKINSON
GEORGES
Little Dakins Farm
Dakin's Brook
FLEET'S MOOR
Old Harts Farm
HORWICH MOOR
MATCHMOOR
TOP OF WALLSUCHES
WALLSUCHES
Tup Row Wd.
Harpers
FOLD
The Bungalow
CHORLEY
GREENWAY
CHAPEL
VICARAGE
Ivy Model Farm
DRIVE
Yate Fold
WALKER
Reservoir
SHEPHERDS
TOWER BLDGS.
SCANT ROW
OLD
B6226
BOTTOM O' TH' MOOR
Suckling Calf Farm
MOOR PLATT
Botom o' th' Moor
Stanley Gate Farm
Grundy Fold
1456
OLD KILN LANE
Nevy Fold Farm
Bolton Fold
Moor Platt
Moor Platt Clough
20
GREEN HILL
Colemans
ERRAT BROW
9

68
E
F
69
G
H
North Dingle
370
Gale Farm
Fernhill Farm
BL7
Fernhill Cottages
MEADOWS
Whimberry Hill
Gale Brook
BELMONT ROAD
SCOUT
A675
BLACKBURN WITH DARWEN
BOLTON
Quarries (disused)
Horrocks Scout
Wilton Arms
Horrocks Moor
ROAD
Quarry (Disused)
Lomax Wifes Farm
Haslam's Farm
Lomax Wifes Plantation
Priest's Crown
Bryan Hey Reservoir
Horrocks Fold Fm.
Horrocks Hill Farm
Smithills Dean
ROAD
SCOUT ROAD
Bryan Hey Farm
Cunliffe's Farm
Shoulder of Mutton Clough
Stones
New Colliers Row
Colliers Row
ROW
LONGSHAW
SMITHILLS
BL1
Higher Tongs
Pendlebury's Farm
Dean Gate Farm
Nursery
High Shores Clough
Lower Tongs
FORD
SMITHILLS HALL COUNTRY PARK
ROAD
Swine Cote Clough
DEAN
St. Peter's Smithills Dean C. of E. Prim. Sch.
Smithill's Hall Museum
Smithills
Smithills Sch. & Bolton Sixth Form College (North Campus)
BARROW BRIDGE
Hollin Clough
Barrow Bridge
OLD LINKS GOLF COURSE
Dean Brook
Victoria Lake
LIMEFIELD
REDCAR
JESMOND RD.
ABERCORN RD.
Res.
Resrs.
CROFT
ROAD
SEDGEFIELD DR.
PARK COTTS.
BROOKDEAN CL.
CINDER LANE
Animal World
Open Air Theatre
SMITHILLS DEAN ROAD
WOODBURN DRI.
WHYSTERS HOLLOW
Dean Brook
FOREST ROAD
CAPITOL CL.
CHATBURN RD.
ROAD
AVENUE
DRIVE
WHALLEY
DUNSOP
LIGHTBOUNDS
HOLLIN HEY
MOSS BANK PARK
GARWICK RD.
ALBION TER.
KENWOOD RD.
LANE
MOSS BANK WAY
A58
349
RIEFIELD
Midge Hole Clough
Johnson Fold Prim. Sch.
Johnson Fold
Playing Field
Pond
Hollin Hey
Clarion Cott.
BOWLAND
GARGRAVE AV.
WORSTON
MONTSERRAT
CHIPPING RD.
21
Ten. Cts.
Playing Field
HARPERS
BEECHFIELD ROAD
KNOWSLEY
370

North Dingle
370
A
B
C
D
Smith Fold
LONGWORTH
2
71
Cox
Fernhill Farm
Club House
Fernhill Cottages
Holmes's Clough
Reservoirs
1
BELMONT
Cubbins Farm
The Holmses
Brook
Dunscar
Dunscar Fold Farm
Dunscar House
Shorefield House
The White House
A666
DARWEN
ROAD
Horrocks Scout
Reservoir
Wilton Arms
DUNSCAR BRIDGE
DUNSCAR INDUSTRIAL ESTATE
Rec. Grd.
Eagley
Res.
2
Quarry (Disused)
Horrocks Fold
HORROCKS FOLD
13
Horrocks Fold Fm.
Horrocks Hill Farm
TEMPLECOMBE
WINCANTON DR.
RADSTOCK
MIDFORD DR.
SPRINGFIELD RD.
FARNBOROUGH RD.
CRAIGHALL RD.
A675
Cricket Grd.
KERMOOR AV.
STAVELEY AV.
3
BL1
THE BEECHES
SHARPLES AV.
HOLDEN AV.
High Lawn Prim. School
SWEETLOVES
The Oaks Prim. Sch.
Playing Field
Sharples Hall Farm
11
BLACKBURN
Mill
HEATHERFIELD
WILKINSON RD.
Oldhams Prim. Sch.
4
Nursery
ATHOLONE
HALL
PARK 412
Harricroft Farm
Rec. Grd.
WILTON RD.
Sharples
BARLOW PARK
Playing Field
Sharples Pk. Sports Grd.
Astley Bridge
CROMPTON
WAY
5
Smithills
Smithills Hall Museum
Smithills Sch. & Bolton Sixth Form College (North Campus)
Thornleigh Salesian College
Astley Bri. Rec. Grd.
Astley Bri. Ckt. Grd.
Super-store
Reservoirs
Temple Bridge
A58
MOSS BANK
Cemetery
SMITHILLS RD.
6
MOSS BANK
WY. A58
HALLIWELL
Halliwell Rec. Grd.
HALLIWELL IND. ESTATE
Halliwell
Astley Brk.
SHARPLES VALE
WATERS MEETING
11
Resr.
A
B
C
D
370
22
Paul's Cemy.

13
72
73
74
14
E
F
G
H
1
2
3
4
5
6
3
14
23
Last Drop Village
Haydock House
Bromley Cross
The Grange Farm
The Grange
Visitor Cen.
Moss Hill Farm
Water Fold
Old Water Fold
Mary's Vale
Bradshaw Wood
Green
Al-Jamiatul Islamiyah Darul Uloom Lancashire U.K.
Drive Plantation
Grange Manor
Ousel Nest
Ousel Nest Cottage
Moor House
Eagley Inf. Sch.
Eagley Junior Sch.
Playing Field
Bromley Cross
BL7
Toppings
Turton Leis. Centre
Turton High Sch.
Council Offs.
Bradshaw Brook
Reservoirs
Meadow Barn
Bradshaw
Works
Playing Fields
Bolton
Birtenshaw Farm
Birtenshaw Hall Sch.
Eagley Brook
Sharples Sch.
Sharples Prim. Sch.
Bank Top
Cricket Grd.
Bolton Council Office
St. Maxentius C. of E. Prim. Sch.
Reservoir
Bradshaw Chapel
Bradshaw Bridge
Gate Fold
Super store
Longsight
The Oaks Hall
Playing Fields
Play. Field
Hall i' th' Wood
Canon Slade Sch.
Ten. Cts.
Longsight Park Arboretum
Longsight Farm
Recreation Ground
Youth Club
Longsight Lodge
Longsight Prim. Sch.
Works
Hall i' th' Wood (Museum)
Prim. Sch.
Longworths Manor Farm
Sports Grd.
Eagley Brook Bridge
Club House
BL2
Bolton Open Golf Course
Cinema
Esporta Health & Fitness
Depot
Hall i'th' Wood Recreation Ground
Castle Hill
Reservoir
Firwood Fold
Hey Shore Knott
Castle Croft
Bottom o'th' Moor
Play. Fld.
Football Ground
Prim. Sch.
Works
Firwood Industrial Estate
Firwood Sch.
A676
A58
B6391
B6472
B6196
Chapeltown Road
Turton Road
Bradshaw Road
Bradshaw Brw.
Tonge Moor Road
Bolton Rd.
Lee Gate

A
B
C
D
4
13
24
1
2
3
4
5
6
74
375
BRADSHAW ROAD
A676
Moss Hill Farm
Water Fold
Old Water Fold
Mary's Vale
Brown Barn Farm
Harry Fold Cottage
Harry Fold
SLACK LANE
Thorn Cott.
Higher Fold Farm
Greystones Farm
Tom Nook Farm
Holcombe Villa Farm
Baxter Head Farm
Butcher Farm
Peel Cottages
WATLING STREET
Affetside
No.1 Bungalow
No.2 Bungalow
No.3 Bungalow
Affetside Prim. Sch.
Mum's Harris Farm
BURY
BOLTON
Yeoman's
Howarth Farm
Meadow Barn
Bradshaw
MEADOWS
Top o' th' Greaves
LOWER KNOTTS
Riding Gate Brook
Brookbottom Farm
OLD GREEN
BROOK-BOTTOM
RIDING GATE
NEW GREEN
PENSFORD COURT
SEAFORD RD.
REDDISH CL.
HULME RD.
CATTERALL CR.
BIRCHFIELD
HEYS AV.
BRIERY AV.
NEW HEYS WAY
BROOKSIDE CL.
BROADSTONE RD.
DSLEY CL.
MOOR GTE
ASTLEY RD.
OX GATE
LEA GATE
LEE GATE
Lib.
THE HILLOCK
Super-store
Gate Fold
Side of the Moor
LONGSIGHT LANE
HILLSIDE CL.
HEATON AV.
SCARTHWOOD CL.
HOPE AV.
DUXBURY AV.
Rec. Grd.
BRAMDEAN AV.
EVERLEIGH
WESTCOTT CL.
SHALFLEET CL.
Harwood Lee
St. Brendan's R.C. Prim. Sch.
Hoyle's Fold
Old Ned's
Top of Raikes
RAIKES ROAD
Bolton
BL2
Hill End
Bowstone Hill
High Barn
BOWSTONE HILL
HEY HEAD COTTAGE
Castle Farm
Hardy Mill Quarry
LANE
Asmus Fold
Isherwood Fold
Brook Fold
The Height
HOUGH FOLD WAY
MANOR CT.
PARKDENE CLO.
INGLETON CLO.
ASHDENE
Youth Club
ASHFORD CL.
LYNWOOD GRO.
ASHWORTH TERR.
SOUTHGATE
Cemy.
LONGSIGHT LODGE
Longsight Prim. Sch.
Four Lane Ends
BROOKFOLD
MILFORD RD.
THE CRESCENT
HARDY MILL ROAD
B6196
Harwood
LOWER FOLD
GREENWOODS LA.
Heatons
Ruins
HAWTHORN BANK
AMBLESIDE CL.
Hardy Mill Prim. Sch.
LINCOLN GRO.
BRAMHALL AVENUE
LINKS ROAD
FAIRWAY AV.
Springfield (Club Ho.)
HARWOOD GOLF COURSE
BROOK
Higher Bury Meadows
Club House
HOUGH FOLD ROAD
HEATHFIELD RD
BELMONT
PATTERDALE
DEWHURST
SANDOWN
CHRISTCHURCH
GREEN BANK RD
FOLD MEADOWS
VIEW
PROSPECT AV.
SHILLINGSTONE CL.
ARTHUR LANE
Nab Gate Farm
RIDING
Bottom o'th' Moor
Castle Croft
LONGSIGHT LA.
SOUTH DRIVE
HAWKSTONE
CARLTON CL.
FERNDOWN
Sch.
Playing Field
CHRISTCHURCH CL.
Harwood Lodge
Nab Lane Farm
APPLEDORE DR.
STITCH MI
Blackshaw Brook
KIRKLANDS
Christ's Ch.
Playing Fields

E
F
G
H
15
5
25
76
77
78
14
13
12
11
1
2
3
4
5
6
Greenmount
Tottington
Bury
BL8
Four Lane Ends
Walshaw
Bolholt
TURTON ROAD
B6213
BURY ST.
MARKET ST.
HARWOOD RD.
BRADSHAW RD.
BENTLEY HALL ROAD
HIGH STREET
HOLCOMBE RD.
SHEPHERD STREET
SCOBELL STREET
CHURCH ST.
WALSHAW RD.
MOORSIDE RD.
MEADOW WAY
SHARPLES DR.
LOWERCROFT RD.
GISBURN DRIVE
LEIGH LANE
Old Bates
Bottoms Hall Cotts.
Holly Mount Farm
Reynards Bank
Meadow Nook
Windmill Farm
Hillcrest
Leeside
Ferns
Ralph Moor
Claybank
Brook House Bridge
Old Kays
Brookfield
Mill
Stormer Hill Fold
Reservoir
Recreation Ground
Works
Rec. Grd.
The Whitehead Garden
Meadowcroft Farm
Council Offs.
Lib.
Tottington High Sch.
Playing Field
Gorsey Clough
Hey Head
Meadow Head Cottage
Isherwoods
Prim. Sch.
Booth Hall Farm
Playing Fields
Bannister's Farm
Sheep Gate Farm
Walshaw Hall Farm
Walshaw Hall
Height Barn
Cricket Ground
Christ Church Prim. Sch.
Play. Flds.
Old Holts
Bentley Hall
High Crompton
Meadow Croft
Scholes Nursery
Sewage Works
Barrock Fold
Ainsworth Nursing Home
Old Barn
Ckt. Grd.

Worthington Lodge
Crawshaw Wood
Arley Wood
6
Worthington Hall
Reservoir
Kilhey Court
Wood
WIGAN GOLF COURSE
Worthington Lakes
Arley Bridge
Arley Hall (Club House)
Abbey Farm
Burtholme
Reservoir
Bank
Brook's
Arley Turn
Visitors Centre
Fir Tree Farm
Arley Brook
Worthingtons
Water Works Farm
MIDDLE ROW
Works
LAKE SIDE COTTAGES
RECTORY LANE
A5106
Red Rock
Patchcroft Farm
Pennington Farm
PENNINGTON LANE
Hampson Green
Heywoods
Glassbrooks
CANAL ROW
WORTHINGTON LAKES BUS. PARK
RED (RED ROCK BROW) ROCK
B5239
Red Rock Bridge
Red Rock Farm
The Cottage
Wigan
Arley Brook
LANE
MEADOW PIT
Red Rock Lodge
Hars Wood
SCHOOL
Barkers
Fairclough Wood
LEEDS & LIVERPOOL CANAL
FAIRHURST LANE
School Coverts
WN1
Winstanleys
CHORLEY ROAD
Sandstone Wood
Works
LURDIN LA.
RICHMOND CL.
RIDGE AV.
Pendlebury House
LANE
Astleys
Moat
Grimshaws
Pendlebury Bridge
PENDLEBURY
Sennicar Covert
Samuel's Fold Cottage
Callands Fold
HAWTHORN AV.
Home Farm
Zoological Gardens
Information Centre
Sennicar Bridge
Crow Orchard
Rothwells Farm
Bank House
Haigh Hall (Club House)
WIGAN ROAD
A49
Thorn Hill
SENNICAR
Brock Wood
HAIGH HALL GOLF COURSE
Brock Mill Farm
Rugby Ground
HAIGH COUNTRY PARK
Works
ELMFIELD RD.
WIGAN LA.
WINGATES ROAD
River Douglas
BROCK MILL LANE
Wingate Wood
Basin Quay
Longhurst
Hall Lane Lodge
HALL LA.
HAIGH UPPER PLANTATIONS
WALTER SCOTT AV.
BROOMHEY AV.
LUDOVIC TER.
A
B
C
D
1
2
3
4
5
6
58
59
11
10
09
08

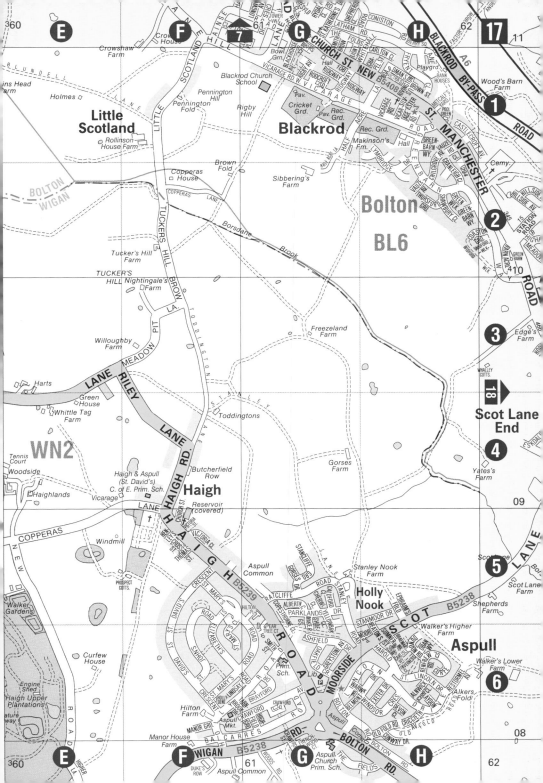
17
7
18
Little Scotland
Blackrod
Bolton
BL6
WN2
Haigh
Holly Nook
Aspull
Scot Lane End
Crowshaw Farm
Holmes
Rollinson House Farm
Pennington Fold
Pennington Hill
Rigby Hill
Blackrod Church School
Cricket Grd.
Rec. Grd.
Makinson's Fm.
Copperas House
Brown Fold
Sibbering's Farm
Tucker's Hill Farm
Nightingale's Farm
Willoughby Farm
Harts
Green House
Whittle Tag Farm
Toddingtons
Freezeland Farm
Gorses Farm
Butcherfield Row
Haigh & Aspull (St. David's) C. of E. Prim. Sch.
Reservoir (covered)
Haighlands
Woodside
Tennis Court
Vicarage
Windmill
Walker Gardens
Curfew House
Engine Shed
Haigh Upper Plantations
Aspull Common
Stanley Nook Farm
Hilton Farm
Manor House Farm
Aspull Mkt.
Aspull Church Prim. Sch.
Wood's Barn Farm
Edge's Farm
Yates's Farm
Scot Lane Farm
Shepherds Farm
Walker's Higher Farm
Walker's Lower Farm
Alkers Fold
Cemy.
Borsdane Brook
BOLTON
WIGAN
BLACKROD BY-PASS
A6
B5408
B5239
B5238
CHURCH ST.
NEW ST.
MANCHESTER ROAD
VICARAGE RD.
LITTLE SCOTLAND
SCOTLAND LANE
BLUNDELL LANE
TUCKERS HILL BROW
COPPERAS LANE
MEADOW PIT LA.
RILEY LANE
HAIGH RD.
HAIGH ROAD
TODDINGTON LANE
STANLEY LANE
COPPERAS LANE
NEW ROAD
SCOT LANE
WIGAN RD.
BOLTON RD.
MOORSIDE
BALCARRES
RATCLIFFE ROAD
HALF ACRE LA.
LYMBRIDGE DR.
GREENBARN WAY
STATION ROAD
360
61
62
11
10
09
08

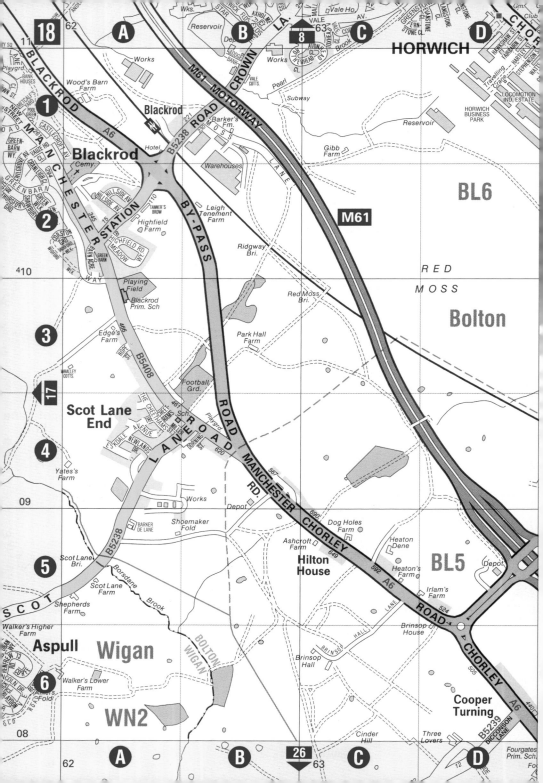
HORWICH
Blackrod
BL6
Red Moss
Bolton
Scot Lane End
Hilton House
BL5
Aspull
Wigan
WN2
Cooper Turning
M61 Motorway
Blackrod By-Pass
Manchester Chorley Road
Station Road
Crown Lane
Moss Lane
Scot Lane
Works
Wood's Barn Farm
Hotel
Cemy.
Barker's Fm.
Warehouses
Leigh Tenement Farm
Highfield Farm
Ridgway Bri.
Playing Field
Blackrod Prim. Sch
Red Moss Bri.
Edge's Farm
Park Hall Farm
Whalley Cotts.
Football Grd.
Yates's Farm
Depot
Shoemaker Fold
Dog Holes Farm
Ashcroft Farm
Heaton Dene
Heaton's Farm
Irlam's Farm
Scot Lane Bri.
Scot Lane Farm
Borsdane Brook
Shepherds Farm
Walker's Higher Farm
Walker's Lower Farm
Brinsop House
Brinsop Hall
Cinder Hill
Three Lovers
Fourgates Prim. Sch.
Reservoir
Gibb Farm
Subway
Horwich Business Park
Locomotion Ind. Estate
Travelling Crane
Dicconson Lane

8
17
26

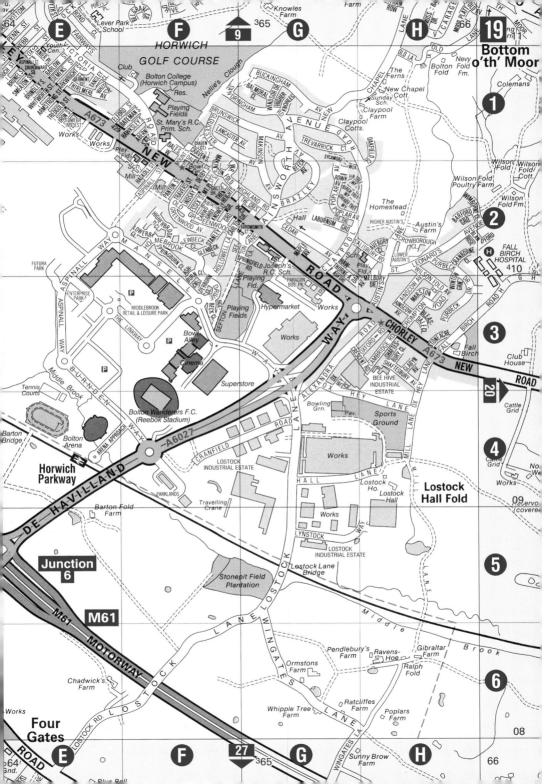

HORWICH GOLF COURSE
Bolton College (Horwich Campus)
Lever Park School
Knowles Farm
Bottom o'th' Moor
Nellie's Clough
Playing Fields
St. Mary's R.C. Prim. Sch.
Claypool Farm
Claypool Cotts.
New Chapel Cott.
The Ferns
Bolton Fold
Nevy Fold Fm.
Colemans
Wilson Fold
Wilson Fold Poultry Farm
Wilson Fold Fm.
The Homestead
Austin's Farm
FALL BIRCH HOSPITAL
NEW CHORLEY ROAD
A673
St. Joseph's R.C. Sch.
Hypermarket
MIDDLEBROOK RETAIL & LEISURE PARK
FUTURA PARK
ENTERPRISE PARK
Bowl. Alley
Cinema
Superstore
Bolton Wanderers F.C. (Reebok Stadium)
Bolton Arena
Horwich Parkway
Barton Bridge
Tennis Courts
Middle Brook
DE HAVILLAND WAY
A6027
LOSTOCK INDUSTRIAL ESTATE
PARKLANDS
Travelling Crane
Barton Fold Farm
BEE HIVE INDUSTRIAL ESTATE
Sports Ground
Works
Lostock Ho.
Lostock Hall
Lostock Hall Fold
Lostock Lane Bridge
Stonepit Field Plantation
Junction 6
M61 MOTORWAY
Chadwick's Farm
Four Gates
Pendlebury's Farm
Ravens-Hoe
Gibraltar Farm
Ralph Fold
Ormstons Farm
Ratcliffes Farm
Whipple Tree Farm
Poplars Farm
Sunny Brow Farm
LOSTOCK LANE
WINGATES LANE
Fall Birch
Club House
Cattle Grid
E F G H
1 2 3 4 5 6
9
27
20
365

Bottom o'th' Moor
CHORLEY OLD ROAD
Suckling Calf Farm
Nevy Fold Farm
Bolton Fold
Colemans
Moor Platt
Moor Platt Clough
Coal Brow
Stanley Gate Farm
GREEN HILL
Horse Hey
Grundy Fold
B6226
MONTSERRAT BROW
OLD KILN LANE
B6402
Rants Farm
Hawthorn Plantation
Weir
BOOT
Hodgkinsons
BL6
Wilson Fold
Wilson Fold Cott.
Wilson Fold Poultry Farm
Wilson Fold Fm.
HIGH RID RESERVOIR
FALL BIRCH HOSPITAL
High Rid Fm.
HIGH RID LANE
OLD HALL LANE
Res.
Old Hall
NEW HALL MEWS
THE HIGH GROVE
Playing Field
High Rid Plantation
Burnthwaite
The Cottage
Bolton
BOLTON GOLF COURSE
Club House
Fall Birch
THE KILPHIN ROAD
THE HAMLET
THE BEAUMONT BMI HOSP.
WOODLANDS
Hollinhurst Plantation
Dob Hill Farm
VICTORIA
BEAUMONT
A673
DALEGARTH AV.
RAVENSDALE RD.
ST. ANDREWS RD.
LINKS DR.
Club House
North Well
Cattle Grid
Works
Lostock Hall Fold
Reservoir (covered)
REGENT PARK MUNICIPAL GOLF COURSE
REGENT DR.
MEADOWFIELD
NEW MEADOW
BROADWOOD
ROSE BANK
ACRESDALE
Lostock Pk.Tennis Grd.
Bessy Brook
MILLDALE CL.
Pumping Station
Lostock
Lostock Prim. Sch.
Lostock Junc.
GLENGARTH
Ravenshurst
Heaton Bri.
Closes Gate Plantation
Southfield
MORRIS FOLD DR.
OVERDENE CL.
RUMWORTH ROAD
Middle Gibraltar Farm
Brook
Morris Fold Farm
Alliance Bridge
Discharge Well
Lostock Parish Cen.
JUNCTION ROAD
Lostock Junction
Bank Top Farm
School Farm
Play. Fld.
TEMPEST
RUMWORTH LODGE RESERVOIR
Chulsey Gate
Wicken
10
19
28
A B C D
1 2 3 4 5 6

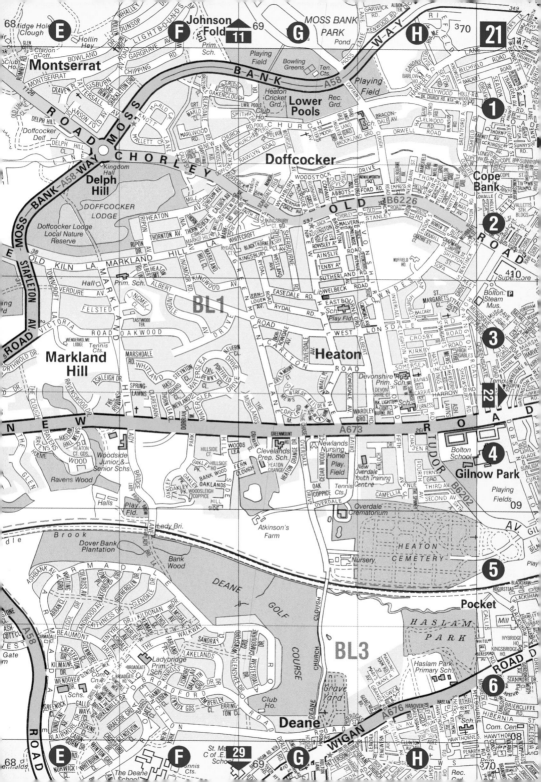

21
Montserrat
Doffcocker
Delph Hill
Doffcocker Lodge
Doffcocker Lodge Local Nature Reserve
Lower Pools
Moss Bank Park
Johnson Fold
Cope Bank
Heaton
Markland Hill
Gilnow Park
Bolton School
Bolton Steam Mus.
Heaton Cemetery
Overdale Crematorium
Haslam Park
Haslam Park Primary Sch.
Pocket
Deane
Deane Golf Course
Dover Bank Plantation
Bank Wood
Ravens Wood
Woodside Junior & Senior Schs.
Clevelands Prep. Sch.
Devonshire Rd. Prim. Sch.
Ladybridge Prim. Sch.
Atkinson's Farm
New Overdale Youth Training Centre
Newlands Nursing Home
BL1
BL3
MOSS BANK WAY
CHORLEY OLD ROAD
NEW ROAD
WIGAN ROAD
ARMADALE
BROADFORD ROAD
A58
A673
A676
B6226
B6202

22
A
B
C
D
12
Halliwell
1
2
3
4
5
6
21
30
Brownlow Fold
Cope Bank
Playing Field
Victory
Reservoirs
Playing Fields
Bolton R.U.F.C. Club Ho.
Jubilee Pool
Jubilee Day. Cen.
Thomasson Park
BL1
C.of E. Prim. Sch.
Bolton
Depot
Green Acre Park
Factory
Superstore
Bolton Steam Mus.
BOLTON
QUEEN'S PARK
Hospice
Bolton Boys' Sch.
Bolton Sch.
Gilnow Park
Playing Fields
Bolton Technology Exchange
R. Croal
HEATON CEMETERY
Gilnow
Gilnow Prim. Sch.
Playing Fld.
Pocket
HASLAM PARK
Haslam Park Primary Sch.
Willows
Rec. Grd.
Com. Cen.
Lecturers Closes
Bolton Institute
Industrial Estate
BL3
Mill-View Nursing Home
Heywood Park
Tennis Cts.
Market Hall
Mkt. Hall
Civic Cen.
Bus Sta.
Bus-Rail Interch.
The Water Place
HALLIWELL
A6099
BLACKBURN RD.
A666
WATERLOO
B6207
TURTON
ST. PETER'S WAY
CHORLEY OLD ROAD
B6226
NEW ROAD
A673
CHORLEY
TUDOR
TOPP WAY
A673
ST. GEORGE'S ROAD
MARSDEN RD
BRADSHAWGATE
DEANSGATE
TRINITY 579 STREET
MOOR LANE
B6203
B6202 AV. GILNOW
MAYOR S.
B6202
DERBY ST.
A579
DEANE RD.
A676
WIGAN RD.
PARK RD
SPA RD
BOW ST
CHURCHGATE
KAY ST.

E
F
G
H
13
23
24
31
1
2
3
4
5
6
Wood Recreation Ground
Football Ground
Prim. Sch.
Firwood Sch.
Firwood Industrial Estate
Works
Bottom o' th' Moor
Bradshaw Brook
Top o' th' Brow
Top o' th' Brow Prim. Sch.
Tonge Moor
Library
Back o' th' Bank
Warehouse
Thicketford Farm
Thicketford Bridge
Thicketford Brow
Seven Acres Country Park
Darbishire Pk. Rec. Grd.
Pav.
Waterloo Ind. Pk.
R. Tonge
Tonge Pk.
St. Augustine's Prim. Sch.
Moorgate Prim. Sch.
Play Fld.
Turner Bridge Works
Lodge Vw. Caravan Pk.
Mill Hill
Mill Hill Prim. Sch.
Tonge Bri. Ind. Est.
BL2
Weirs
Roscow Fold
A58
A676
A673
A666
A579
B6208
B6209
B6536
Crompton Way
Ainsworth Lane
Moor Road
Tonge Moor Road
Bury Road
Bury New Road
Folds Road
St. Peter's Way
Radcliffe Road
Bradford Street
Castle Street
Crompton Vale
Tonge Fold
Oaken Bottom
Oaken Bottom Bri.
Bradshaw Brk.
Mill
Tonge Cemetery
Tonge Fold Rd.
Cemetery Rd.
Bolton Institute (Chadwick Campus)
Bradford Park
River Tonge
Leverhulme Park
Leverhulme Pk. Athletics Stadium
Bowling Greens
St. Stephen & All Martyrs C. of E. Prim. Sch.
Hag End Brw.
Springfield
Trinity Retail Park
Superstore
Leis. Cen.
Bolton Coll.
Rose Hill
River Croal
Burnden Viaduct
Burnden Way
Raikes Clough
Victory Trad. Est.
T.A. Cen.
Darcy Lever
Long Lane
Sports Ground
Cricket Ground
Aqueduct
Manchester Road
Orlando St.
Nelson
Hollycroft Avenue
Leacroft
Lenham
Sch.
Prim. Sch.
St. A. R.C. P.
Lib.
Works
Mill
72
73
74
08
09
410

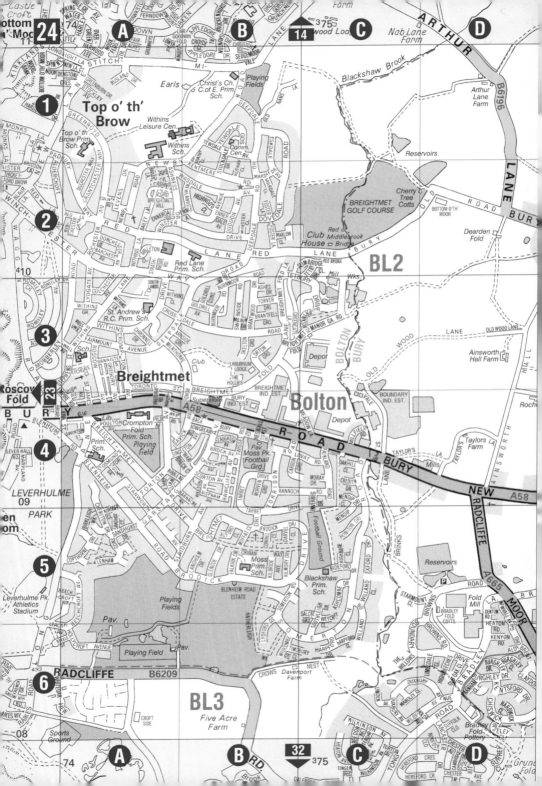

14
32
23
A
B
C
D
1
2
3
4
5
6
Top o' th' Brow
Breightmet
Bolton
BL2
BL3
Withins Leisure Cen.
Withins Sch.
Top o' th' Brow Prim. Sch.
Christ's Ch. C.of E. Prim. Sch.
Playing Fields
Comm. Cen.
Red Lane Prim. Sch.
St. Andrew's R.C. Prim. Sch.
Crompton Fold Prim. Sch.
Playing Field
Moss Prim. Sch.
Blackshaw Prim. Sch.
Pav. Moss Pk. Football Grd.
Football Ground
BREIGHTMET GOLF COURSE
Club House
Red or Middlebrook Bridge
Cherry Tree Cotts
Reservoirs
Arthur Lane Farm
Nab Lane Farm
Blackshaw Brook
Dearden Fold
Ainsworth Hall Farm
Taylors Farm
Mills
BOUNDARY IND. EST.
BREIGHTMET IND. EST.
BURY IND. EST.
Superstore
Depot
Wks.
Mill
LABURNUM LODGE
THE HOLLIES
BOLTON BURY
LEVERHULME PARK
Leverhulme Pk. Athletics Stadium
Playing Fields
BLENHEIM ROAD ESTATE
Fold Mill
BRADLEY FOLD COTTS.
Bradley Fold Pottery
Davenport Farm
Five Acre Farm
Sports Ground
RADCLIFFE
B6209
B6196
A58
A665
ARTHUR LANE
BURY ROAD
NEW RADCLIFFE
MOOR
BURY OLD ROAD
BOTTOM O'TH' MOOR
RED LANE
WITHINS LANE
DEEPDALE ROAD
BREIGHTMET FOLD LA.
OLD WOOD LANE
AINSWORTH
BLENHEIM RD.
GARSTANG DRIVE
BRODICK
SOMERTON
LONG
CROWS NEST
BRADLEY
Roscow Fold
Leverhulme
Earls
410
09
08
74
375

25
15
77
33
E
F
G
H
1
2
3
4
5
6
Starling
Bury
BL8
Ainsworth
Manchester
M26
Black Lane
Cockey Moor
Ainsworth Nursing Home
Knowsley
Brown Hill
Reservoir
Old Barn
Mill
Lowercroft Prim. Sch.
CHURCH STREET
COCKEY MOOR ROAD
AINSWORTH ROAD
B6196
OLD RD.
STARLING ROAD
B6292
HIGHER PIT LA.
Pilkington Fold
MOORGATE ROAD
Starling Wood
Top o' th' Carrs
Kiln Clough
BRADLEY FOLD RD.
Plane Trees
Halfway Houses
BURY AND BOLTON ROAD
A58
Ainsworth Lodge Farm
Pond
Openshaw Fold
HIGHER AINSWORTH ROAD
Higher Spen Moor
Coggra Fold
BRADLEY FOLD TRADING EST.
Moss Shaw Farm
CONSTELLATION TRAD. EST.
Brook Bottom Farm
Prim. Sch.
Rec. Grd.
AINSWORTH ROAD
COVENTRY RD.
GREENBANK
CEMY.
RADCLIFFE MOOR RD.
A665
MOSS SHAW WAY
TURKS ROAD
Youth Cen.
Radcliffe Borough F.C. (Stainton Park)
Radcliffe Jun. & Inf.
CEMETERY RD.
Works
Scholes Nursery
Sewage Works
409
08
76
78

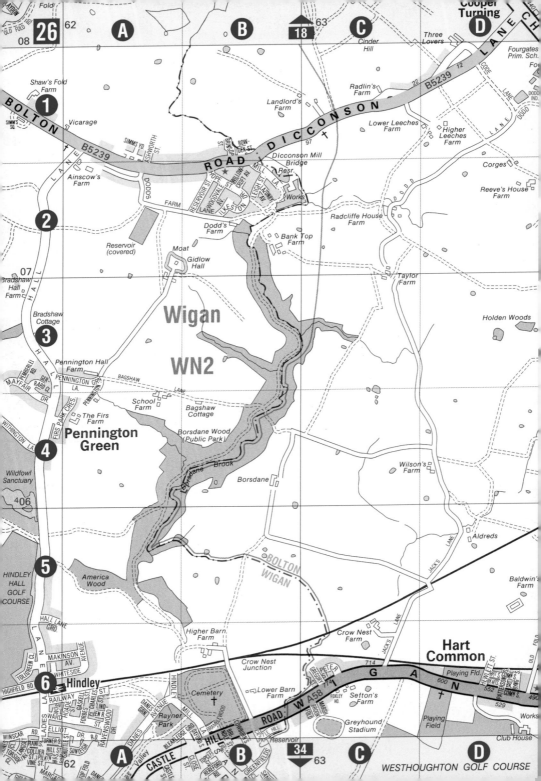
26
A
B
C
D
1
2
3
4
5
6
18
34
62
63
08
07
06
Cooper Turning
Three Lovers
Cinder Hill
Fourgates Prim. Sch.
Shaw's Fold Farm
BOLTON
B5239
Vicarage
SIMM'S SQ.
SIMMS YD.
ASHWORTH ST.
Radlin's Farm
Landlord's Farm
DICCONSON
ROAD
LANE
Lower Leeches Farm
Higher Leeches Farm
CODE LANE
DODD LANE
BRINSOP ST.
BOW-DEN ST.
Dicconson Mill Bridge
Resr.
Works
Corges
Reeve's House Farm
Ainscow's Farm
DODDS FARM LANE
RESERVOIR ST.
HOPE ST.
WILLOW CROFT AV.
WOODVALE AV.
ILKESTON DR.
LEIGH ST.
LAZONBY AV.
MILL LA.
Dodd's Farm
Radcliffe House Farm
Bank Top Farm
Reservoir (covered)
Moat
Gidlow Hall
Taylor Farm
Bradshaw Hall Farm
HALL LANE
Bradshaw Cottage
Wigan
WN2
Holden Woods
Pennington Hall Farm
PEMBERLEI RD.
GERRARD CL.
MAYFAIR DR.
PENNINGTON GRN.
PENNINGTON CL.
BAGSHAW LANE
School Farm
Bagshaw Cottage
The Firs Farm
FIRS PARK CRES.
WITHINGTON LA.
Pennington Green
Borsdane Wood (Public Park)
Borsdane Brook
Wilson's Farm
Borsdane
Wildfowl Sanctuary
Aldreds
JACK'S LANE
BOLTON
WIGAN
HINDLEY HALL GOLF COURSE
America Wood
Baldwin's Farm
HALL LANE GRO.
Higher Barn Farm
Crow Nest Farm
Hart Common
MAKINSON AV.
AVENUE
TOLLGREEN CL.
WHITESIDE
Hindley
HIGHFIELD RD.
Crow Nest Junction
HINDLEY MILL
Cemetery
Lower Barn Farm
GREGORY
PETER ST.
WIGAN ROAD A58
714
774
600
552
529
490
Playing Fld.
HEWLETT ST.
Sefton's Farm
FOXLEY HO.
BROOK FOLD
MARSH
Greyhound Stadium
Playing Field
Works
Club House
RAILWAY
HOADE ST.
GASKELL ST.
CHARLES ST.
LINDEN
FORBES ST.
WARD
ELLIOT DR.
RAVENSWOOD DR.
LADIES LA.
WINSCAR RD.
TURNER ST.
COLLIER
HILL ST.
VINE ST.
SUNLEIGH RD.
DANES AVENUE
Rayner Park
BRAMBLEWOOD
BLEAKLEDGE GRO.
CASTLE HILL
Reservoir
GREENFIELDS
Valley
WESTHOUGHTON GOLF COURSE

27
E
F
G
H
19
35
28
1
2
3
4
5
6
Four Gates
Whipple Tree Farm
Ratcliffes Farm
Poplars Farm
Blue Bell Farm
Depot
M61
M61 MOTORWAY
Sunny Brow Farm
Moss Cottages
Whittle House Farm
Hartleys Farm
Wingates
WINGATES IND. EST.
St. John's (Wingates) C. of E. Prim. School
Ditcher's Farm
Works
BEECH HOUSE
MANCHESTER ROAD
A6
Carlies
WINGATES INDUSTRIAL ESTATE
Industrial Estate
Nursery
Westhoughton
Willow Bank
Bolton
LONG ISLAND GOLF COURSE
Club House
Long Island Farm
BL5
WESTHOUGHTON
Hall
Mills
BOLTON ROAD INDUSTRIAL ESTATE
Sacred Heart R.C. Prim. Sch.
Play. Fields
Westhoughton Prim. Sch.
Central Park
Bowl.Grns.
Cemetery
Vicarage
Works
Water's Nook
Westhoughton High Sch.
Westhoughton Leis. Cen.
Play. Flds.
Grundy's Farm
Prim. Sch.
CRICKETERS WAY
A58
PARK ROAD
Pav.
Cricket Grd.
Football Ground
Reservoirs
Old Lane Farm
Hill Crest
Old Fold Farm
Cunningham Brook
Dobb Brow
Mill
Washacre Prim. Sch.
Youth Cen.
Playing Field
Dorothy Rigby's Farm
Lambert Sales Farm
St. George's C. of E. Prim. Sch.
Eatock Prim. Sch.
Daisy Hill
Weirs
Factory
B5235
B5236
CHURCH STREET
BOLTON ROAD
LEIGH ROAD
WASHACRE

RUMWORTH LODGE RESERVOIR
BL6
Moss Hall Farm
Whittle House Farm
Villa Rose
Chulsey Gate Farm
CHULSEY GATE LANE
Wicken Lees Fm.
ST. JOHNS WOOD
Warehouse
Sunderland Nursery
LOCK LANE
Seddon Fold
Mosslands
ST. JOHN'S TEMPEST
TEMPEST ROAD
NEW TEMPEST RD.
Rec. Grd.
Chew Moor
Gravel Hole
M61
M61 MOTORWAY
Ditcher's Farm
BEECH HOUSE
Nook Gate Brook
POCKET NOOK RD.
POCKET NOOK
Morris Farm
CHEW MOOR LA.
Monks Farm
Factory
MANCHESTER ROAD
A6
WINSLOW ROAD
WHITEGATE
HIGHGATE
TAYWOOD RD.
HILLSIDE CL.
CARTMEL CL.
BOLTON RD.
HORNBY DR.
SNYDALE WAY
PENDLEBURY FOLD
PUNCH LANE
BOLTON ROAD
Snydale Cott.
Snydale Gate Farm
Snydale Hall Farm
Reservoir (covered)
WHITE HORSE GRO.
HEATONS GRO.
FARLEIGH CL.
A58
Junction 5
B5235 ROAD
BOLTON ROAD INDUSTRIAL ESTATE
Westhoughton Prim. Sch.
CHERWELL
WHARFEDALE
Mills
MOLYNEUX
LEES
UPPER LEES DR.
LODGE DR.
YELLOW
MANLEY CRESCENT
BEEHIVE GREEN
Sch.
Works
NORRIS RD.
Knowles Bridge Farm
Water's Nook
WATER'S NOOK RD.
BARNFIELD DR.
FELLBRIDGE CL.
FAIRHAVEN AV.
ALEXANDRIA DR.
SINGLETON GRO.
Recn. Gd.
Beech Hall Farm
Owler Hall Farm
MANLEY ROW
Knowles Bank Bridge
The Cottage
Stone Holes Wood
Westhoughton High Sch.
Westhoughton Leis. Cen.
CAPTAIN LEES GDNS.
MARY HN CT.
Chequerbent
PARK ROAD
Markland Plantation
BAILEY FOLD
LEE BANK
PLATT LANE
BL5
CRICKETERS WAY
WADE BANK
Weirs
Old Dam Wood
BOLTON
LEIGH
Hall Lee Bank Park
Hooper Green
Back o'th' Lawn Wood
Green Common
GREEN COMMON LANE
Ashes Farm
Weir
Scout Camp
Mill Dam Stream
Belgrave Spinney
Yew Tree Farm
INDUSTRIAL ST.
MABEL ST.
Daisy Hill
Hawsthorne Wood
Lower

20
27
36

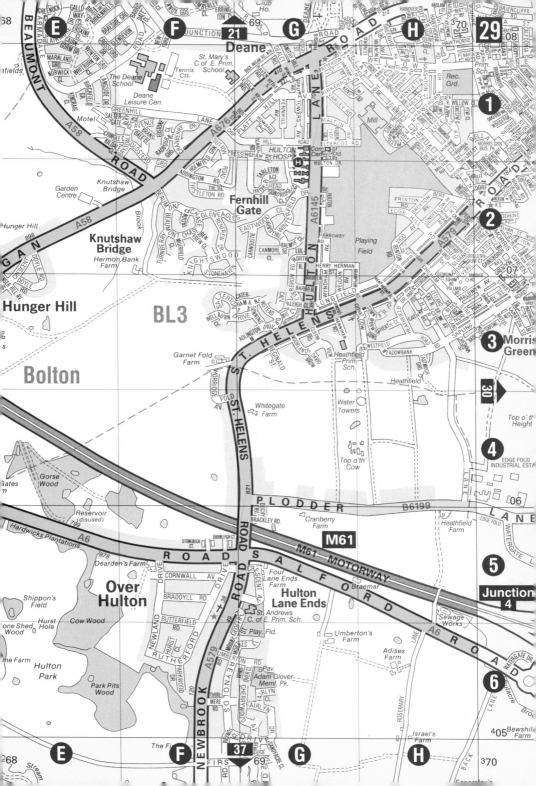
29
Deane
St. Mary's C of .E. Prim. School
The Deane School
Deane Leisure Cen.
Motel
Tennis Cts.
Rec. Grd.
Mill
HULTON HOSP.
Fernhill Gate
Knutshaw Bridge
Hermon Bank Farm
Garden Centre
Hunger Hill
BL3
Bolton
Playing Field
Garnet Fold Farm
Heathfield Prim. Sch.
Heathfield
Whitegate Farm
Water Towers
Top o'th' Cow
Morris Green
Top o' th' Height
EDGE FOLD INDUSTRIAL ESTA
Gorse Wood
Reservoir (disused)
Hardwicks Plantations
PLODDER LANE
B6199
Cranberry Farm
Heathfield Farm
M61
M61 MOTORWAY
Junction 4
Dearden's Farm
Over Hulton
Four Lane Ends Farm
Hulton Lane Ends
Braemar
Sewage Works
St. Andrews C. of E. Prim. Sch.
Play. Fld.
Umberton's Farm
Adises Farm
Shippon's Field
Hurst Hole
Cow Wood
Hulton Park
Park Pits Wood
Adam Glover Meml. Pk.
Israel's Farm
Bewshill Farm
A58
A676
A6145
A579
A6
ST. HELENS ROAD
SALFORD ROAD
NEWBROOK ROAD
HULTON LANE
BEAUMONT ROAD
JUNCTION ROAD
21
37
30
E
F
G
H
1
2
3
4
5
6

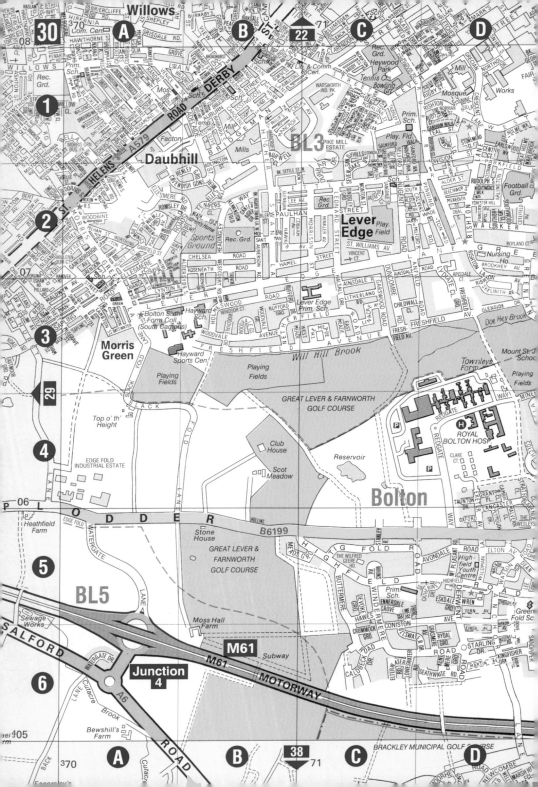

30
22
29
38
A
B
C
D
1
2
3
4
5
6
Willows
Daubhill
Lever Edge
Morris Green
Bolton
BL3
BL5
ST. HELENS ROAD
DERBY ROAD
A579
ST. MORRIS
LEVER EDGE LANE
BRIDGEMAN STREET
HIGHER SWAN LANE
PODDER LANE
B6199
M61 MOTORWAY
M61
Junction 4
SALFORD ROAD
A6
SLACK FOLD LANE
WATERGATE LANE
HIGHFIELD ROAD
FRESHFIELD AVENUE
Will Hill Brook
Doe Hey Brook
Playing Fields
GREAT LEVER & FARNWORTH GOLF COURSE
Club House
Scot Meadow
Reservoir
ROYAL BOLTON HOSP.
Top o' th' Height
EDGE FOLD INDUSTRIAL ESTATE
Heathfield Farm
Stone House
Moss Hall Farm
Subway
Sewage Works
Bewshill's Farm
Cutacre Brook
BRACKLEY MUNICIPAL GOLF COURSE
Townleys Farm
Hayward Sports Cen.
Hayward Sch.
Bolton Sixth Form Coll. (South Campus)
Lever Edge Prim. Sch.
Sports Ground
Rec. Grd.
Heywood Park
Tennis Cts
Bowling Grn.
PIKE MILL ESTATE
WADSWORTH IND. PK.
Football Grd.
Nursing Ho.
High-field Youth Centre
Mosque
Mill
Works
Factory
Mills
Children's Home
MORRIS GRN. BUS. PK.

31
23
39
32
E
F
G
H
1
2
3
4
5
6
Burnden
Darcy Lever
MOSES GATE COUNTRY PARK
Great Lever
Moses Gate
Harper Green
BL4
FARNWORTH
New Bury
Highfield
M61
A666
A6053
A575
A5082
B6536
B6199
A6073
MANCHESTER ROAD
SAINT PETER'S WAY
RAIKES LA.
BOLTON RD.
GLYNNE
LANE
LONG CAUSEWAY
BUCKLEY LANE
WORSLEY RD.
HIGHFIELD ROAD
Cricket Ground
Play. Fld.
River Croal
Hacken Bri.
Reservoirs
Bull Hill
Caravan Site
Bridgeman Park
Great Lever Park
Bradford Reservoir
Harper Grn. Running Track
Harper Grn. Leisure Centre
Farnworth Park
Playing Fields
EXPRESS TRADING ESTATE

A
B
C
D
24
375
74
08
07
06
405
1
2
3
4
5
6
31
40
MOSES GATE COUNTRY PARK
Old Hall Farm
Dove Bank
RADCLIFFE RD.
B6209
DOVE BANK RD.
BL3
LITTLE LEVER
Masefield Primary School
Playing Fields
Bowness Prim. Sch.
Little Lever Leisure Cen.
Little Lever School
LANE
CHURCH ST.
HALL LANE
A6053
MARKET ST.
HIGH ST.
River Croal
Caravan Site
Bull Hill
Farnworth Bridge
Canal (dis.)
Towing Path
Moses Gate Country Park
Rock Hall
Reservoir
St. Teresa's R.C. Prim. Sch.
St. Matthew's C. of E. Prim. Sch.
Mytham Prim. Sch.
Football Ground
Bolton
Nob End
Wellfield
FARNWORTH CEMETERY
Lower Farley
Darley Park
FARNWORTH & KEARSLEY BY-PASS
A666
All Saint's C. of E. Prim. Sch.
Farnworth
Clammerclough
Clammerclough Tunnel
Kearsley Park
Wilsons Bridge
Seddon's Fold
Oak Hill
PRESTOLEE RD.
Langley Brow
Manchester, Bolton & Bury Canal
Prestolee Prim. Sch.
Prestolee
BL4
Horridge Brook
Kearsley
A667
STONECLOUGH RD.
Stoneclough
EUROPA TRADING ESTATE
LONG CAUSEWAY
BOLTON RD.
M61
KEARSLEY
Alderbank (Home for Aged)
George Tomlinson
EXPRESS TRADING ESTATE
STONE HILL IND. EST.
Singing Clough
FISHBROOK IND. EST.
Weir
Mill
Works

33
25
41
RADCLIFFE
Manchester
M26
Outwood
Ringley
Radcliffe Moor Rd.
Countess La.
A665
Bolton Road
Stopes Road
A6053
Water St.
Ainsworth Rd.
B6292
Ringley Road
A667
Kearsley Rd.
Sion Road
River Irwell
Manchester, Bolton & Bury Canal
Radcliffe Borough F.C. (Stainton Park)
Radcliffe Jun. & Inf. Schs.
Cricket Ground
Bolton Rd. Park
Cams Lane Prim. Sch.
Radcliffe High Sch.
Playing Fields
Holly Bank Industrial Estate
Harper Fold
Stopes Farm
Football Ground
Mount Sion
Nickernoie Bridge
Outwood Sidings
Weir
Nearer Shore Top
Shore Top Farm
Reservoir
Higher Barn
Allens Green
Dale St. Ind. Est.
Hillsden Farm
Ringley Lock
Ringley Bridge
Ringley Canal Bridge
Bottom of Croft
Ringley Old Br.
St. Saviour Ringley Prim. Sch.
Ringley Wood
Higher Heaps
Heaps Cottage
Lower Heaps
The Irwell Valley Way
Nuttall Wood
Sewage
Works
Weir
Rush Acre
Scotson Fold
Comm. Cen.
Youth Cen.

34
A
B
C
D
26
62
63
1
2
3
4
5
6
HINDLEY
HINDLEY HILL
CASTLE HILL
Rayner Park
Reservoir
Greyhound Stadium
Playing Field
Club House
WESTHOUGHTON GOLF CENTRE
Marsh Brook
BOLTON
WIGAN
Dodhurst Brow Farm
Maxwell Farm
Alder Farm
Chapel Fields
Playing Fields
Prim. Sch.
Hindley Swim. Pool
Tanfield Sch.
Mornington High Sch. & Hindley Leisure Cen.
Thorley House
Playing Field
The Hollins
Hollins Prim. Sch.
Works
Training Centre
Sacred Heart R.C. Prim. Sch.
Rose Hill Sch.
PARK BUSINESS CENTRE
Intack Farm
Alder Farm
Close Lane Farm
Close House Farm
Scowcroft Farm
Hall Lane Farm
Leyland Ten. Ct.
Park
Ten. Ct.
Pav.
Playing Fields
LEYLAND AV.
West Prim. Sch.
Hindley Green Prim. Sch.
Hindley Green
Wigan
WN2
Sales Cottage
Barlow's Farm
H. M. P. HINDLEY
Factories
Bickershaw
Naylor's Farm
Owen's Farm
Recreation Ground
A58
A577
A578
B5237
ATHERTON RD.
BORSDANE AVENUE
WARWICK DR.
LANCASTER RD.
CROSSDALE RD.
LONGHURST
SANDY LANE
ALDER LANE
GREEN LANE
SWAN LANE
WOODLAND AVENUE
ASKWITH RD.
GLOSSOP WAY
CLOSE LANE
BICKERSHAW LANE
SMITH'S LA.
LEIGH RD.
MARKET ST.
BRIDGE ST.
DOG POOL BROOK
PARK RD.
RAYNER PARK RD.
EDGEWORTH RD.
BELMONT
03
02

35
27
36
E
F
G
H
1
2
3
4
5
6
Daisy Hill
Bolton
Hosker's Nook
The Pungle
BL5
Old Sirs
Manchester
Leigh
WN7
Dangerous Corner
Pickley Green
Lambert Sales Farm
St. George's C. of E. Prim. Sch.
Banks Farm
Cunningham Brook
Marshes Farm
Harts i'th' Hole
Bugle Horn
Eatock Prim. Sch.
Daisy Hill C.of E. Prim. Sch.
Cricket Ground
Playing Flds.
Mountain Farm
Hall Lee Brook
Marsh Brook
Greenbank Industrial Estate
Speakman's Farm
Land Farm
Land Farm Equestrian Centre
Sewage Works
Gillibrands
Works
Carr Common Cottages
Belvedere Farm
Astleys
Small Brook
M46
Hindley's Farm
Smith's Farm
Bowker's Bridge
Lower Snipes
Westleigh Brook
Playing Fields
Howe Bridge Crematorium
Cemetery
Parsonage Bridge
War Mem.
Westleigh High Sch.
Westleigh Methodist Prim. Sch.
Nursery
Playing Field
HINDLEY ROAD
CORNER A577 LA. SMALLBROOK LANE WIGAN
LEIGH ROAD
LOWER LEIGH ROAD
SCHOFIELD LANE B5235
LOVERS
ATHERLEIGH WAY A579
WESTLEIGH LANE
Colliery Lane
Daisy Hill
365
405
04
03
02
64
66

36
A
B
C
D
28
67
66
Ashes Farm
Yew Tree Farm
Belgrave Spinney
Dog Kennel Wood
Weir
Daisy Hill
Reservoir
Resr. (covered)
Mountain Farm
Works
Green Common
Green Common La.
Platt La.
Lower Whittles
Langley Hall Farm
Rawsthorne Wood
BOLTON
WIGAN
Assessment Centre
Wood End Farm
New Park Wood
Wood End
Lower Leigh Road
Leigh Road
Lee Brook
Cricket Ground
Playing Flds.
04
03
02
1
2
3
4
5
6
Everest Road
Mardale Cl.
Lowe Av.
Dalebank
Gregory Av.
Peak Av.
Hilary Av.
Coronation Av.
Windermere Av.
Browning Av.
Shelley Wlk.
Woodvale Av.
Tarleton Av.
Norfolk
Devon Road
Rec. Grd.
Comm. Cen.
Hag Fold
Kirby Av.
Sefton Av.
Princess Av.
Hatton Av.
Fletcher Av.
Coniston Av.
Rainbow Dr.
Buttercup Cl.
Milton Cl.
Warwick Rd.
Warwick Road
Garston Av.
Somerset
Waverley Av.
Knowsley Av.
Dorset
Birkdale Av.
Seaforth Av.
Ainsdale Av.
Formby Av.
Rec. Grd.
Southside Industrial Park
Railway St.
Wks.
Car Bank St.
Cedar Av.
Maple Av.
Birchfield Av.
Cherry Tree Gro.
Car Bank Road
Kent Road
Freshfield Av.
Car Bank Street
Car Bank Cres.
Car Bank Sq.
Brooklands Av.
North Road
Colliery Lane
Fairview Caravan Pk.
Bag La. Enterprise Cen.
Prestwich Ind. Est.
Bag Lane
Elmfield Av.
Ashfield Av.
Oakfield Av.
Bowl. Grn.
St. Richards R. C. Prim. Sch.
Meadowbank Prim. Sch.
Playing Fields
Second Av.
First Av.
Gloucester Pl.
St. Georges C. of E. Prim. Sch.
Cross
Coal Pit La.
Brierfield Av.
Larch Gro.
Flapper Fold
Derby
Yew Tree Av.
Willow
Hazel Rd.
Collier Brook Ind. Cen.
Prestwich Street
Tavistock St.
Nelson St.
Russell
Sch.
Astleys
35
B5235
Schofield Lane
ATHERTON
Coal Yard
Depot
Works
Gloucester Street
Brook Street
Res.
Mills Factory
Dawson St.
Factory St. W.
Factory St. East
Seddon Cl.
Rosedale Avenue
Water St.
York St.
Hunt St.
Elizabeth St.
Lby.
T.H.
Bolton Old Road
Hesketh St.
A577
Worthing Gro.
Iscard
Gadbury Av.
Worthington Fold
Leighton Av.
Crab Brow
Lambeth
Mealhouse La.
Market St.
Church St.
Mkt. Pl.
Smith St.
Fletcher St.
Mayfield St.
Morley
Stanley St.
Park Vw.
Hesketh St.
Bullough St.
Crab Tree Street
Swim. Pool
Wks.
Hypermarket
Tyldesley Road
Hindley's Farm
Wigan Rd.
Smith's Farm
Bath St.
Durban St.
Desmond St.
Telford
Brindley
Lovers Lane
Cromer
Chichester Av.
Walkden Av.
Way
Gadbury Fold
Hatton Fold
Recn. Gd.
Cemetery
B5215
Road
Linden
Cambridge
Rec. Grd.
Central Park
War Mem.
Cinnamon Pl.
Hamilton St.
Drake
Wardour
Rodney
Wardour St.
Hesketh Fletcher C. of E. High Sch.
Playing Field
Parklee Prim. Sch.
Millers Lane
Bee Fold La.
Vic.
Play. Flds.
Bowling Greens
Allenby St.
Fold Av.
M46
Hindsford
A579
Howe Bridge Crematorium
Cemetery
B5235
Beacon Cl.
Pike Av.
Rivington St.
Earl St.
Ilford St.
Bridge St.
Murray St.
Hope
Sch. St.
Howe Bridge C. of E. Prim. Sch.
Bowl. Grn.
Ladies' Walk
Prosser Av.
Clement Av.
Frances Pl.
Old Manor Pk.
Gretna Rd.
Valentines Rd.
Bowl. Grn.
Lane
Crippen
Greenough St.
Grafton
Briar Croft Dr.
Bedford Dr.
Howe Bridge
Ckt. Gnd.
Charters
Lodge
Lodge Farm
Oak Tree Cl.
Oak S.
Johnson St.
Works
Howe Bridge Sports Cen.
Pav.
Howe Cl.
Leigh
Eckersley Fold La.
Atherleigh Way
Play. Fld.
Pav.
Caton Dr.
Crab Fold Farm
Bee Fold Lane
Miller's Lane
Hindsford Br

37
29
38
E
F
G
H
1
2
3
4
5
6
Bolton
BL5
Manchester
M29
Atherton
Shakerley
TYLDESLEY
NEWBROOK ROAD
A579
A577
MANCHESTER RD
SHUTTLE STREET
CASTLE ST.
ELLIOTT ST.
ROSEMARY LANE
BACK LANE
ENGINE LANE
SHAKERLEY LANE
LANCASTER AVENUE
CRAWFORD AVENUE
YORK AV.
SHAKERLEY ROAD
CUMBERMERE LANE
COMMON LANE
DOUGLAS STREET
OLD ROAD
CHANTERS IND. EST.
Works Depot
Works
Superstore
Playing Fields
Playing Fld.
Fred Longworth High Sch.
Sacred Heart R.C. Prim. Sch.
Hindsford C. of E. Prim. Sch.
Shakerley C. of E. Prim. Sch.
Green Hall Sch.
Fitness Cen.
Football Gnd.
Play Fld.
Bolton Rd. Ind. Est.
The Firs
Mill Dam Wood
Mill Dam
Stream
Kearsley Plantation
Park End Farm
Woodlands Ho.
Carr Brook
Israel's Farm
Eccorsley's Farm
Lomax Brow
Spout Fold Farm
Ashes Farm
Mill's Brow
Leadbeater's Farm
Hulton Heys
Reservoir
Oliver Fold
Padiham
Common Fold
Shams Farm
Hindsford Brook
Shakerley Brook
Shakerley Old Hall
Old Mill Brook
Old Farmers
Bewshill's Farm
Brook
370
405
04
03
02
68
69

38
A
B
C
D
30
71
370
405
SALFORD ROAD
A6
MANCHESTER ROAD
WEST
BRACKLEY MUNICIPAL GOLF COURSE
Israel's Farm
Bewshill Farm
Eccorsley's Farm
BACK LANE
Bolton
Cutacre Brook
Lomax Brow
1
2
3
4
5
6
BL5
Hulton Heys
Farm
04
03
02
Greenheys
Rec. Grd.
Wharton Prim. Sch.
Play. Fld.
MILL HILL
MOORHEY RD.
ROAD
NEWCOMBE
Club Ho.
MOSSBROOK DR.
GORSE DR.
UPLAND
BROOKHURST LA.
HIGHFIELD ROAD INDUSTRIAL ESTATE
HIGHFIELD RD.
Works
Cricket Ground
Bowl. Grn.
M38
St. Pauls Peel C.of E. Prim. Sch.
CLARKE CL.
SPINNING DALE
CRESCENT
CROMPTON ST.
BOLTON
SALFORD
TOWNGATE BUS. CEN.
Factory
Refuse Disposal Point
Scrap Yard
WORSLEY TRAD. EST.
HAZEL AV.
BEECH GRO.
Depot
LESTER
WHARTON
CLOUDSTOCK
CARRFIELD AVENUE
HALLSTEAD
KENYON
BRIAR HILL
Peel
PEEL PARK
Playground
Pav.
Ten. Cts.
ARMITAGE
LANE
PEEL LANE
WILDBROOK
PARKWAY
LEAVALE CL.
FERN
LEA GRO.
RIGBY GRO.
OWLWOOD
DOVECOTE LA.
WILDBROOK GRO.
GREENCOURT DR.
Peel Hall Prim. Sch.
Comm. Cen.
KENYON TER.
ASHAWE CL.
ASHAWE TER.
SEWELL WY.
Playing Field
ENGINE LANE
Padiham
Common Fold
CUMBERMERE LANE
Bank House Farm
Makants
A5082
Depot
M29
37
JONQUIL
ASPINALL
FAIRHURST
MORTLAKE
Common Head Farm
Strawberry Cottage
Platt's Fold
Cleworth Hall
PARKFIELD
BOURTON CT.
SHERIFFS DRIVE
HIGHCREST GRO.
HEATHFIELD DRIVE
MORT LANE
FULBROOK
HOLMBROOK
CARSWELL CL.
HATFORD CL.
WOLFORD
CHERINGTON DR.
STONEFIELD
BRIMFIELD AV.
CRAWLEY CL.
TAYTON CL.
ASTON GR.
BIDFORD
SYCAMORE
LAWNSWOOD DR.
PRESCOT AV.
LUCIOL CL.
HAWTHORN CL.
LABURNUM GR.
PEAR
DEWBERRY CL.
CLOUDBERRY
GREAT BOYS CL.
WELLINGTON DR.
MANCHESTER ROAD SALE
A577
LANE
ROAD
LYNTON RD.
CHESTER ROAD
HILCREST
CLIFTON ST.
FRANCIS ST.
RIXTON DR.
UPTON LA.
UNSWORTH AV.
WOOLSTON DR.
HART ST.
HOUGH LANE
WARDLEY SQ.
WARDLEY RD.
Turncroft
Piggery

39
31
40
E
F
G
H
1
2
3
4
5
6
M61
M61 MOTORWAY
Junc. 3
Bolton BL4
BOLTON
SALFORD
BUCKLEY LANE
CLEGG'S LANE
A5082
NTH. WORSLEY ROAD
A575
BOLTON ROAD
EAST HIGH ROAD
A6
MANCHESTER ROAD
ST. MANCHESTER RD.
MEMORIAL ROAD
WALKDEN ROAD
BRIDGEWATER ROAD
NEWEARTH ROAD
B5232
Little Hulton
Hill Top
WALKDEN
Engine Fold
Parr Fold
Manchester
New Manchester
BLACKLEACH COUNTRY PARK
Blackleach Country Park Nature Reserve
Blackleach Reservoir
Visitor Centre
Sports Ground
Cricket Grd.
Football Grd.
Coal Yard
CLEGGS LA. INDUSTRIAL SITE
BROOKDALE PARK CARAVAN SITE
OAKHILL TRADING ESTATE
HARCOURT INDUSTRIAL CENTRE
EXPRESS TRADING ESTATE
STONE HILL IND. EST.
WORSLEY ROAD IND. EST.
Works
Mill
St Mary's Park
Rec. Grd.
Play. Fld.
North Walkden Prim. Sch.
St. Edmund's R.C.Prim. Sch.
St. Andrew's Prim. Sch.
Hilton La. Prim. Sch.
Little Hulton Community Sch.
St. Josephs R.C. Prim. Sch.
Dukesgate Prim. Sch.
Joseph Eastham High School
St. George's R.C. High Sch.
St. Paul's C.of E.Prim. Sch.
Walkden High Sch.
Christ the King R.C. Prim. Sch.
Ash Field Sch.
Playing Fields
Playing Field
Recreation Ground
Leyland Farm
Burgess Farm
Cemetery
Gdn. of Remembrance
Bowl. Grn.
Government Offs.
PARR FOLD PARK
Putting Grn.
Tennis Courts
Worsley Pool
Walkden
Supermkts.
Cinema
ELLESMERE RETAIL PK.
Youth Club
Grave Yard
M28
SALFORD WIGAN

KEARSLEY
Bolton
BL4
George Tomlinson School
Kearsley Sports Cen.
Singing Clough
Express Trading Estate
Stone Hill Ind. Est.
Junction 3
Blackleach Country Park Nature Reserve
BLACKLEACH COUNTRY PARK
Blackleach Reservoir
Visitor Centre
LKDEN
Sports Ground
M61
M61 MOTORWAY
Linnyshaw Moss
MOSS BANK TRADING ESTATE
Gas Depot
Junction 2
Kearsley Moss
Bent Spur Farm
MANOR GOLF COURSE
Golf Driving Range
Kearsley Golf Centre
Club House
Lyon Rd. Industrial Estate
Linnyshaw Industrial Estate
Linnyshaw
Wardley Moss
Linnyshaw Farm
New Hill Farm
A6
A666
MANCHESTER ROAD
St. Paul's C. of E. Prim. Sch.
Christ the King R.C. Prim. Sch.
Whittle Brook
M28
Walkden
Walkden High Sch.
Walkden Rec. Cen.
Mesne-Lea Prim. Sch.
Ash Field Sch.
ELLESMERE GOLF COURSE
Club Ho.
M61 MOTORWAY
M60 MOTORWAY
M60
Junction 14
Wardley Hall
Wardley Wood
A580
EAST LANCASHIRE RD.
A575
32
39
A
B
C
D
1
2
3
4
5
6

41
33
77
78
E
F
G
H
Lower Heaps
Heaps Cottage
Mill
Ringley Wood
Sewage Works
M26
Works Weir
Giant's Seat House
GIANT'S SEAT WOOD
NUTTALL WOOD
1
RED ROCK LANE
River Irwell
Electricity Sub. Station
Clifton Marina
LITTLE HURST WOOD
Irwell Valley Way
SUNSET BUSINESS PK.
Unity Brook Farm
Clifton House Farm
CLIFTON COUNTRY PARK
2
BOLTON
BURY
M45
Arboretum
Point School
Ryder's Farm
MANCHESTER
04
BURY
SALFORD
A666
Rec. Grd.
3
Clifton Moss Farm
MOSS COLLIERY
Junction 1 (M61)
BOLTON
SALFORD
Junction 16
Manchester
T.A. Centre
Works
M60
M60 MOTORWAY
4
Depot
Clifton
Clifton Prim.Sch.
Reservoir
Junction 15 (M60)
Wardley C.of E. Prim. Sch.
Little Moss Fm.
M27
03
Wardley Grange
Wardley
Newtown
Training Cen.
Playing Field
5
St.Mark's R.C.Prim. Sch.
Salford Coll. (Wardley Campus)
Pond
Cricket Grd./ Pavilions
Playing Fields
Swinton Cemetery
Rec. Grd.
Reservoirs
Mossfield Prim. Sch.
Playing Field
Mills
Comm. Cen.
The Swinton High Sch.
6
A6
BOLTON RD.
CHORLEY ROAD
B5231
Moorside
WARDLEY INDUSTRIAL ESTATE
Fitness Cen.
WEST END TRAD. EST.
Play. Flds.
02
Moorside
Swinton
STATION ROAD
Superstores
Works
76
77
78
SWINTON IND. EST.

INDEX

Including Streets, Places & Areas, Hospitals & Hospices, Industrial Estates,
Selected Flats & Walkways and Selected Places of Interest.

HOW TO USE THIS INDEX

1. Each street name is followed by its Posttown or Postal Locality and then by its map reference; e.g. Abbey Gro. *Adl* ....2E **7** is in the Adlington Postal Locality and is to be found in square 2E on page **7**. The page number is shown in bold type.

2. A strict alphabetical order is followed in which Av., Rd., St., etc. (though abbreviated) are read in full and as part of the street name; e.g. Abbeydale Gdns. appears after Abbey Ct. but before Abbey Dri.

3. Streets and a selection of flats and walkways too small to be shown on the maps, appear in the index with the thoroughfare to which it is connected shown in brackets; e.g. Ainsworth Sq. Bolt ....6B **12** (off Ainsworth St.)

4. Places and areas are shown in the index in **blue type** and the map reference is to the actual map square in which the town centre or area is located and not to the place name shown on the map; e.g. **Adlington. 2E 7**

5. An example of a selected place of interest is Animal World. 6G 11

6. An example of a hospital or hospice is BEAUMONT BMI HOSPITAL, THE. 4C 20

GENERAL ABBREVIATIONS

All : Alley	Ct : Court	Lit : Little	Rd : Road
App : Approach	Cres : Crescent	Lwr : Lower	Shop : Shopping
Arc : Arcade	Cft : Croft	Mc : Mac	S : South
Av : Avenue	Dri : Drive	Mnr : Manor	Sq : Square
Bk : Back	E : East	Mans : Mansions	Sta : Station
Boulevd : Boulevard	Embkmt : Embankment	Mkt : Market	St. : Street
Bri : Bridge	Est : Estate	Mdw : Meadow	Ter : Terrace
B'way : Broadway	Fld : Field	M : Mews	Trad : Trading
Bldgs : Buildings	Gdns : Gardens	Mt : Mount	Up : Upper
Bus : Business	Gth : Garth	Mus : Museum	Va : Vale
Cvn : Caravan	Ga : Gate	N : North	Vw : View
Cen : Centre	Gt : Great	Pal : Palace	Vs : Villas
Chu : Church	Grn : Green	Pde : Parade	Vis : Visitors
Chyd : Churchyard	Gro : Grove	Pk : Park	Wlk : Walk
Circ : Circle	Ho : House	Pas : Passage	W : West
Cir : Circus	Ind : Industrial	Pl : Place	Yd : Yard
Clo : Close	Info : Information	Quad : Quadrant	
Comn : Common	Junct : Junction	Res : Residential	
Cotts : Cottages	La : Lane	Ri : Rise	

POSTTOWN AND POSTAL LOCALITY ABBREVIATIONS

Abr : Abram	*Brad* : Bradshaw	*Hawk* : Hawkshaw	*Rad* : Radcliffe
Adl : Adlington	*Brei* : Breightmet	*Hth C* : Heath Charnock	*Rams* : Ramsbottom
Aff : Affetside	*Brom X* : Bromley Cross	*Hind* : Hindley	*Smith* : Smithills
A'wth : Ainsworth	*Bury* : Bury	*Holc* : Holcombe	*Stand* : Standish
And : Anderton	*Chor* : Chorley	*Hor* : Horwich	*Swin* : Swinton
Asp : Aspull	*Copp* : Coppull	*Ince* : Ince	*T'ton* : Tottington
Ath : Atherton	*Dar* : Darwen	*Kear* : Kearsley	*Tur* : Turton
Bel : Belmont	*Eger* : Egerton	*Leigh* : Leigh	*Tyl* : Tyldesley
Bick : Bickershaw	*Farn* : Farnworth	*L Hul* : Little Hulton	*Wals* : Walsden
B'rod : Blackrod	*G'mnt* : Greenmount	*L Lev* : Little Lever	*W'houg* : Westhoughton
Bolt : Bolton	*Haigh* : Haigh	*Los* : Lostock	*Wigan* : Wigan
Brad F : Bradley Fold	*Har* : Harwood	*Over H* : Over Hulton	*Wors* : Worsley

---

A

Abbey Clo. *Rad* 6G **25**
Abbey Ct. *Rad* 1G **33**
Abbeydale Gdns. *Wors* 4G **39**
Abbey Dri. *Bury* 2H **25**
Abbey Dri. *Swin* 6G **41**
Abbeyfield Ho. *Wors* 3G **39**
Abbey Gro. *Adl* 2E **7**
Abbey La. *Leigh* 6F **35**
Abbey Sq. *Leigh* 6F **35**
Abbingdon Way. *Leigh* . . . 6F **35**
Abbot Cft. *W'houg* 1H **35**
Abbotsford Rd. *Bolt* 2G **21**
Abbott St. *Bolt* 6C **22**
Abbott St. *Hor* 5D **8**
Abden St. *Rad* 2H **33**
Abercorn Rd. *Bolt* 6H **11**

Abernethy St. *Hor* 1F **19**
Abingdon Rd. *Bolt* 3G **23**
Abraham St. *Hor* 5D **8**
Ackworth Rd. *Swin* 6G **41**
Acre Fld. *Bolt* 5H **13**
Acresbrook Av. *T'ton* 4H **15**
Acresbrook Wlk. *T'ton* 4H **15**
Acresdale. *Los* 4C **20**
Acresfield. *Adl* 3D **6**
Acresfield Clo. *B'rod* 6G **7**
Acresfield Rd. *L Hul* 3F **39**
Acres St. *T'ton* 4H **15**
Acre St. *Rad* 2G **33**
Acreswood Av. *Hind* 3C **34**
Acre Wood. *Los* 2B **28**
Adam St. *Bolt* 6D **22**
Addington Rd. *Bolt* 2F **29**
Adelaide St. *Adl* 1E **7**
Adelaide St. *Bolt* 1B **30**

Adelaide St. *Rams* 3H **5**
Adelphi Dri. *L Hul* 2F **39**
Adelphi Gro. *L Hul* 2F **39**
Adelphi St. *Rad* 6H **25**
Adisham Dri. *Bolt* 2D **22**
Adlington. **2E 7**
Adlington Clo. *Bury* 2H **25**
Adlington S. Employment Area.
. . *Adl* 3E **7**
Adlington St. *Bolt* 2B **30**
Adrian Rd. *Bolt* 1A **22**
Affetside. **1D 14**
Affetside Dri. *Bury* 1G **25**
Affleck Av. *Rad* 5C **32**
Ainscow Av. *Los* 3H **19**
Ainscow St. *Bick* 6A **34**
Ainsdale Av. *Ath* 3C **36**
Ainsdale Av. *Tur* 1A **4**
Ainsdale Ct. *Bolt* 2D **30**

Ainsdale Rd. *Bolt* 3C **30**
(in two parts)
Ainse Rd. *B'rod* 6F **7**
Ainsley Gro. *Wors* 5H **39**
Ainslie Rd. *Bolt* 2G **21**
Ainsworth. **2E 25**
Ainsworth Av. *Hor* 2G **19**
Ainsworth Ct. *Bolt* 4G **23**
Ainsworth Hall Rd.
. . *Bolt & A'wth* 4D **24**
Ainsworth La. *Bolt* 2F **23**
Ainsworth Rd. *Bury* 2H **25**
Ainsworth Rd. *L Lev* 1C **32**
Ainsworth Rd. *Rad* 5H **25**
Ainsworth Sq. *Bolt* 6B **12**
(off Ainsworth St.)
Ainsworth St. *Bolt* 1A **22**
Aintree Rd. *L Lev* 3C **32**
Aire Dri. *Bolt* 4F **13**

Aireworth St. *W'houg* 2G **27**
Alan St. *Rams* 6B **12**
Alban Ct. *W'houg* 6G **27**
Albany Clo. *L Hul* 1F **39**
Alba St. *Holc* 1H **5**
Alberta St. *Bolt* 6A **22**
Albert Av. *Wors* 2G **39**
Albert Gro. *Farn* 5H **31**
Albert Halls 4D **22**
(Bolton Town Hall)
Albert M. *W'houg* 4G **27**
Alberton Clo. *Asp* 5G **17**
Albert Rd. *Bolt* 3H **21**
Albert Rd. *Farn* 5G **31**
Albert Rd. W. *Bolt* 2F **21**
Albert St. *Eger* 4B **2**
Albert St. *Farn* 6H **31**
Albert St. *Hor* 5D **8**
Albert St. *Kear* 5A **32**
Albert St. *L Lev* 2D **32**
Albion St. *Bolt* 6D **22**
Albion St. *Kear* 6C **32**
Albion St. *W'houg* 2G **27**
Albion Ter. *Bolt* 6H **11**
Aldbury Ter. *Bolt* 2B **22**
Alderbank. *Hor* 6B **8**
Alderbank Clo. *Kear* 1B **40**
Alderbrook Rd. *L Hul* 4D **38**
Aldercroft Av. *Bolt* 2H **23**
Alder Dri. *Swin* 6E **41**
Alderfold St. *Ath* 4D **36**
Alder Gro. *Brom X* 3G **13**
Alder Ho. *Ath* 4E **37**
Alder La. *Hind* 2C **34**
Alderley Av. *Bolt* 4C **12**
Alderley Rd. *Hind* 2C **34**
Alderminster Av. *L Hul* 2E **39**
Alders Grn. Rd. *Hind* 2C **34**
Alder St. *Ath* 4D **36**
Alder St. *Bolt* 2D **30**
Aldersyde St. *Bolt* 2B **30**
Alderton Dri. *W'houg* 1G **35**
Aldford Dri. *Ath* 2E **37**
Aldred St. *Bolt* 2H **29**
Aldred St. *Hind* 3A **34**
Aldsworth Dri. *Bolt* 1C **30**
Alexander Briant Ct. *Farn* . . 6G **31**
Alexander Rd. *Bolt* 2G **23**
Alexander St. *Tyl* 6G **37**
Alexandra Rd. *Kear* 6C **32**
Alexandra Rd. *Los* 3G **19**
Alexandra Rd. *Rad* 5C **32**
Alexandra Rd. *Wors* 2G **39**
Alexandra St. *Farn* 6H **31**
Alexandria Dri. *W'houg* 5B **28**
Alford Clo. *Bolt* 5B **24**
Alfred St. *Bolt* 1F **31**
Alfred St. *Eger* 4B **2**
Alfred St. *Farn* 5B **32**
Alfred St. *Kear* 3H **31**
Alfred St. *Tyl* 6F **37**
Alfred St. *Wors* 4H **39**
Algernon Rd. *Wors* 3G **39**
Algernon St. *Farn* 3H **31**
Algernon St. *Hind* 2A **34**
Alice St. *Bolt* 6A **22**
Alick's Fold. *W'houg* 4G **27**
Allan St. *Tyl* 6F **37**
Allenby Gro. *W'houg* 6F **27**
Allenby St. *Ath* 5B **36**
Allendale Gdns. *Bolt* 1C **22**
Allen St. *L Lev* 2C **32**
Allen St. *Rad* 2G **33**
(in two parts)
Allerton Clo. *W'houg* 4A **28**
Allerton Ct. Bolt *3C* **22**
(off School Hill)
Allesley Clo. *W'houg* 4A **28**
All Saints Gro. *Hind* 2A **34**
All Saints St. *Bolt* 3D **22**
Allsopp St. *Bolt* 5D **22**
Alma Rd. *W'houg* 5H **27**
Alma St. *Ath* 4C **36**
Alma St. *Bolt* 1A **30**
Alma St. *Kear* 2D **40**
Alma St. *L Lev* 2D **32**

Alma St. *Rad* 6H **25**
Alma St. *Tyl* 6F **37**
Almond Gro. *Bolt* 6D **12**
Almond St. *Bolt* 5D **12**
Almond St. *Farn* 5G **31**
Alnwick Clo. *Asp* 6H **17**
Alsager St. *Rad* 1H **33**
Alpine Ter. *Farn* 5A **32**
Alston Lea. *Ath* 3E **37**
Alston St. *Bolt* 2C **30**
Amber Gdns. *Hind* 3A **34**
Amber Ga. *Ath* 5D **36**
Amber Gro. *W'houg* 3H **27**
Amberley Clo. *Bolt* 6F **21**
Amblecote Dri. E. *L Hul* . . . 1E **39**
Amblecote Dri. W. *L Hul* . . . 1E **39**
Ambleside Clo. *Bolt* 5B **14**
Amblethorn Dri. *Bolt* 4B **12**
Ambrose Av. *Leigh* 6G **35**
Ampleforth Gdns. *Rad* 6G **25**
Anchor La. *Farn & M38*. . . . 5D **30**
Ancroft Gdns. *Bolt*. 2A **30**
Anderton **1F 7**
Anderton Clo. *Bury* 2H **25**
Anderton La. *B'rod* 6A **8**
(in two parts)
Anderton St. *Adl* 2E **7**
Andrew Clo. *G'mnt* 6H **5**
Andrew La. *Bolt* 3D **12**
Andrew's Ter. *W'houg* 4G **27**
Anfield Rd. *Bolt* 2C **30**
Angelo St. *Rams* 1B **22**
(in two parts)
Angle St. *Bolt* 2F **23**
Anglezarke Rd. *Adl* 2E **7**
Anglia Gro. *Bolt* 1A **30**
Annis Rd. *Bolt* 1H **29**
Ann St. *Kear* 6A **32**
Ansdell Rd. *Hor* 5E **9**
Anson St. *Bolt* 6D **12**
Anthony St. *Bolt* 2D **30**
Appleby Clo. *Bury* 1H **25**
Appleby Gdns. *Bolt* 2E **23**
Appledore Dri. *Bolt* 6B **14**
Aquéduct Rd. *Bolt* 6G **23**
Arbor Clo. *L Hul* 3C **38**
Archer Av. *Bolt* 3G **23**
Archer Gro. *Bolt* 3G **23**
Arch St. *Bolt* 2E **23**
Ardens Clo. *Swin* 5F **41**
Ardley Rd. *Hor* 5E **9**
Arena App. *Hor* 4E **19**
Argo St. *Bolt* 1B **30**
Argyle Av. *Wors* 2G **39**
Argyle St. *Ath* 5C **36**
Argyle St. *Hind* 2A **34**
Arkwright Clo. *Bolt* 2A **22**
Arkwright St. *Hor* 1E **19**
Arlen Ct. *Bolt* 6F **23**
Arlen Rd. *Bolt* 6F **23**
Arley La. *Haigh* 2B **16**
Arley Way. *Ath* 5E **37**
Arlington St. *Bolt* 2D **30**
Armadale Ct. *Bolt* 6E **21**
Armadale Rd. *Bolt* 5E **21**
Armitage Av. *L Hul* 3D **38**
Armitage Gro. *L Hul* 3D **38**
Armitstead St. *Hind* 3A **34**
Armsgrove Rd. *Tur* 1F **3**
Armstrong St. *Farn* 1E **19**
Arncliffe Clo. *Farn* 4H **31**
Arncot Rd. *Rams* 4D **12**
Arnesby Gro. *Bolt* 3F **23**
Arnold Rd. *Eger* 1D **12**
Arnold St. *Bolt* 1A **22**
Arnside Gro. *Bolt* 3A **24**
Arnside Rd. *Hind* 2C **34**
Arran Clo. *Bolt* 5E **21**
Arran Gro. *Rad* 6G **25**
Arrowhill Rd. *Rad* 3H **25**
Arrowsmith Ct. *Hor* 2G **19**
Arrow St. *Rams*. 3C **22**
Arthur Av. *Wors* 2G **39**
Arthur La. *Bolt & A'wth* 6C **14**
Arthur St. *Farn* 5H **31**
Arthur St. *Hind* 2A **34**

Arthur St. *L Lev* 2D **32**
Arthur St. *Wors* 5B **40**
(Old Clough La.)
Arthur St. *Wors* 6A **40**
(Walkden Rd.)
Artillery St. *Bolt* 6D **22**
Arundale. *W'houg* 3H **27**
Arundel St. *Bolt* 4C **12**
Arundel St. *Hind* 2A **34**
Arundel St. *Swin* 6E **41**
Ascot Dri. *Ath* 3E **37**
Ascot Rd. *L Lev* 2B **32**
Ashawe Clo. *L Hul* 4C **38**
Ashawe Gro. *L Hul* 4C **38**
Ashawe Ter. *L Hul* 4C **38**
Ashbank Av. *Bolt* 5E **21**
Ashbee St. *Bolt* 6C **12**
Ashbourne Av. *Bolt* 5F **23**
Ashbourne Av. *Hind* 2B **34**
Ashbourne Clo. *Leigh* 6F **35**
Ashbourne Gdns. *Hind* 2B **34**
Ashburn Clo. *Hor* 2F **19**
Ashburner St. *Bolt* 5C **22**
(in two parts)
Ashbury Clo. *Bolt* 1A **30**
Ashby Clo. *Farn* 3G **31**
Ashcombe Dri. *Bolt* 5C **24**
Ashcombe Dri. *Rad* 6F **25**
Ashcott Clo. *Los* 6E **21**
Ashcroft St. *Hind* 3A **34**
Ashdale Av. *Bolt* 6E **21**
Ashdale Rd. *Hind* 2B **34**
Ashdene Cres. *Bolt* 4H **13**
Ashdown Dri. *Bolt* 6G **13**
Ash Dri. *Swin* 5E **41**
Ashes Dri. *Bolt* 3A **30**
Ashes Dri. *Bolt* 3B **24**
Ashfield Av. *Ath* 3C **36**
Ashfield Av. *Hind* 3B **34**
Ashfield Dri. *Asp* 6G **17**
Ashfield Gro. *Bolt* 3E **13**
Ashfield Rd. *And* 1F **7**
Ashford Clo. *Bolt* 5A **14**
Ashford Ri. *Wigan* 6A **16**
Ashford Wlk. *Bolt* 2C **22**
Ash Gro. *Bolt* 3H **21**
Ash Gro. *Har* 6B **14**
Ash Gro. *Hor* 2G **19**
Ash Gro. *Rams* 4H **5**
Ash Gro. *T'ton* 4H **15**
Ash Gro. *W'houg* 6G **27**
Ash Gro. *Wors* 6H **39**
Ashington Clo. *Bolt*. 6H **11**
Ashington Dri. *Bury* 2H **25**
Ash Lawns. *Bolt* 4H **21**
Ashleigh Dri. *Bolt* 3E **21**
Ashley Av. *Bolt* 3H **23**
Ashley Ct. *Swin* 5H **41**
Ashley Gro. *Farn* 5G **31**
Ashley Rd. *Hind* 4D **34**
Ashling Ct. *Tyl*. 6A **38**
Ashmore St. *Tyl* 6B **38**
Ashness Clo. *Hor* 6B **8**
Ashness Dri. *Bolt* 2A **24**
Ashness Gro. *Bolt* 2A **24**
Ashness Pl. *Bolt* 2A **24**
Ashover Clo. *Bolt* 3D **12**
Ashridge Clo. *Los* 5C **20**
Ash Rd. *Kear* 2B **40**
Ash St. *Bolt* 5E **23**
Ash St. *Tyl* 6G **37**
Ashton Fld. Dri. *Wors* 3G **39**
Ashton St. *Bolt* 1H **29**
Ashton St. *L Lev* 2D **32**
Ashurst Clo. *Bolt* 6B **14**
Ashwell M. *Bolt* 6G **13**
Ashwell St. *Bolt* 6F **13**
Ashwood. *Rad* 6D **32**
Ashwood Av. *Wors* 2G **39**
Ashworth Av. *L Lev* 2E **33**
Ashworth La. *Bolt* 4D **12**
Ashworth St. *Asp* 1A **26**
Ashworth St. *Farn* 5G **31**
Ashworth Ter. *Bolt* 5A **14**
Asia St. *Bolt* 2E **31**
Askwith Rd. *Hind* 4A **34**
Aspen Clo. *W'houg* 3H **27**

Aspinall Clo. *Wors* 4D **38**
Aspinall Ct. *Hor* 1E **19**
Aspinall Cres. *Wors* 4D **38**
Aspinall Gro. *Wors* 4D **38**
Aspinall St. *Hor* 2F **19**
Aspinall Way. *Hor* 3E **19**
Aspull. **6G 17**
Aster Av. *Farn* 4E **31**
Astley Bridge. **5C 12**
Astley La. *Rams* 6C **12**
Astley Rd. *Bolt* 4A **14**
Astley St. *Bolt* 1C **22**
Astley St. *Tyl* 6G **37**
Aston Gdns. *Farn* 4H **31**
Aston Gro. *Tyl* 6A **38**
Aston Ho. *Bolt* 4A **22**
Athens Dri. *Wors* 5G **39**
Atherfield. *Bolt* 5A **14**
Atherleigh Way.
Leigh & Ath 6H **35**
Atherton. **4C 36**
Atherton Ho. *Ath*. 3D **36**
Atherton Rd. *Hind* 2A **34**
Atherton St. *Adl*. 3E **7**
Atherton St. *Bick*. 6A **34**
Atherton Swimming Pool.
. . . . 5C **36**
Athlone Av. *Bolt*. 4A **12**
Athol Cres. *Hind* 3D **34**
Atholl Clo. *Bolt* 5F **21**
Atkinson Av. *Bolt* 2F **31**
Atkin St. *Wors* 5H **39**
Atlas Ho. *Rams*. 3D **22**
Auberson Rd. *Bolt*. 2B **30**
Auburn St. *Bolt* 1B **30**
Augustus St. *Bolt* 1E **31**
Austin's La. *Los* 3H **19**
Avallon Clo. *T'ton* 2H **15**
Avebury Clo. *Hor*. 2H **19**
Avenue St. *Bolt* 3B **22**
Avenue, The. *Adl* 1E **7**
Avenue, The. *Bolt*. 4F **23**
Avenue, The. *W'houg* 4H **27**
Avoncliff Clo. *Bolt* 6B **12**
Avon Clo. *Wors* 5E **39**
Avondale Dri. *Rams* 5H **5**
Avondale Rd. *Farn*. 5D **30**
Avondale St. *Bolt*. 2A **22**
Avonhead Clo. *Hor* 6B **8**
Avon Rd. *Kear* 2D **40**
Avon St. *Rams* 2H **21**
Axholme Clo. *Hor* 6B **8**
Aylesbury Cres. *Hind* 5E **35**
Aylesford Wlk. *Bolt* 2C **22**
Ayr St. *Bolt* 5G **13**
Ayrton Gro. *L Hul* 1E **39**

B

Baber Wlk. *Bolt* 5C **12**
Babylon La. *And & Hth C* . . . 1F **7**
Bk. Ainscow St. *Bolt* 3C **22**
Bk. America Row. Bolt 6A **12**
(off Elliott St.)
Bk. Anson St. Bolt. 6D **12**
(off Anson St.)
Bk. Apple Ter. *Bolt* 1B **22**
Bk. Astley St. *Rams*. 1C **22**
Bk. Augustus St. *Bolt*. 1E **31**
Bk. Augustus St. W. *Bolt* . . . 1D **30**
Bk. Avondale St. *Rams* 2A **22**
Bk. Baldwin St. N. *Bolt* 6C **22**
Bk. Belfast St. *Rams* 1C **22**
Bk. Bennett's La. *Rams* 1A **22**
Bk. Blackburn Rd. *Bolt* 2D **22**
Bk. Blackburn Rd. E. Eger. . . *4B* **2**
(off Albert St.)
Bk. Blackburn Rd. W.
Bolt 5C **12**
(off Blackburn Rd.)
Bk. Blackburn Rd. W. Eger. . . 1C **12**
(off Nicola St.)
Bk. Blackburn Rd. W. *Eger*. . . 4B **2**
(Blackburn Rd.)
Bk. Bolton St. *Bolt*. 1D **32**
Bk. Bowness Rd. *Bolt* 1B **30**

Bk. Bradford St. W. Bolt..... 4E 23
  (off Bradford St.)
Bk. Bradshaw Brow E.
  Bolt.................. 5G 13
  (off Bradshaw Brow)
Bk. Bradshaw Brow W.
  Bolt.................. 5G 13
  (off Bradshaw Brow)
Bk. Bradshaw Rd. E. Bolt.... 4H 13
  (off Bradshaw Rd.)
Bk. Broom St. Bolt.......... 4E 23
Bk. Bury Rd. S. Bolt 4A 24
  (in two parts)
Bk. Cambridge St. Rams 2C 22
Bk. Canada St. Hor.......... 6D 8
Bk. Chapel St. Hor......... 6E 9
Bk. Chapel St. T'ton...... 2H 15
Bk. Cheapside. Bolt.......... 4D 22
Bk. Chorley Old Rd. Bolt 2F 21
Bk. Chorley Old Rd. S.
  Rams 2G 21
Bk. Church Rd. N. Rams 1H 21
Bk. Church St. Bolt 3C 22
  (off Wickliffe St.)
Bk. Clay St. E. Brom X...... 2E 13
Bk. Common St. W'houg..... 6D 26
Bk. Cox Grn. Rd. N. Eger.... 1D 12
Bk. Cox Grn. Rd. S. Eger..... 1D 12
Bk. Crown St. Hor.......... 5C 8
Bk. Cyril St. Bolt 6E 23
  (off Cyril St.)
Bk. Darwen Rd. N.
  Brom X 1D 12
  (off Hardman's La.)
Bk. Darwen Rd. N.
  Brom X 1D 12
  (off Hospital Rd.)
Bk. Darwen Rd. N.
  Brom X 1E 13
  (off Blair St.)
Bk. Darwen Rd. N.
  Brom X 1E 13
  (Darwen Rd.)
Bk. Darwen Rd. N. Eger... 1D 12
  (off Smith La.)
Bk. Darwen Rd. N. Eger..... 1D 12
  (Arnold Rd.)
Bk. Darwen Rd. N. Eger..... 6C 2
  (Darwen Rd.)
Bk. Darwen Rd. N. Tur..... 2F 13
  (off Bromley Cross Rd.)
Bk. Darwen Rd. S. Brom X.... 2E 13
  (off Hough La.)
Bk. Darwin St. Bolt 1B 22
  (off Darwin St.)
Bk. Deane Church La.
  Bolt.................. 1H 29
  (in two parts)
Bk. Devonshire Rd.
  Rams 2H 21
Bk. Duncan St. Hor 6E 9
Bk. Eden St. Rams 6C 12
Bk. Emmett St. Hor........... 6D 8
Bk. Everton St. N. Rams 1D 22
Bk. Fairhaven Rd. Rams 6D 12
Bk. Fern St. E. Bolt 5A 22
Bk. Fletcher St. Rad........ 5D 32
Bk. George St. Bolt 1D 30
Bk. George St. Hor.......... 6F 9
  (off George St.)
Bk. George St. Hor 6E 9
  (off Bk. Chapel St.)
Bk. Gorton St. Bolt 5E 23
  (off Gorton St.)
Bk. Grantham Clo. Rams 2C 22
Bk. Grasmere St. Bolt 1D 22
  (off Blackburn Rd.)
Bk. Halliwell Rd. S. Bolt 1B 22
  (off Nut St.)
Bk. Hart St. W'houg 6D 26
Bk. Harvey St. Rams 6B 12
  (off Harvey St.)
Bk. Hatfield Rd. Rams 2A 22
Bk. Higher Shady La. W.
  Brom X 2F 13
Bk. Higher Swan La. W.
  Bolt.................. 2B 30

Bk. High St. Bolt 1B 30
  (off High St.)
Bk. Holland St. Rams 5D 12
Bk. Hotel St. Rams 4D 22
Bk. Hough La. E. Brom X 2E 13
  (off Wilfred St.)
Bk. Hulton La. Bolt........ 2G 29
Bk. Hulton La. S. Bolt 3G 29
Bk. Ivanhoe St. Bolt....... 3G 31
Bk. Ivy Bank Rd. Rams 4C 12
Bk. Ivy Rd. Rams 1A 22
Bk. James St. L Lev 2D 32
Bk. John St. Bolt........... 5C 22
Bk. Kingholm Gdns.
  Rams................. 2B 22
Bk. King St. N. Eger........ 1D 12
  (off Hardman's La.)
Bk. King St. S. Bolt........ 4H 13
Back La. Bolt 3C 22
Back La. Over H 1H 37
Bk. Leachfield St. Bolt...... 6B 12
Bk. Lever St. Bolt 1C 30
Bk. Lightburne Av. Rams.... 4H 21
Bk. Longsight N. Bolt 4A 14
Bk. Longsight S. Bolt....... 4A 14
  (off Longsight)
Bk. Longworth Rd. Eger 4B 2
Bk. Luton St. Bolt 1E 31
  (off Luton St.)
Bk. Lydia St. Bolt........... 4E 23
Bk. Market St. Hind......... 2A 34
Bk. Market St. Rad......... 6D 32
Bk. Markland Hill La.
  Rams................. 2F 21
Bk. Markland Hill La. E.
  Bolt................. 2F 21
  (off Whitecroft Rd.)
Bk. Markland Hill La. W.
  Rams................. 2F 21
Bk. Mawdsley St. Bolt....... 4D 22
Bk. Maxwell St. Bolt....... 5C 12
Bk. Mere Gdns. Rams 3C 22
Bk. Mill St. N. Eger 1D 12
  (off Mill St.)
Bk. Mirey La. Los 1B 28
Bk. Morris Grn. La. Bolt..... 2A 30
  (off Morris Grn. La.)
Bk. Moss Ter. Bolt........... 3D 22
  (off All Saints St.)
Bk. Nelson St. Hor.......... 6E 9
Bk. Newton St. Rams 1C 22
Bk. Olga St. Bolt 1B 22
Back o' th' Bank. 1E 23
Bk. Park Vw. Bolt 3D 12
Bk. Queen St. Bolt........... 4C 22
  (off Queen St.)
Bk. Railway Vw. Adl......... 3E 7
Bk. Rawlinson St. Hor........ 5D 8
Bk. Rawson Rd. Bolt 2A 22
  (off Oxford Gro.)
Bk. Rigby La. N. Bolt....... 3G 13
Bk. Rigby La. S. Bolt....... 3G 13
  (off Rigby La.)
Bk. Rigby La. W. Bolt 3G 13
  (off Rigby La.)
Bk. Rowena St. Bolt 3G 31
Bk. Rutland Gro. Bolt....... 2A 22
  (off Oxford Gro.)
Bk. St George's Rd.
  Rams................. 3C 22
Bk. Sandy Bank Rd. Tur....... 2H 3
Bk. Sapling Rd. S. Bolt 3H 29
Bk. Settle St. N. Bolt 2B 30
Bk. Seymour Rd. Bolt 6D 12
Bk. Shakerley Rd. Tyl....... 6F 37
Bk. Shipton St. Rams 2H 21
Bk. Short St. Ath 6F 37
  (off Short St.)
Bk. Somerset Rd. W.
  Rams 3H 21
Bk. Thomasson Clo.
  Rams................. 2C 22
Bk. Thorns Rd. Rams 6C 12
Bk. Tonge Moor Rd. Bolt 6F 13
  (off Colmore St.)
Bk. Tonge Moor Rd. Bolt 6F 13
  (off Tonge Moor Rd.)

Bk. Tonge Moor Rd. E.
  Bolt................. 6F 13
Bk. Tottington Rd. E.
  Bolt................. 4A 14
  (off Tottington Rd.)
Bk. Turton Rd. E. Bolt 3G 13
  (off Turton Rd.)
Bk. Turton Rd. W. Bolt..... 4G 13
  (off Ellerbeck Clo.)
Bk. Turton Rd. W. Bolt..... 4G 13
  (off Turton Rd.)
Bk. Turton Rd. W. Bolt..... 4G 13
  (off Maud St.)
Bk. Vernon St. Rams........ 3C 22
Bk. Victoria Gro. Bolt....... 2A 22
  (off Oxford Gro.)
Bk. Viola St. Bolt........... 6C 12
Bk. Water St. Eger.......... 5B 2
  (off Water St.)
Bk. Weston St. N. Bolt...... 1E 31
  (off Weston St.)
Bk. Wigan Rd. N. Bolt 1G 29
  (Dealey St.)
Bk. Wigan Rd. N. Bolt 6H 21
  (Grange Rd.)
Bk. Willows La. Bolt 1A 30
Bk. Woking Gdns. Rams 2C 22
Bk. Wood St. Hor 6E 9
Bk. Wright St. Hor.......... 5D 8
Bk. Young St. Farn 6A 32
Badder St. Rams........... 3D 22
Bag La. Ath................ 3B 36
Bag La. Enterprise Cen.
  Ath................. 3B 36
Bagot St. Swin 6E 41
Bagshaw La. Bolt........... 3A 26
Bailey Fold. W'houg........ 5A 28
Bailey La. Bolt............. 2A 24
  (in two parts)
Baines St. Rams 3H 21
Baker St. Kear............. 1D 40
Balcarres Rd. Asp 6F 17
Balcary Gro. Bolt........... 3H 21
Baldrine Dri. Hind 2D 34
Baldwin St. Bolt............ 6B 22
  (in two parts)
Baldwin St. Hor............ 4D 34
Balfern Clo. W'houg 4G 27
Balfern Fold. W'houg....... 4G 27
Balfour St. Bolt............ 5B 22
Balmoral. Adl 3C 6
Balmoral Av. L Lev 2C 32
Balmoral Clo. G'mnt 6H 5
Balmoral Clo. Hor 1G 19
Balmoral Rd. Farn 6G 31
Balmore Clo. Bolt.......... 2G 29
Balshaw Clo. Bolt 6A 22
Bamber Cft. W'houg........ 2G 27
Bamber Wlk. Bolt 6B 22
Bamburgh Clo. Rad........ 6E 25
Bampton Clo. W'houg...... 4G 27
Banbury M. Swin 6F 41
Banbury St. Bolt........... 2G 23
Bancroft Rd. Swin.......... 6G 41
Bangor St. Bolt 3C 22
Banker St. Bolt............ 6G 23
Bankfield. Bolt............. 3E 25
Bankfield. W'houg.......... 6A 28
Bankfield Clo. A'wth....... 2E 25
Bankfield St. Bolt.......... 1A 30
  (Anglia Rd.)
Bankfield St. Bolt.......... 6A 22
  (Deane Rd.)
Bank Fld. St. Rad.......... 6F 33
Bank Gro. L Hul 1D 38
Bank Hall Clo. Bury........ 1H 25
Bankhall Clo. Hind......... 6D 34
Bank Hey. W'houg......... 5H 27
Bank Ho. Tyl.............. 6C 38
Bank Houses. B'rod........ 1H 17
Bank La. L Hul 1D 38
Bank Mdw. Hor........... 5E 9
Bank Rd. Bolt............. 4C 12
Bank Side. W'houg........ 6H 27
Bank St. Adl.............. 2E 7
Bank St. Bolt............. 4D 22
Bank St. Farn............. 5H 31

Bank St. Tur............... 3G 3
Bank St. Wals............. 5H 15
Bank Top................. 4E 13
Bank Top Gro. Bolt 4E 13
Bank Top Vw. Kear 6C 32
Bank Vw. Farn............ 6A 32
Bank Wood. Bolt.......... 4F 21
Banner St. Hind........... 2A 34
Bannister St. Bolt......... 3A 24
Bantry St. Bolt............ 6C 22
Barbara Rd. Bolt.......... 3G 29
Barbara St. Bolt........... 1B 30
Barberry Bank. Eger....... 5B 2
Barchester Av. Bolt 2A 24
Barcroft Rd. Bolt.......... 1H 21
Bardon Clo. Bolt........... 2B 22
Bardsley Clo. Bolt......... 4H 13
Bare St. Rams 3E 23
Barford Gro. Los........... 2H 19
Barker De La. B'rod........ 5A 18
Bark St. Bolt.............. 4C 22
  (in two parts)
Bark St. E. Bolt........... 3D 22
Bar La. Bolt............... 4C 12
Barley Brook Mdw. Bolt.... 3D 12
Barlow Ct. Tur............ 2A 4
Barlow Ct. Wors........... 4A 40
Barlow Ho. Bolt........... 1H 21
Barlow Pk. Av. Bolt 4B 12
Barlow St. Hor............ 1E 19
Barlow St. Wors........... 3H 39
Barnabys Rd. W'houg...... 2F 27
Barn Acre. B'rod 2A 18
Barnacre Av. Bolt 4B 24
Barnard St. Bolt 3G 23
Barn Ct. Bolt.............. 1G 23
Barncroft Dri. Hor......... 6H 9
Barncroft Rd. Farn........ 5H 31
Barnes Clo. Farn 5A 32
Barnes Ho. Farn 5H 31
  (off Hesketh Wlk.)
Barnes Pas. Ath........... 4E 37
Barnes St. Farn........... 5F 31
Barnes Ter. Kear.......... 6C 32
Barnet Rd. Rams.......... 1A 22
Barnfield Clo. Eger........ 5C 2
Barnfield Clo. Rad......... 2G 33
Barnfield Clo. Tyl.......... 6F 37
Barnfield Dri. W'houg...... 4A 28
Barnfield Rd. Swin........ 5F 41
Barn Hill. W'houg......... 4G 27
Barn Hill Ter. W'houg 4G 27
Barn Mdw. Tur 2H 3
Barnsdale Clo. A'wth...... 3E 25
Barnside Av. Wors........ 4A 40
Barnston Clo. Bolt......... 5D 12
Barn St. Rams............ 4C 22
Barnwood Clo. Bolt........ 2C 22
  (off Barnwood Dri.)
Barnwood Dri. Rams....... 2C 22
Barnwood Ter. Bolt 2C 22
  (off Barnwood Dri.)
Baron Fold. L Hul 2E 39
Baron Fold Cres. L Hul 2D 38
Baron Fold Gro. L Hul 2D 38
Baron Fold Rd. L Hul....... 2D 38
Baron Wlk. L Lev.......... 2E 33
Barracks Rd. Bick......... 6A 34
Barrett Av. Kear 6B 32
Barrie Way. Bolt.......... 5F 13
Barrisdale Clo. Bolt........ 5F 13
Barrow Bridge. 5F 11
Barrow Bri. Rd. Bolt....... 5F 11
Barrowdene Ho. Bolt 5F 11
Barrows Ct. Rams......... 5D 22
Barrowshaw Clo. Wors..... 5G 39
Barrs Fold Clo. W'houg 2F 27
Barrs Fold Rd. W'houg..... 3F 27
Barr St. Kear............. 2D 40
Barry Cres. Wors.......... 4E 39
Barsham Dri. Bolt 6B 22
Barton Fold. Farn......... 6F 31
Barton St. Kear........... 6A 32
Barton St. Swin........... 5H 41
Barton St. Tyl............. 6F 37
Barton Wlk. Farn 6F 31
Barwell Sq. Farn.......... 3F 31

Bashall St. *Bolt* 3A **22**
Basil St. *Bolt* 6C **22**
Baslow Av. *Hind* 4B **34**
Bass St. *Bolt* 4G **23**
Basswood Grn. *Hind* 4C **34**
Bateman St. *Hor* 1F **19**
Bath St. *Ath* 4A **36**
Bath St. *Bolt* 3D **22**
Batridge Rd. *Tur* 1E **3**
Batsmans Dri. *Swin* 3G **41**
Battenberg Rd. *Bolt* 3A **22**
Baxendale St. *Bolt* 5C **12**
Baxter's Row. *Hind* 5D **34**
Baycliff Clo. *Hind* 4B **34**
Bayley Ct. *Bolt* 3B **22**
Bayley St. *Rams* 3B **22**
Baysdale Av. *Bolt* 1F **29**
Bayswater St. *Bolt* 3A **30**
Baythorpe St. *Bolt* 6D **12**
Bazley St. *Bolt* 5F **11**
Beacon Clo. *Ath* 5A **36**
Beacon Rd. *Bick* 6C **34**
Beaconsfield St. *Bolt* 5B **22**
Beatrice M. *Hor* 5D **8**
Beatrice Rd. *Bolt* 3A **22**
Beatrice St. *Farn* 5G **31**
Beatrice St. *Swin* 6F **41**
Beatty Dri. *W'houg* 4G **27**
Beaufort St. *Hind* 2A **34**
Beaumaris Rd. *Hind* 4C **34**
Beaumont Av. *Hor* 5E **9**
BEAUMONT BMI HOSPITAL, THE.
. . . . 4C **20**
Beaumont Chase. *Bolt* 2F **29**
Beaumont Ct. *Bolt* 3D **20**
Beaumont Dri. *Bolt* 6E **21**
Beaumont Rd.
. . . . *Bolt & Los* 4D **20**
Beaumont Rd. *Hor* 5E **9**
Beck Gro. *Wors* 6A **40**
Beckside. *Tyl* 6E **37**
Bede St. *Rams* 1A **22**
Bedford Av. *Wors* 6G **39**
Bedford Gdns. *Hind* 1B **34**
Bedford St. *Bolt* 3B **22**
Bedford St. *Eger* 5B **2**
Bedworth Clo. *Bolt* 6F **23**
Beech Av. *And* 1F **7**
Beech Av. *Ath* 4E **37**
Beech Av. *Farn* 5E **31**
Beech Av. *Hor* 2G **19**
Beech Av. *Kear* 2D **40**
Beech Av. *L Lev* 3D **32**
Beech Av. *Rad* 5H **33**
Beech Clo. *Bolt* 3G **13**
Beechcroft Av. *Bolt* 5A **24**
Beechcroft Gro. *Bolt* 5A **24**
Beeches, The. *Ath* 4D **36**
. . . . (off George St.)
Beeches, The. *Bolt* 3B **12**
Beechfield Av. *Hind* 3C **34**
Beechfield Av. *L Hul* 2E **39**
Beechfield Rd. *Bolt* 1H **21**
Beech Gro. *G'mnt* 6H **5**
Beech Gro. *L Hul* 2C **38**
Beech Ho. *W'houg* 2H **27**
Beech St. *Ath* 4E **37**
Beech St. *Bolt* 1D **22**
Beech St. *Tur* 2H **3**
Beechville. *Los* 4B **20**
Beechwood St. *Bolt* 2D **30**
Beedon Av. *L Lev* 1C **32**
Bee Fold La. *Ath* 5B **36**
. . . . (in three parts)
Beehive Grn. *W'houg* 4B **28**
Bee Hive Ind. Est. *Los* 3H **19**
Beeston Clo. *Bolt* 3E **13**
Begonia Av. *Farn* 4F **31**
Belayse Clo. *Bolt* 1H **21**
Belcroft Dri. *L Hul* 1C **38**
Belcroft Gro. *L Hul* 2C **38**
Belford Dri. *Bolt* 1C **30**
. . . . (in two parts)
Belgrave Bungalows.
. . . . *Rad* 1H **33**
Belgrave Clo. *Rad* 1H **33**

Belgrave Cres. *Hor* 6F **9**
Belgrave Dri. *Rad* 1H **33**
Belgrave Gdns. *Bolt* 1C **22**
Belgrave St. *Ath* 5A **36**
Belgrave St. *Rad* 1H **33**
Belgrave St. *Rams* 1C **22**
. . . . (in two parts)
Belgrave St. S. *Bolt* 2C **22**
Bellairs St. *Bolt* 2A **30**
Bella St. *Bolt* 1A **30**
Bellingham Clo. *Bury* 1H **25**
Bell St. *Hind* 1A **34**
Bell St. *Leigh* 6F **35**
Bellwood. *W'houg* 1E **35**
Belmont Av. *Ath* 3F **37**
Belmont Av. *Bick* 6B **34**
Belmont Av. *Swin* 2F **41**
Belmont Dri. *Asp* 6G **17**
Belmont Dri. *Bury* 2H **25**
Belmont Rd. *Bel & Bolt* 1H **11**
Belmont Rd. *Bolt* 2A **12**
Belmont Rd. *Hind* 1B **34**
Belmont Rd. *Hor* 1E **9**
Belmont Vw. *Bolt* 5B **14**
Belvedere Av. *Ath* 3F **37**
Belvedere Av. *G'mnt* 6H **5**
Belvedere Rd. *And* 1F **7**
Belvoir St. *Bolt* 4G **23**
Bembridge Dri. *Bolt* 6H **23**
Bennett's La. *Bolt* 1A **22**
Bennett St. *Rad* 1F **33**
Benson St. *Tur* 2H **3**
Bentham Clo. *Bury* 6G **15**
Bentham Clo. *Farn* 4H **31**
Bent Hill St. *Bolt* 1G **29**
Bentinck St. *Bolt* 2H **21**
Bentinck St. *Farn* 4G **31**
Bentley Ct. *Farn* 4H **31**
Bentley Hall Rd. *Bury* 5E **15**
Bentley St. *Bolt* 6G **23**
Bentley St. *Farn* 4H **31**
Bent Spur Rd. *Kear* 2C **40**
Bent St. *Kear* 6A **32**
Bentworth Clo. *W'houg* 1H **35**
Benwick Ter. *Bolt* 1C **22**
Beresford Av. *Bolt* 6A **22**
Berkeley Cres. *Rad* 6E **25**
Berkeley Ho. *Bolt* 4A **22**
Berkeley Rd. *Bolt* 5C **12**
Berlin St. *Bolt* 5A **22**
Bernard Gro. *Bolt* 1A **22**
Berne Av. *Hor* 6C **8**
Bernice St. *Bolt* 1A **22**
Berrington Wlk. *Bolt* 2E **23**
Berry Sq. *B'rod* 6H **7**
Berry St. *Adl* 1E **7**
Berry St. *Swin* 5H **41**
Bertha St. *Bolt* 1B **22**
Bertrand Rd. *Bolt* 4A **22**
Bert St. *Bolt* 2H **29**
Berwyn Clo. *Hor* 4E **9**
Beryl Av. *T'ton* 2H **15**
Beryl St. *Rams* 6D **12**
Bessybrook Clo. *Los* 5C **20**
Beta St. *Rams* 3C **22**
Bethersden Rd. *Wigan* 6A **16**
Beverley Rd. *Bolt* 3H **21**
Beverley Rd. *L Lev* 2B **32**
Bewick St. *Bolt* 6F **13**
Bexhill Clo. *L Lev* 2E **33**
Bexhill Dri. *Leigh* 5E **35**
Bexley Dri. *L Hul* 3G **39**
Bexley Ho. *Bolt* 2C **22**
Bexley St. *Hind* 4D **34**
Bickershaw. **6A 34**
Bickershaw Dri. *Wors* 5G **39**
. . . . (in two parts)
Bickershaw La.
. . . . *Abr & Bick* 6A **34**
Bideford Dri. *Bolt* 5C **24**
Bidford Clo. *Tyl* 6A **38**
Bidston Clo. *Bury* 1H **25**
Big Fold. *B'rod* 1H **17**
. . . . (off Victoria St.)
Bilbao St. *Bolt* 3A **22**
Billinge Clo. *Bolt* 3D **22**
Billy La. *Swin* 5H **41**

Binbrook Wlk. *Bolt* 1D **30**
Birch Av. *T'ton* 4H **15**
Birch Av. *W'houg* 6H **27**
Birchen Bower Dri. *T'ton* 4H **15**
Birchen Bower Wlk.
. . . . *T'ton* 4H **15**
Birches Rd. *Tur* 3H **3**
Birchfield. *Bolt* 3A **14**
Birchfield Av. *Ath* 3B **36**
Birchfield Gro. *Bolt* 1E **29**
Birchfold. *L Hul* 3F **39**
Birchfold Clo. *L Hul* 3F **39**
Birchgate Wlk. *Bolt* 6C **22**
Birchgrove Clo. *Bolt* 5A **24**
Birch Ho. *W'houg* 6H **27**
Birch Rd. *Ath* 4E **37**
Birch Rd. *Kear* 1B **40**
Birch Rd. *Wors* 6H **39**
Birch St. *Bolt* 5E **23**
Birch St. *Hind* 2A **34**
Birch St. *Tyl* 3B **12**
Birch Tree Way. *Hor* 2G **19**
Birkdale Av. *Ath* 2C **36**
Birkdale Gdns. *Bolt* 6B **22**
Birkenhills Dri. *Bolt* 6E **21**
Birkett Clo. *Bolt* 3B **12**
Birkett Dri. *Bolt* 3B **12**
Birkleigh Wlk. *Bolt* 5H **23**
Birley St. *Bolt* 5C **12**
Birtenshaw Cres. *Brom X* . . . 2F **13**
Bishopsbridge Clo. *Bolt* 1D **30**
Bishop's Clo. *Bolt* 3E **31**
Bishop's Rd. *Bolt* 3E **31**
Bispham Av. *Bolt* 4B **24**
Bispham Clo. *Bury* 2H **25**
Bispham St. *Bolt* 3G **23**
Blackbank St. *Bolt* 1D **22**
Blackburn Rd. *Dar & Tur* 1H **3**
Blackburn Rd. *Tur & Eger* . . . 1A **2**
Blackhorse Av. *B'rod* 1G **17**
Blackhorse Clo. *B'rod* 6G **7**
Black Horse St. *Bolt* 4C **22**
Black Horse St. *Farn* 6A **32**
Black Lane. **5H 25**
Blackleach Country Pk.. . . . . . 2H **39**
Blackleach Country Pk.
. . . . Nature Reserve 2H **39**
Blackleach Country Pk. Vis. Cen.
. . . . 2H **39**
Blackleach Dri. *Wors* 2H **39**
Blackledge St. *Bolt* 1A **30**
Black Moss Clo. *Rad* 2F **33**
Blackrod. **1H 17**
Blackrod Brow. *Hor* 5F **7**
Blackrod By-Pass Rd.
. . . . *B'rod* 5G **7**
Blackrod Dri. *Bury* 2H **25**
Blackshaw Ho. *Bolt* 5A **22**
Blackshaw La. *Bolt* 5A **22**
Blackshaw Row. *Bolt* 6A **22**
Blacksmiths Fold. *Ath* 4E **37**
Blackthorne Clo. *Bolt* 2G **21**
Blackwood St. *Bolt* 1E **31**
Blair Av. *L Hul* 3F **39**
Blair La. *Bolt* 2H **23**
Blair St. *Brom X* 1D **12**
Blair St. *Kear* 1D **40**
Blake Av. *Ath* 2D **36**
Blakeborough Ho. *Ath* 4D **36**
. . . . (off Elizabeth St.)
Blakefield Dri. *Wors* 6A **40**
Blake Gdns. *Bolt* 1B **22**
Blake St. *Brom X* 2E **13**
Blake St. *Rams* 1B **22**
Blakey Clo. *Bolt* 1F **29**
Blandford Clo. *Tyl* 6G **37**
Blandford Ri. *Los* 2H **19**
Blantyre Av. *Wors* 5A **40**
Blantyre St. *Hind* 1A **34**
Blantyre St. *Swin* 6F **41**
Blaydon Clo. *Asp* 6H **17**
Bleakledge Gro. *Hind* 1A **34**
Bleakledge St. *Hind* 6B **26**

Bleak St. *Bolt* 1F **23**
Bleasdale Clo. *Los* 3H **19**
Bleasdale Rd. *Bolt* 1F **21**
Bleasdale Rd. *Hind* 2C **34**
Blenheim Rd. *Bolt* 4H **23**
Blenheim Rd. Est. *Bolt* 5B **24**
Blenheim St. *Tyl* 6F **37**
Bleriot St. *Bolt* 2B **30**
Blethyn Clo. *Bolt* 3H **29**
Bligh Rd. *W'houg* 4G **27**
Blindsill Rd. *Farn* 6F **31**
Blofield Ct. *Farn* 6H **31**
Bloomfield Rd. *Farn* 1H **39**
Bloomfield St. *Bolt* 6C **12**
Bloom St. *Rams* 3H **5**
Blossom St. *Tyl* 6G **37**
Blue Ribbon Wlk. *Swin* 6H **41**
Blundell La. *B'rod* 1E **17**
Blundell St. *Rams* 4C **22**
Boardman Clo. *Rams* 1C **22**
Boardman St. *B'rod* 1H **17**
Boardman St. *Rams* 1C **22**
Bodiam Rd. *G'mnt* 6H **5**
Body Work Gymnasium. . . . 2H **33**
Bolderwood Dri. *Hind* 3A **34**
Bold St. *Bolt* 4D **22**
Bold St. *Swin* 5H **41**
Bolholt. **5H 15**
Bollin Clo. *Kear* 1C **40**
Bollings Yd. *Bolt* 5D **22**
Bolton. **4D 22**
Bolton Arena. 4E **19**
Bolton Excel Leisure Cen.
. . . . 5E **23**
Bolton Ga. Retail Pk.
. . . . *Bolt* 2D **22**
BOLTON HOSPICE 4B **22**
Bolton Mus. & Art Gallery.
. . . . (Library) 4D **22**
Bolton Old Rd. *Ath* 4D **36**
Bolton Rd. *And & Hor* 1F **7**
Bolton Rd. *Asp* 6G **17**
. . . . (in two parts)
Bolton Rd. *Ath* 4D **36**
Bolton Rd. *Brad* 4G **13**
Bolton Rd. *Bury* 3H **25**
Bolton Rd. *Farn* 3H **31**
Bolton Rd. *Hawk* 4D **4**
Bolton Rd. *Kear* 6A **32**
Bolton Rd. *Rad* 1F **33**
Bolton Rd. *Swin* 5H **41**
Bolton Rd. *Tur* 3H **3**
Bolton Rd. *W'houg* 5H **27**
. . . . (in two parts)
Bolton Rd. *Wors* 3H **39**
Bolton Rd. Ind. Est. *Ath* 3E **37**
Bolton Rd. Ind. Est.
. . . . *W'houg* 4H **27**
Bolton Rd. W. *Rams* 4H **5**
Bolton Steam Mus. 3A **22**
Bolton St. *Rad* 2H **33**
Bolton Technology Exchange.
. . . . *Bolt* 4B **22**
Bolton Tourist Info. Cen. 4D **22**
Bolton Wanderers F.C. 4F **19**
. . . . (Reebok Stadium)
Bolton Wholesale Pk.
. . . . *Bolt* 2D **22**
Bond Clo. *Hor* 6E **9**
Bond's La. *Adl* 2D **6**
Bond St. *Ath* 6F **37**
Boonfields. *Brom X* 1E **13**
Boothby Ct. *Swin* 6F **41**
Boothby Rd. *Swin* 6G **41**
Booth Clo. *T'ton* 4H **15**
Booth Ct. *Farn* 5H **31**
Booth Hall Dri. *T'ton* 4H **15**
Booth Rd. *L Lev* 3D **32**
Booth St. *Bolt* 6A **12**
Booth St. *T'ton* 3H **15**
Booth Way. *T'ton* 4G **15**
Boothwood Stile. *Holc.* 4H **5**
Booth Way Rd. *Bolt* 2D **20**
Bordesley Av. *L Hul* 1E **39**
Bores Hill. *Wigan* 5A **6**
Borough Av. *Swin* 6H **41**
Borrowdale Av. *Bolt* 3G **21**

Borsdane Av.—Bullows Rd.

Borsdane Av. *Hind* 3A 34
Borsden St. *Swin* 5F 41
Boscobel Rd. *Bolt* 3F 31
Boscombe Pl. *Hind* 3A 34
Boscow Rd. *L Lev* 3C 32
Boston Gro. *Leigh* 6G 35
Boston St. *Bolt* 1C 22
Bosworth St. *Hor* 5D 8
Bottoms Hall Cotts. *G'mnt* 6F 5
Bottom o' th' Moor. 6H 13 (Bolton)
Bottom o' th' Moor. 6H 9 (Horwich)
Bottom o' th' Moor. *A'wth* 2D 24
Bottom o' th' Moor. *Brad* 1H 23
Bottom o' th' Moor. *Hor* 6H 9
Boundary Dri. *Brad F* 6C 24
Boundary Gdns. *Bolt* 1B 22
Boundary Ind. Est. *Bolt* 4C 24
Boundary Rd. *Swin* 6H 41
Boundary St. *Bolt* 1B 22
Boundary St. *Tyl* 6G 37
Boundary, The. *Swin* 3F 41
Bournbrook Av. *L Hul* 1E 39
Bourne Wlk. *Bolt* 2D 22
Bournville Dri. *Bury* 1H 25
Bourton Ct. *Tyl* 6B 38
Bowden St. *Asp* 1B 26
Bowen St. *Bolt* 2H 21
Bowgreave Av. *Bolt* 4B 24
Bowkers Row. *Bolt* 4D 22
Bowker St. *Rad* 2H 33
Bowker St. *Wors* 4F 39
Bowland Clo. *Bury* 6G 15
Bowland Dri. *Bolt* 1E 21
Bowlands Hey. *W'houg* 5G 27
Bowling Ct. *Bolt* 4C 12
Bowling Grn. Row. *Ath* 6B 36
Bowness Rd. *Bolt* 1B 30
Bowness Rd. *L Lev* 1B 32
Bowstone Hill Rd. *Bolt* 4D 14
Bow St. *Bolt* 4D 22
Boyle St. *Rams* 2G 21
Bracken Av. *Wors* 4A 40
Bracken Clo. *Bolt* 3B 12
Bracken Lea. *W'houg* 2H 35
Bracken Rd. *Ath* 5D 36
Brackley Av. *Tyl* 6H 37
Brackley Rd. *Bolt* 5G 29
Brackley St. *Farn* 5H 31 (in two parts)
Brackley St. *Wors* 3G 39
Bracondale Av. *Bolt* 1H 21
Bradbourne Clo. *Bolt* 6C 22
Bradbury St. *Rad* 3H 33
Braddyll Rd. *Bolt* 5F 29
Bradford Av. *Bolt* 2F 31
Bradford Cres. *Bolt* 1E 31
Bradford Pk. Dri. *Bolt* 5F 23
Bradford Rd. *Farn & Bolt* 4E 31
Bradford St. *Bolt* 5E 23
Bradford St. *Farn* 6H 31 (in two parts)
Bradley Fold Cotts. *Bolt* 5D 24
Bradley Fold Rd. *A'wth & Bolt* 3E 25
Bradley Fold Trad. Est. *Brad F* 5E 25
Bradley La. *Bolt* 6D 24
Bradshaw. 3H 13
Bradshaw Brow. *Bolt* 5G 13
Bradshaw Chapel. 4G 13
Bradshawgate. *Bolt* 4D 22
Bradshaw Hall Dri. *Bolt* 3G 13
Bradshaw Hall Fold. *Bolt* 3H 13
Bradshaw La. *Adl* 1D 6
Bradshaw Meadows. *Bolt* 3H 13
Bradshaw Rd. *Bolt & Tur* 4H 13
Bradshaw Rd. *T'ton* 3E 15
Bradshaw St. *Ath* 4D 36
Bradshaw St. *Farn* 6H 31
Bradshaw St. *Rad* 2H 33
Bradwell Pl. *Bolt* 2F 23
Brady St. *Hor* 5C 8
Braemar Gdns. *Bolt* 6E 21
Braemar Wlk. *Asp* 6H 17
Braemar Wlk. *Bolt* 6E 21
Braeside Gro. *Bolt* 6E 21
Brailsford Rd. *Bolt* 6G 13
Brakesmere Gro. *Wors* 3D 38
Bramble Ct. *W'houg* 2A 28
Bramblewood. *Hind* 6B 26
Brambling Dri. *W'houg* 1F 35
Bramcote Av. *Bolt* 6F 23
Bramdean Av. *Bolt* 4A 14
Bramford Clo. *W'houg* 1G 35
Bramhall Av. *Bolt* 5C 14
Bramhall St. *Bolt* 2F 31
Bramley Rd. *Bolt* 3D 12
Brammay Dri. *T'ton* 3G 15
Brampton Rd. *Bolt* 2H 29
Brampton St. *Ath* 4D 36
Brancker St. *W'houg* 4C 28
Brandlesholme Rd. *G'mnt & Bury* 6H 5
Brandon St. *Bolt* 1B 30
Brandwood Fold. *Tur* 2A 4
Brandwood St. *Bolt* 1A 30 (in two parts)
Branscombe Gdns. *Bolt* 6H 23
Bransdale Clo. *Bolt* 1F 29
Brantfell Gro. *Bolt* 3B 24
Brantwood Dri. *Bolt* 3B 24
Brathay Clo. *Bolt* 1B 24
Braybrook Dri. *Bolt* 4D 20
Brayford Dri. *Asp* 6G 17
Brazley Av. *Bolt* 2E 31
Brazley Av. *Hor* 2G 19
Breaktemper. *W'houg* 4G 27
Breckland Dri. *Bolt* 3D 20
Breckles Pl. Bolt 6B 22 *(off Kershaw St.)*
Brecon Dri. *Hind* 4C 34
Bredbury Dri. *Farn* 5A 32
Breeze Hill Rd. *Ath* 2F 37
Breightmet. 4B 24
Breightmet Dri. *Bolt* 4A 24
Breightmet Fold. *Bolt* 3B 24
Breightmet Fold La. *Bolt* 3B 24
Breightmet Hill. *Bolt* 2A 24
Breightmet Ind. Est. *Bolt* 3B 24
Breightmet St. *Bolt* 5D 22
Brent Clo. *Brad F* 6D 24
Brentford Av. *Bolt* 1H 21
Brent Ho. Bolt 2C 22 *(off Enfield Clo.)*
Brentwood Dri. *Farn* 3G 31
Brentwood Rd. *And* 1F 7
Brian Rd. *Farn* 4E 31
Briar Clo. *Hind* 3D 34
Briarcroft Dri. *Ath* 6A 36
Briarfield. *Eger* 5B 2
Briarfield Rd. *Farn* 4E 31
Briar Hill Av. *L Hul* 3C 38
Briar Hill Clo. *L Hul* 3C 38
Briar Hill Gro. *L Hul* 3C 38
Briar Lea Clo. *Bolt* 1C 30
Briar St. *Bolt* 4H 23
Bride St. *Bolt* 1C 22 (in two parts)
Bridgebank Ind. Est. *Hor* 6D 8
Bridgecroft St. *Hind* 1A 34
Bridgeman Ho. *Farn* 6H 31
Bridgeman Pl. *Bolt* 5E 23
Bridgeman St. *Bolt* 1B 30
Bridgeman St. *Farn* 4H 31
Bridgemere Clo. *Rad* 6H 25
Bridges Ct. Bolt 5D 22 *(off Soho St.)*
Bridge's St. *Ath* 5B 36
Bridge St. *Bolt* 3D 22
Bridge St. *Farn* 4A 32
Bridge St. *Hind* 1A 34
Bridge St. *Hor* 5E 9 (in two parts)
Bridge St. *Rad* 5D 32
Bridgewater Rd. *Wors* 5G 39
Bridgewater St. *Bolt* 5B 22
Bridgewater St. *Farn* 5A 32
Bridgewater St. *Hind* 2A 34
Bridgewater St. *L Hul* 3F 39
Bridgewater Wlk. Wors 4H 39 *(off Victoria Sq.)*
Bridson La. *Bolt* 2H 23
Brief St. *Bolt* 2G 23
Briercliffe Rd. *Bolt* 6A 22
Brierfield Av. *Ath* 3C 36
Brierholme Av. *Eger* 6C 2
Brierley Rd. E. *Swin* 6G 41
Brierley Rd. W. *Swin* 6G 41
Briery Av. *Bolt* 3H 13
Brigade St. *Bolt* 4A 22
Briggs Fold. *Eger* 5C 2
Briggs Fold Clo. *Eger* 5C 2
Briggs Fold Rd. *Eger* 5C 2
Brighton Av. *Bolt* 2G 21
Bright St. *Eger* 5B 2
Briksdal Way. *Los* 4C 20
Brimfield Av. *Tyl* 6A 38
Brindle St. *Hind* 6B 26
Brindle St. *Tyl* 6G 37
Brindley Clo. *Ath* 5A 36
Brindley Clo. *Farn* 5F 31
Brindley St. *Bolt* 5D 12
Brindley St. *Hor* 1E 19
Brindley St. *Swin* 5H 41 (in two parts)
Brindley St. *Wors* 5H 39
Brinks La. *Bolt* 5C 24
Brink's Row. *Hor* 4F 9
Brinksway. *Bolt* 4C 20
Brinksworth Clo. *Bolt* 3C 24
Brinsop Hall La. *W'houg* 6C 18
Brinsop St. *Asp* 1B 26
Briscoe M. *Bolt* 1E 31
Bristle Hall Way. *W'houg* 3H 27
Bristol Av. *Bolt* 2G 23
Britannia Clo. *Rad* 2H 33
Britannia Way. *Bolt* 1E 23
Broach St. *Bolt* 1C 30
Broadford Rd. *Bolt* 6F 21
Broadgate. *Bolt* 6F 21
Broadgate Ho. *Bolt* 6F 21
Broadgreen Gdns. *Farn* 3H 31
Broadhead Rd. *Tur* 1A 4
Broadheath Clo. *W'houg* 4A 28
Broadhurst Av. *Swin* 4H 41
Broadhurst Ct. *Bolt* 1B 30
Broadhurst St. *Bolt* 1B 30
Broadhurst St. *Rad* 6H 25
Broad Mdw. *Brom X* 1F 13
Broadoak Clo. *Adl* 1E 7
Broadoak Rd. *Bolt* 3E 31
Broad o' th' La. *Bolt* 5C 12 (in two parts)
Broadstone Rd. *Bolt* 4H 13
Broad St. *Bolt* 5B 22 (in two parts)
Broad Wlk. *W'houg* 6G 27
Broadway. *Ath* 2F 37
Broadway. *Farn* 4E 31
Broadway. *Hind* 2B 34
Broadway. *Hor* 6F 9
Broadway. *Wors* 6G 39
Broadwood. *Los* 4C 20
Brock Av. *Bolt* 4B 24
Brockenhurst Dri. *Bolt* 6B 14
Brock Mill La. *Wigan* 6A 16 (in two parts)
Brodick Dri. *Bolt* 5B 24
Bromley Cross. 2F 13
Bromley Cross Rd. *Brom X* 2F 13
Bromwich St. *Bolt* 5E 23
Bronte Clo. *Bolt* 2B 22
Brook Bank. *Bolt* 6H 13
Brookbottom. *Bolt* 3A 14
Brookbottom Rd. *Rad* 5H 25
Brookdale. *Ath* 1F 37
Brookdale. *Hth C* 1E 7
Brookdale Clo. *Bolt* 1D 22
Brookdale Pk. Cvn. Site. *L Hul* 1F 39
Brookdale Rd. *Hind* 2B 34
Brookdean Clo. *Bolt* 6A 12
Brookfield Av. *Bolt* 2E 25 (in two parts)
Brookfield Dri. *Swin* 6G 41
Brookfield St. *Bolt* 4F 23
Brookfold La. *Bolt* 5B 14
Brook Gdns. *Bolt* 5A 14
Brookhey Av. *Bolt* 2D 30
Brookhouse Av. *Farn* 1G 39
Brook Ho. Clo. *Bolt* 6A 14
Brook Ho. Clo. *G'mnt* 1G 15
Brookhouse Mill La. *G'mnt* 1H 15
Brookhurst La. *L Hul* 1C 38
Brookland Av. *Farn* 6G 31
Brookland Av. *Hind* 2A 34
Brookland Gro. *Bolt* 1G 21
Brooklands. *Hor* 6E 9
Brooklands Av. *Ath* 3D 36
Brooklands Rd. *Rams* 5H 5
Brooklyn St. *Bolt* 2C 22
Brook Mdw. *W'houg* 4A 28
Brooks Av. *Rad* 5H 25
Brookside Av. *Farn* 6G 31
Brookside Clo. *Ath* 3E 37
Brookside Clo. *Bolt* 4H 13
Brookside Cres. *G'mnt* 6G 5
Brookside Cres. *Wors* 4A 40
Brookside Pl. *Hind* 1A 34
Brookside Rd. *Bolt* 3H 23
Brookside Rd. *Stand* 2A 16
Brookside Wlk. *Rad* 4G 25
Brook St. *Adl* 1E 7
Brook St. *Ath* 4B 36
Brook St. *Bolt* 4D 22
Brook St. *Farn* 4A 32
Brook St. *Kear* 6C 32
Brook St. *W'houg* 4H 27
Brookthorpe Meadows. *Wals* 6H 15
Brookthorpe Rd. *Wals* 6H 15
Brookwater Clo. *T'ton* 3H 15
Brooky Moor. *Tur* 1A 4
Broomfield Clo. *A'wth* 3E 25
Broomfield Rd. *Bolt* 1A 30
Broomhey Av. *Wigan* 6A 16
Broom St. *Bolt* 4E 23
Broom Way. *W'houg* 3A 28
Brougham St. *Wors* 4G 39
Brough Clo. *Hind* 4B 34
Broughton Av. *L Hul* 3E 39
Broughton St. *Bolt* 1B 22
Browning Av. *Ath* 2D 36
Browning Clo. *Bolt* 2B 22
Browning Wlk. *Ath* 2D 36
Brownlow Cen. *Bolt* 2C 22
Brownlow Fold. 1A 22
Brownlow Rd. *Hor* 5D 8
Brownlow Way. *Bolt* 2C 22
Browns Rd. *Brad F* 5D 24
Brown St. *Bick* 6A 34
Brown St. *B'rod* 1H 17
Brown St. *Bolt* 4D 22
Brown St. *Rad* 5H 25
Browsholme Ho. *Bolt* 4A 22
Broxton Av. *Bolt* 2H 29
Brunel St. *Bolt* 6B 12
Brunel St. *Hor* 1E 19
Brunswick Av. *Hor* 1F 19
Brunswick Ct. *Bolt* 3C 22
Bryant's Acre. *Bolt* 4D 20
Bryantsfield. *Bolt* 5C 20
Bryce St. *Bolt* 6C 22
Bryngs Dri. *Bolt* 5B 14
Brynhall Clo. *Rad* 6G 25
Brynheys Clo. *L Hul* 2E 39
Bryn Lea Ter. *Bolt* 5G 11
Bryn Wlk. *Bolt* 3D 22
Bryony Clo. *Wors* 2H 39
Buchanan Dri. *Hind* 4D 34
Buchanan St. *Swin* 6H 41
Buckingham Av. *Hor* 1G 19
Buckingham Pl. *Tyl* 4F 37
Buckle St. *Rad* 2H 33
Buckley La. *Farn* 1F 39
Buckley Sq. *Farn* 1G 39
Buckthorn Clo. *W'houg* 3H 27
Buile Hill Av. *L Hul* 3F 39
Buile Hill Gro. *L Hul* 2F 39
Buller St. *Bolt* 3G 31
Bullough St. *Ath* 4C 36 (in two parts)
Bullows Rd. *L Hul* 1D 38

46 A-Z Bolton

Bulrush Clo. *Wors*. 2H **39**
Bulteel St. *Bolt* 3A **30**
Burford Dri. *Bolt* 6C **22**
Burford Dri. *Swin* 5G **41**
Burghley Clo. *Rad* 6D **24**
Burghley Dri. *Rad* 6D **24**
Burgundy Dri. *T'ton*. 2H **15**
Burke St. *Bolt* 1B **22**
Burlington St. *Hind* 2A **34**
(in two parts)
Burnaby St. *Bolt* 6B **22**
Burnden. 1F **31**
Burnden Ind. Est. *Bolt* 1F **31**
Burnden Rd. *Bolt*. 6F **23**
Burnden Way. *Los* 3E **19**
Burnham Av. *Bolt* 2G **21**
Burnham Wlk. *Farn* 4H **31**
Burnleigh Ct. *Bolt* 5F **29**
Burnmoor Rd. *Bolt* 3B **24**
Burns Av. *Ath* 2D **36**
Burns Av. *Swin* 6F **41**
Burnside Clo. *Rad* 4H **25**
Burnside Rd. *Bolt* 1H **21**
Burns Rd. *L Hul*. 2F **39**
Burns St. *Bolt*. 5D **22**
Burnt Edge La. *Hor* 3B **10**
Burton Av. *Wals* 5H **15**
Burwell Clo. *Bolt* 1B **30**
Bury and Bolton Rd. *Rad*. . . . 4E **25**
Bury Ind. Est. *Bolt* 4B **24**
Bury New Rd. *Bolt* 3E **23**
Bury New Rd. *Brei*. 4C **24**
Bury Old Rd. *A'wth* 2C **24**
Bury Old Rd. *Bolt* 4E **23**
(in two parts)
Bury Rd. *Bolt*. 4F **23**
Bury Rd. *T'ton* 3H **15**
Bury Rd. *Tur* 1A **4**
Bury St. *Rams* 4E **23**
Bushell St. *Bolt* 1H **29**
Bute St. *Bolt* 2H **21**
Buttercup Av. *Wors* 4D **38**
Buttercup Clo. *Ath*. 2D **36**
Butterfield Rd. *Bolt* 5F **29**
Buttermere Clo. *L Lev* 1B **32**
Buttermere Rd. *Farn* 5C **30**
Butterwick Fields. *Hor* 6B **8**
Buxton Clo. *Ath* 3E **37**
Byland Clo. *Bolt* 1C **22**
Byland Gdns. *Rad* 1G **33**
Byng St. *Farn* 5H **31**
Byng St. *W'houg*. 6D **26**
Byrness Clo. *Ath* 3E **37**
Byron Av. *Rad* 1F **33**
Byron Av. *Swin* 6G **41**
Byron Gro. *Ath* 2D **36**
Byron Rd. *G'mnt* 5H **5**
Byron Wlk. *Farn*. 1F **39**

C

Cable St. *Bolt* 3D **22**
Cadman Gro. *Hind*. 3A **34**
Caernarvon Clo. *G'mnt* 6H **5**
Caernarvon Rd. *Hind* 4C **34**
Cairngorm Dri. *Bolt* 6E **21**
Caithness Dri. *Bolt*. 5E **21**
Caldbeck Av. *Bolt*. 2F **21**
Caldbeck Dri. *Farn* 6C **30**
Calder Av. *Hind* 4E **35**
Calderburn Clo. *Hor*. 3F **19**
Calder Dri. *Kear*. 2D **40**
Calder Dri. *Swin* 6G **41**
Calder Dri. *Wors*. 5E **39**
Calder Rd. *Bolt*. 2C **30**
Calderwood Clo. *T'ton*. 3H **15**
Caldew Clo. *Hind*. 3A **34**
Caldford Clo. *Asp*. 5G **17**
Caldwell St. *W'houg* 2H **35**
Caleb Clo. *Tyl*. 6F **37**
Caledonia St. *Bolt* 6A **22**
Caley St. *Bolt*. 1F **21**
Calf Hey Clo. *Rad*. 2F **33**
Callis Rd. *Bolt* 5A **22**
Calver Hey Clo. *W'houg*. . . . 3C **28**
Calverleigh Clo. *Bolt* 3G **29**

Calvert Rd. *Bolt*. 2C **30**
(in three parts)
Calvin St. *Bolt*. 2D **22**
Camberley Clo. *T'ton*. 4H **15**
Cambourne Dri. *Bolt*. 6G **21**
Cambourne Dri. *Hind*. 5E **35**
Cambria Sq. Bolt. 6A **22**
(off Cambria St.)
Cambria St. *Bolt* 6A **22**
Cambridge Clo. *Farn* 4D **30**
Cambridge Dri. *L Lev* 1D **32**
Cambridge Rd. *Los*. 3H **19**
Cambridge St. *Ath*. 5C **36**
Camden Clo. *A'wth* 2E **25**
Camden Ho. *Bolt*. 2C **22**
Camellia Clo. *Bolt*. 4H **21**
Cameron St. *Bolt* 4B **12**
Campbell Clo. *Wals*. 5G **15**
Campbell Ct. *Farn* 3G **31**
Campbell Ho. *Farn*. 4F **31**
Campbell Rd. *Bolt* 3G **29**
Campbell St. *Farn*. 3F **31**
Campbell Wlk. *Farn* 3G **31**
Campbell Way. *Wors*. 4G **39**
(in two parts)
Cams Acre Clo. *Rad*. 2G **33**
Cams La. *Rad*. 3G **33**
(in two parts)
Canada St. *Bolt*. 1A **22**
Canada St. *Hor*. 6D **8**
Canal Row. *Haigh*. 3B **16**
Canal Side. *Bolt*. 4C **32**
Canal St. *Adl*. 3D **6**
Candahar St. *Bolt*. 2E **31**
Canmore Clo. *Bolt*. 2G **29**
Canning Dri. *Bolt*. 1C **22**
Canning St. *Bolt*. 1C **22**
Cannon Gro. *Bolt*. 5B **22**
Cannon St. *Ath* 4D **36**
Cannon St. *Bolt*. 6B **22**
Cannon St. *Rad*. 6H **25**
Cannon St. N. *Bolt*. 5B **22**
Cann St. *T'ton*. 1F **15**
Canons Clo. *Bolt*. 1H **21**
Canterbury Clo. *Ath*. 3E **37**
Canterbury Gro. *Bolt*. 2B **30**
Canute St. *Bolt*. 2G **23**
Canute St. *Rad* 2G **33**
Capitol Clo. *Bolt*. 6G **11**
Cappadocia Way. *W'houg*. . . 6F **27**
Captain Fold Rd. *L Hul*. 2C **38**
Captain Lees Gdns.
W'houg. 5A **28**
Captain Lees Rd.
W'houg. 4A **28**
Captain's Clough Rd.
Bolt. 1G **21**
Captain St. *Hor*. 5D **8**
Car Bank Av. *Ath*. 3D **36**
Car Bank Cres. *Ath* 3D **36**
Car Bank Sq. *Ath*. 3D **36**
Car Bank St. *Ath* 3B **36**
(in four parts)
Cardigan St. *Rad*. 5H **25**
Cardwell Gdns. *Bolt*. 1C **22**
Carisbrooke Dri. *Bolt*. 6D **12**
Carlisle Clo. *L Lev*. 3C **32**
Carlisle Pl. *Adl* 1E **7**
Carlisle St. *Brom X*. 1E **13**
Carlisle St. *Hind*. 1A **34**
Carlisle St. *Swin* 5H **41**
Carlisle Way. *Asp*. 6H **17**
Carl St. *Bolt*. 1B **22**
Carlton Av. *Bolt*. 1G **29**
Carlton Clo. *B'rod*. 1H **17**
Carlton Clo. *Bolt*. 6A **14**
Carlton Clo. *Wors*. 6G **39**
Carlton Gdns. *Farn*. 4H **31**
Carlton Gro. *Hind*. 4B **34**
Carlton Gro. *Hor*. 2F **19**
Carlton Pl. *Farn*. 4H **31**
Carlton Rd. *Bolt*. 3G **21**
Carlton Rd. *Wors*. 6G **39**
Carlton St. *Bolt*. 5D **22**
Carlton St. *Farn*. 5A **32**
Carnation Rd. *Farn* 4E **31**
Carnforth Av. *Hind*. 2C **34**

Carnforth Dri. *G'mnt* 5H **5**
Carnoustie. *Bolt*. 2G **29**
Caroline St. *Bolt*. 1B **30**
Carr Brook Dri. *Ath* 3E **37**
Carr Comn. Rd. *Hind* 4E **35**
Carrfield Av. *L Hul*. 3C **38**
Carrfield Clo. *L Hul* 3C **38**
Carrfield Gro. *L Hul* 3C **38**
Carrie St. *Rams* 3H **21**
Carrington Dri. *Bolt* 6D **22**
Carrington Rd. *Adl* 2D **6**
(in two parts)
Carron Gro. *Bolt* 4B **24**
Carr Rd. *Hor* 4D **8**
Carrslea Clo. *Rad* 6G **25**
Carr St. *Hind* 1A **34**
Carrwood Hey. *Rams* 3H **5**
Carslake Av. *Bolt* 3A **22**
Carswell Clo. *Tyl* 6A **38**
Carter St. *Bolt* 1E **31**
Carter St. *Kear* 6A **32**
Cartleach Gro. *Wors* 5E **39**
Cartleach La. *Wors* 5D **38**
Cartmel Clo. *Bolt* 3D **28**
Cartmel Cres. *Bolt*. 1G **23**
Cartwright Gro. *Leigh*. 6F **35**
Carwood Gro. *Hor* 2F **19**
Cashmore Dri. *Hind*. 3A **34**
Castle Cres. *Hor* 4E **9**
Castle Cft. *Bolt* 6H **13**
Castlecroft Av. *B'rod* 1H **17**
Castle Dri. *Adl*. 3C **6**
Castleford Clo. *Bolt* 3B **22**
Castle Gro. *Rams* 5H **5**
Castle Hill. 6F **13**
Castle Hill Pk. *Hind* 6B **26**
Castle Hill Rd. *Hind* 1A **34**
Castle Hill St. *Bolt* 1F **23**
(in two parts)
Castle Ho. La. *Adl* 3C **6**
Castle M. Farn. 6H **31**
(off Castle St.)
Castle Ri. *Hind* 2A **34**
(in three parts)
Castle St. *Bolt* 4E **23**
Castle St. *Farn* 6H **31**
Castle St. *Hind* 1A **34**
Castle St. *Tyl* 6F **37**
Castleton Ct. Tyl. 6F **37**
(off Castle St.)
Castleton St. *Bolt*. 1F **23**
Castle Way. *Hind* 2A **34**
Castlewood Sq. *Bolt* 2G **23**
Caterham Av. *Bolt* 3G **29**
Catherine St. *Bolt* 3H **29**
Catherine St. E. *Hor* 5D **8**
Catherine St. W. *Hor* 4D **8**
Caton Dri. *Ath* 6A **36**
Catterall Cres. *Bolt* 3H **13**
Catterick Dri. *L Lev* 2C **32**
Cavendish Gdns. *Bolt* 2A **30**
Cavenham Gro. *Bolt* 3A **22**
Cawdor Av. *Farn* 3F **31**
Cawdor Ct. *Farn* 3G **31**
Cawdor St. *Farn*. 3F **31**
Cawdor St. *Hind* 2A **34**
Cawdor St. *Swin* 6F **41**
Cawdor St. *Wors* 5A **40**
Cawdor Wlk. *Farn* 3G **31**
Cawthorne Ct. *Swin*. 6F **41**
Cecilia Ct. N. *Bolt* 1E **31**
Cecilia Ct. S. *Bolt* 1E **31**
Cecilia St. *Bolt* 1E **31**
Cecil St. *Bolt* 4E **23**
Cecil St. *Wors* 4H **39**
Cedar Av. *Ath* 3B **36**
Cedar Av. *Hind* 4B **34**
Cedar Av. *L Lev* 3D **32**
Cedar Dri. *Swin* 3F **41**
Cedar Gro. *Farn*. 5F **31**
Cedar Gro. *W'houg* 6G **27**
Cedars, The. *Bolt*. 3D **12**
Cedar Wood Ct. *Bolt* 4G **21**
Cellini Sq. *Bolt* 2B **22**
Cemetery Rd. *Bolt* 4F **23**
Cemetery Rd. *Farn* 4B **32**

Cemetery Rd. *Rad*. 1H **33**
(in two parts)
Cemetery Rd. N. *Swin*. 5G **41**
Cemetery Rd. S. *Swin*. 6G **41**
Cemetery St. *W'houg* 4G **27**
Cemetery Vw. *Adl* 3D **6**
Centaur Clo. *Swin* 5H **41**
Centenary Ct. *Bolt*. 1D **30**
Central Av. *Ath* 3E **37**
Central Av. *Farn*. 5E **31**
Central Av. *Wors* 2G **39**
Central Dri. *W'houg*. 4G **27**
Central St. *Bolt* 4C **22**
Centre Gdns. *Bolt* 2B **22**
Centre Pk. Rd. *Bolt* 2B **22**
Century Lodge. *Farn* 5G **31**
Century Mill Ind. Est.
Farn. 6F **31**
Cestrian St. *Bolt* 2D **30**
Chadbury Clo. *Los*. 2C **28**
Chadwick St. *Bolt* 5E **23**
Chadwick St. *Hind*. 1A **34**
Chadwick St. *L Lev* 2D **32**
Chale Grn. *Bolt* 6A **14**
Chalfont Dri. *Wors*. 6A **40**
Chalfont St. *Bolt* 1D **22**
(in two parts)
Challinor St. *Rams* 3H **21**
Chamberlain St. *Bolt* 5B **22**
Chancery La. *Bolt*. 4D **22**
Chanters Av. *Ath* 5E **37**
Chanters Ind. Est. *Ath* 5E **37**
Chantry Brow. *Hor* 6G **7**
Chantry Clo. *W'houg*. 2H **35**
Chapel All. Rams. 4D **22**
(off Deansgate)
Chapelfield Dri. *Wors*. 4F **39**
Chapel Fields. 2A **34**
Chapel Fields La. *Hind*. 2A **34**
Chapelfield St. *Bolt* 6C **12**
Chapel Gdns. *G'mnt*. 6F **5**
Chapel Grange. *Tur* 3G **3**
Chapel Grn. Rd. *Hind*. 1A **34**
Chapel Gro. *Rad* 5H **33**
Chapel Pl. *Bolt* 6G **23**
Chapelstead. *W'houg* 2H **35**
Chapel St. *Adl* 3D **6**
Chapel St. *Ath* 4D **36**
Chapel St. *Bick* 6A **34**
Chapel St. *B'rod* 1H **17**
Chapel St. *Bolt* 3E **23**
Chapel St. *Eger* 4B **2**
Chapel St. *Farn* 5A **32**
Chapel St. *Hind* 2A **34**
Chapel St. *Hor*. 6E **9**
Chapel St. *L Lev* 2D **32**
Chapel St. *Rad* 6D **32**
Chapel St. *Swin*. 6H **41**
Chapel St. *T'ton* 2G **15**
Chapel St. *Tyl* 6G **37**
Chapeltown. 3G **3**
Chapeltown Rd. *Brom X*. . . . 2F **13**
Chapeltown Rd. *Rad*. 4H **33**
Chapeltown Rd. *Tur*. 5G **3**
Chapman St. *Bolt* 2H **21**
Chard St. *Rad* 2H **33**
Charles Ct. *Bolt*. 3D **22**
Charles Holden St. *Bolt* 5B **22**
Charles Rupert St. *Rams*. . . . 1D **22**
Charles St. *Bolt*. 3D **22**
Charles St. *Eger* 4B **2**
Charles St. *Farn*. 4A **32**
Charles St. *Hind* 6A **26**
Charles St. *Kear* 6A **32**
Charles St. *Swin* 6F **41**
Charles St. *Tyl* 6F **37**
Charleston Ct. *Tyl* 6F **37**
Charlesworth Av. *Bolt*. 2F **31**
Charlesworth Av. *Hind*. 3B **34**
Charlesworth Av. *W'houg*. . . 1G **35**
Charlotte St. *Bolt*. 1C **22**
Charlotte St. *Tur* 3G **3**
Charlton Dri. *Swin* 5F **41**
Charnock Dri. *Bolt* 2C **22**
Charnwood Clo. *Wors* 5G **39**
Chase, The. *Bolt* 4G **21**

Chassen Rd. *Bolt* 4H 21
Chatburn Rd. *Bolt* 6F 11
Chatham Gdns. *Bolt* 6B 22
Chatham Pl. *Bolt* 6B 22
Chatsworth Ct. *Hth C* 1D 6
Chatsworth Gro. *L Lev* 1C 32
Chatsworth Rd. *Rad* 6F 25
Chatteris Clo. *Hind* 3A 34
Chatton Clo. *Bury* 1H 25
Chaucer Av. *Rad* 1G 33
Chaucer Gro. *Ath* 2D 36
Chaucer St. *Bolt* 2B 22
Cheadle Sq. *Rams* 4C 22
Cheapside Sq. *Bolt* 4D 22
Chedworth Cres. *L Hul* 1E 39
Chedworth Gro. Bolt *6C 22*
　　　(off Parrot St.)
Cheethams, The. *B'rod* 4A 18
Chelburn Clo. *Bick* 6A 34
Chelford Av. *Bolt* 4C 12
Chelford Dri. *Swin* 5G 41
Chelmer Clo. *W'houg* 4H 27
Chelsea Av. *Rad* 1F 33
Chelsea Rd. *Bolt* 2B 30
Chelwood Clo. *Bolt* 2B 12
Chelwood M. *Los* 4B 20
Chemist St. *Rams* 2D 22
Chendre Clo. *Swin* 5H 41
Chequerbent. **5B 28**
Cherington Dri. *Tyl* 6A 38
Cheriton Dri. *Bolt* 5A 24
Cheriton Gdns. *Hor* 3D 8
Cherry Tree Av. *Farn* 5D 30
Cherry Tree Gro. *Ath* 3C 36
Cherry Tree Way. *Bolt* 5F 13
Cherry Tree Way. *Hor* 2G 19
Cherrywood Av. *Bolt* 6G 29
Cherrywood Clo. *Wors* 6F 39
Cherwell Clo. *Asp* 5G 17
Cherwell Rd. *W'houg* 4H 27
Chesham Av. *Bolt* 1C 22
Chesham St. *Bolt* 3H 29
Chessington Ri. *Swin* 4H 41
Chester Av. *L Lev* 1D 32
Chester Clo. *L Lev* 1D 32
Chester Pl. *Adl* 1E 7
Chester Rd. *Tyl* 6B 38
Chester St. *Ath* 5E 37
Chester St. *Hind* 5D 34
Chester St. *Rams* 2D 22
Chesterton Dri. *Bolt* 6E 21
Chester Wlk. Bolt *1C 22*
　　　(off Boardman St.)
Chestnut Av. *Ath* 3C 36
Chestnut Av. *T'ton* 4H 15
Chestnut Av. *Wors* 5H 39
Chestnut Clo. *Bolt* 1H 29
Chestnut Dri. *W'houg* 6H 27
Chestnut Gro. *Hind* 3C 34
Chestnut Gro. *Rad* 5H 33
Chetwyn Av. *Brom X* 2E 13
Chevington Gdns. *Bolt* 6C 12
Cheviot Clo. *Bolt* 4B 12
Cheviot Clo. *Hor* 4E 9
Chew Moor. **1B 28**
Chew Moor La.
　W'houg 3A 28
Childwall Clo. *Bolt* 3C 30
Chilgrove Av. *B'rod* 2H 17
Chilham Rd. *Wors* 5A 40
Chilham St. *Bolt* 2H 29
Chiltern Av. *Ath* 3F 37
Chiltern Clo. *Hor* 4E 9
Chiltern Clo. *Wors* 6A 40
Chiltern Dri. *Bolt* 4G 23
China La. *Bolt* 3D 22
Chip Hill Rd. *Bolt* 1F 29
Chipping Rd. *Bolt* 1F 21
Chisholme Clo. *G'mnt* 5G 5
Chisledon Clo. Bolt *6C 22*
　　　(off Bantry St.)
Chiswick Dri. *Rad* 6D 24
Chisworth St. *Bolt* 6F 13
Chorley Clo. *Bury* 2H 25
Chorley New Rd. *Bolt* 4F 21
Chorley New Rd. *Hor* 5C 8

Chorley New Rd.
　Los & Bolt 3H 19
Chorley Old Rd. *Bolt* 1F 21
Chorley Old Rd.
　Hor & Bolt 5F 9
Chorley Rd. *B'rod* 3E 7
Chorley Rd. *Hth C & Adl* . . . 1E 7
Chorley Rd.
　Stand & Copp 1A 16
Chorley Rd. *Swin* 6G 41
Chorley Rd. *W'houg* 5C 18
Chorley St. *Adl* 1F 7
Chorley St. *Bolt* 3C 22
Chowbent Clo. *Ath* 4E 37
Christchurch Clo. *Bolt* 6B 14
Christchurch La. *Bolt* 6B 14
Chronnell Dri. *Bolt* 3A 24
Chulsey Ga. La. *Los* 1A 28
Chulsey St. *Bolt* 1H 29
Church Av. *Bick* 6B 34
Church Av. *Bolt* 1A 30
Church Bank. *Bolt* 4E 23
Church Clo. *Rad* 5D 32
Churchfield Clo. *Rad* 4H 33
Churchgate. *Bolt* 4D 22
Churchill Av. *A'wth* 2F 25
Churchill Dri. *L Lev* 2E 33
Churchill St. *Bolt* 4G 23
Church La. *W'houg* 2G 27
Church Meadows. *Bolt* 6B 14
Church Rd. *Bolt* 1G 21
Church Rd. *Farn & Kear* . . . 5A 32
Church Rd. *Rad* 5C 32
Church Rd. *Wors* 4H 39
Churchside. *Farn* 6F 31
Church St. *Adl* 2E 7
Church St. *A'wth* 2E 25
Church St. *Asp* 5F 17
Church St. *Ath* 4D 36
Church St. *B'rod* 6G 7
Church St. *Bolt* 4H 13
Church St. *Farn* 5A 32
Church St. *Hor* 5E 9
Church St. *Kear* 6A 32
Church St. *L Lev* 2B 32
Church St. *Wals* 5H 15
Church St. *W'houg* 4G 27
Churchtown Av. *Bolt* 4B 24
Church Wlk. *Farn* 5G 31
Church Wlk. *G'mnt* 6F 5
Church Wlk. *Swin* 4H 41
Church Walks. *W'houg* 4G 27
Churchward Sq. *Hor* 1E 19
Churnett Clo. *W'houg* 3H 27
Cinder La. *Bolt* 6F 11
Cinnamon Av. *Hind* 3B 34
Cinnamon Pl. *Ath* 5C 36
Cirencester Clo. *L Hul* 1E 39
City Rd. *Wors* 6E 39
Clammerclough. **5B 32**
Clammerclough Rd. *Kear* 5B 32
Clarebank. *Bolt* 4F 21
Clare Ct. *Farn* 4D 30
Claremont Av. *Hind* 2B 34
Claremont Dri. *L Hul* 2F 39
Clarence Ct. *Bolt* 3C 22
Clarence St. *Ath* 6E 37
Clarence St. *Bolt* 3D 22
　　　(in two parts)
Clarence St. *Farn* 4A 32
Clarendon Gro. *Bolt* 5F 23
Clarendon Rd. *Bolt* 4G 23
Clarendon St. *Bolt* 1C 30
Clarke Cres. *L Hul* 1B 38
Clarke St. *Bolt* 3A 22
Clarke St. *Farn* 6A 32
Claughton Av. *Bolt* 4B 24
Claughton Av. *Wors* 6G 39
Claughton Rd. *Wals* 4H 15
Clavendon Rd. *Rad* 4G 25
Claybank Dri. *T'ton* 2F 15
Claydon Dri. *Rad* 6D 24
Claymore St. *Bolt* 2D 30
Claypool Rd. *Hor* 2G 19
Clay St. *Brom X* 2E 13
Clayton Av. *Bolt* 6G 23
Clayton Clo. *Bury* 2H 25

Clayton St. *Bolt* 6G 23
Clegg's Bldgs. *Bolt* 4C 22
Clegg's La. *L Hul* 2E 39
Cleggs La. Ind. Site.
　L Hul 1F 39
Clegg St. *Bolt* 4G 23
Clegg St. *Tyl* 6F 37
Clelland St. *Farn* 6A 32
Clematis Wlk. *Swin* 5G 41
Clement Av. *Ath* 5A 36
Cleveland Clo. *Swin* 5H 41
Cleveland Gdns. *Bolt* 1H 29
Cleveland St. *Bolt* 1H 29
Cleveleys Av. *Bolt* 3G 23
Clifford Rd. *Bolt* 3G 29
Clifton. **4H 41**
Clifton Country Pk. 2G 41
Clifton Ct. *Farn* 3F 31
Clifton Ct. *Swin* 3G 41
Clifton Dri. *B'rod* 6F 7
Clifton Dri. *Swin* 6F 41
Clifton Gro. *Swin* 5F 41
Clifton House Arboretum.
　. . . . . 2F 41
Clifton Ho. Rd. *Swin* 2F 41
Clifton St. *Farn* 3F 31
Clifton St. *Kear* 6B 32
Clifton St. *Rams* 3C 22
Clifton St. *Tyl* 6C 38
Clifton Vw. *Swin* 3G 41
Clitheroe Dri. *Bury* 1H 25
Clivedale Pl. *Bolt* 4D 22
Clive Rd. *W'houg* 1G 35
Clive St. *Bolt* 4D 22
Clock Tower Clo. *Wors* 4D 38
Cloister Av. *Leigh* 6F 35
Cloisters, The. *W'houg* 2G 35
Cloister St. *Bolt* 1A 22
Clondberry Clo. *Tyl* 6C 38
Close La. *Hind* 4B 34
　　　(Baslow Av.)
Close La. *Hind* 6C 34
　　　(Leigh Rd.)
Close La. *Hind* 3A 34
　　　(Park Rd.)
Closes Farm. *Bolt* 3H 29
Close St. *Hind* 1B 34
Close, The. *Ath* 2F 37
Close, The. *Bolt* 6F 13
Cloudstock Gro. *L Hul* 2C 38
Clough Av. *W'houg* 5H 27
Cloughbank. *Rad* 6E 33
Clough Fold. *Rad* 6D 32
Clough Fold. *W'houg* 5H 27
Clough Mdw. *Bolt* 5D 20
Clough Mdw. Rd. *Rad* 2G 33
Clough St. *Kear* 6B 32
Clough, The. *Bolt* 3E 21
Cloverdale Sq. *Bolt* 2G 21
Cloverfield Wlk. Wors *4H 39*
　　　(off Bolton Rd.)
Clunton Av. *Bolt* 6H 21
Clyde Rd. *Rad* 6H 25
Clyde St. *Bolt* 1C 22
Clyde Ter. *Rad* 6H 25
Coach St. *Ath* 4D 36
Coach St. *Bolt* 6E 23
Coal Pit La. *Ath* 3B 36
　　　(in two parts)
Coal Pit La. *Hind* 6D 34
Coal Pit La. *Leigh* 6G 35
Coal Pit Rd. *Smith* 2B 10
Cobden Mill Ind. Est.
　Farn 4G 31
Cobden St. *Bolt* 6B 12
Cobden St. *Eger* 5B 2
Cobden St. *Rad* 5H 25
Cobden St. *Tyl* 6G 37
Cobham Av. *Bolt* 2B 30
Cochrane St. *Bolt* 6D 22
Cockerell Springs. Bolt *5E 23*
　　　(off Glebe St.)
Cocker St. *L Hul* 3E 39
Cockey Moor Rd.
　A'wth & Bury 2F 25
Codale Dri. *Bolt* 2B 24
Code La. *W'houg* 1D 26

Coe St. *Bolt* 6D 22
Colchester Av. *Bolt* 3A 24
Colchester Dri. *Farn* 4D 30
Coldfield Gro. *Bolt* 5C 22
Colenso Ct. *Bolt* 4G 23
Colenso Rd. *Bolt* 4H 23
Coleridge Av. *Rad* 2G 33
Coleridge Rd. *G'mnt* 5H 5
Colesbourne Clo. *L Hul* 1E 39
Colindale Clo. *Bolt* 6A 22
Colinton Clo. *Bolt* 2B 22
Collard St. *Ath* 3B 36
College Clo. *Bolt* 5C 22
College Way. *Bolt* 5B 22
Collier Brook Ind. Cen.
　Ath 4C 36
Colliers Row Rd. *Bolt* 4D 10
Collier St. *Hind* 1A 34
Colliery La. *Ath* 3H 35
Collingwood Way.
　W'houg 4G 27
Collins La. *W'houg* 1H 35
Collins St. *Wals* 5H 15
Collyhurst Av. *Wors* 5A 40
Colmore Gro. *Bolt* 5F 13
Colmore St. *Bolt* 6F 13
Colshaw Clo. E. *Rad* 1H 33
Colshaw Clo. S. *Rad* 1H 33
Columbia Rd. *Bolt* 3A 22
Colwith Av. *Bolt* 2A 24
Colwyn Dri. *Hind* 5E 35
Colwyn Gro. *Ath* 2C 36
Colwyn Gro. *Bolt* 2B 22
Combermere Clo. *Tyl* 6H 37
Common La. *Tyl* 6G 37
Common, The. *W'houg* 6D 26
Common, The. *Adl* 5C 6
Como St. *Bolt* 1A 30
Conisber Clo. *Eger* 6C 2
Coniston Av. *Adl* 1F 7
Coniston Av. *Ath* 2D 36
Coniston Av. *Farn* 6C 30
Coniston Av. *L Hul* 2E 39
Coniston Clo. *L Lev* 1C 32
Coniston Gro. *L Hul* 3E 39
Coniston Rd. *B'rod* 6H 7
Coniston Rd. *Hind* 3A 34
Coniston St. *Bolt* 6D 12
Connaught Sq. *Bolt* 1F 23
Connel Clo. *Bolt* 5B 24
Conningsby Clo. *Brom X* . . . 1D 12
Constable Clo. *Bolt* 2B 22
Constance Rd. *Bolt* 1A 30
Constellation Trad. Est.
　Rad 5H 25
Conway Av. *Bolt* 2G 21
Conway Cres. *G'mnt* 5H 5
Conway Dri. *Asp* 6H 17
Conway Rd. *Hind* 3B 34
Conway St. *Farn* 6H 31
Cooke St. *Farn* 6A 32
Cooke St. *Hor* 5F 9
Coomassie St. *Rad* 2H 33
Co-operative St. *L Hul* 2C 38
Co-operative St. *Rad* 1H 33
Coopers Row. *Rams* 4D 22
Cooper St. *Hor* 5D 8
Cooper St. *Rams* 2D 22
Cooper Turning. **6D 18**
Coop St. *Bolt* 5C 12
Co-op's Yd. W'houg *4G 27*
　　　(off Church St.)
Cope Bank. **2A 22**
Cope Bank. *Bolt* 1A 22
Cope Bank E. *Bolt* 2A 22
Cope Bank W. *Bolt* 1H 21
Copeland M. *Bolt* 4G 21
Copesthorne Clo. *Asp* 5G 17
Coplow Dale. *Hind* 4A 34
Copper St. *Rams* 2A 22
Copperas La. *Haigh* 2F 17
　　　(New Rd.)
Copperas La. *Haigh* 2F 17
　　　(Tuckers Hill Brow)
Copperfields. *Los* 1B 28
Coppice, The. *Bolt* 4H 13
Coppice, The. *Rams* 3H 5

Copplestone Ct. *Wors* 6E **41**
Coppull Hall La. *Copp* 1A **6**
Copse, The. *Tur.* 5G **3**
Copthorne Dri. *Bolt* 5A **24**
Copthorne Wlk. *T'ton* 4H **15**
Corbett Ct. *Hind* 2A **34**
Corfe Clo. *Asp* 6H **17**
Corhampton Cres. *Ath* 2E **37**
Corinth Wlk. *Swin* 5H **39**
Cormorant Clo. *Wors* 4G **39**
Cornbrook Clo. *W'houg* 1F **35**
Corner Brook. *W'houg* 2A **28**
Corner Ga. *W'houg* 2G **35**
Corner La. *Leigh* 4F **35**
Cornwall Av. *Bolt* 5F **29**
Cornwall Av. *Tyl* 4G **37**
Cornwall Dri. *Hind.* 1B **34**
Coronation Av. *Ath* 2C **36**
Coronation Gdns. *Hind* 1G **33**
(in two parts)
Coronation Rd. *Rad.* 6G **25**
Coronation Sq. *L Lev.* 2D **32**
Coronation St. Rams. *5D 22*
(off Gt. Moor St.)
Coronation St. *Swin* 6H **41**
Coronation Wlk. *Rad.* 6G **25**
Corporation St. *Bolt* 4D **22**
Corranstone Clo. *Hor.* 6D **8**
Corrie Cres. *Kear* 2F **41**
Corrie St. *Kear.* 3F **41**
Corrie Rd. *Swin.* 4H **41**
Corrie St. *L Hul* 3E **39**
Corring Way. *Bolt* 5F **13**
Corrin Rd. *Bolt* 6F **23**
Corsey Rd. *Hind* 3A **34**
Corson Fylde. *Bolt.* 3H **31**
Corston Gro. *B'rod* 2H **17**
Cosgroves Physio & Fitness Cen.
. . . . 3E **37**
Cotefield Av. *Bolt.* 2D **30**
Cotford Rd. *Rams.* 4D **12**
Cotswold Dri. *Hor.* 4E **9**
Cottage Cft. *Bolt* 4H **13**
Cottingley Clo. *Bolt.* 4B **12**
Cottonfields. *Brom X* 2D **12**
Cotton St. *Bolt* 1B **22**
Coucill Sq. *Farn.* 5A **32**
Countess La. *Rad* 6F **25**
County Rd. *Wors.* 3E **39**
Coupes Grn. *W'houg.* 1G **35**
Coupland Rd. *Hind* 3E **35**
Court St. *Bolt* 4E **23**
Courtyard Dri. *Wors* 4E **39**
Courtyard, The. *Bolt* 2D **22**
Cousin Fields. *Brom X.* . . . 2G **13**
Coventry Rd. *Rad* 6H **25**
Coverdale Av. *Bolt.* 3G **21**
Coverdale Rd. *W'houg* 5F **27**
Cowburn St. *Hind* 6B **26**
Cowdals Rd. *Los.* 1B **28**
Cow La. *Bolt* 3H **29**
Cow Lees. *W'houg* 4A **28**
Cowley Rd. *Rams* 4D **12**
Cowper Av. *Ath* 2D **36**
Cox Green. **1D 12**
Cox Grn. Clo. *Eger* 4B **2**
Cox Grn. Rd. *Eger* 3B **2**
Cox Way. *Ath* 4D **36**
Coxwold Gro. *Bolt.* 2A **30**
Crab Brow. *Ath* 4B **36**
Crab Tree La. *Ath* 4D **36**
Craighall Rd. *Bolt.* 3C **12**
Cramond Clo. *Bolt.* 2B **22**
Cramond Wlk. *Bolt.* 2B **22**
Cranark Clo. *Bolt.* 4G **21**
Cranberry Dri. *Bolt.* 1F **29**
Cranbrook Clo. Bolt. *2D 22*
(off Lindfield Dri.)
Cranby St. *Hind.* 2A **34**
Crandon Ct. *Swin* 5H **41**
Crane St. *Bolt.* 2H **29**
Cranfield Rd. *Hor.* 4F **19**
Cranford St. *Bolt.* 3A **30**
Cranham Clo. *L Hul* 1E **39**
Cranleigh Clo. *B'rod* 2H **17**
Cranleigh Dri. *Wors.* 6A **40**

Cranshaw St. *Tyl* 6B **38**
Cranstal Dri. *Hind* 2C **34**
Crathie Ct. *Bolt* 2H **21**
Craven Ct. *Hor.* 1F **19**
Craven Pl. *Bolt* 1E **21**
Craven St. E. *Hor.* 1F **19**
Crawford Av. *Adl* 4C **6**
Crawford Av. *Asp* 6G **17**
Crawford Av. *Bolt.* 5F **23**
Crawford Av. *Tyl* 5F **37**
Crawford Av. *Wors* 6B **40**
Crawford Clo. *Asp.* 6G **17**
Crawford St. *Asp.* 6G **17**
Crawford St. *Bolt.* 5F **23**
Crawley Clo. *Tyl.* 6A **38**
Crediton Dri. *Bolt.* 4C **24**
Crescent Av. *Bolt.* 3B **22**
Crescent Av. *Farn* 1G **39**
Crescent Av. *Over H* 5G **29**
Crescent Dri. *L Hul* 2F **39**
Crescent Rd. *Bolt.* 1E **31**
Crescent Rd. *Kear* 1B **40**
Crescent Rd. *Los* 3G **19**
Crescent, The. *Bolt* 5B **14**
Crescent, The. *Brom X.* . . . 2E **13**
Crescent, The. *Hor* 2G **19**
Crescent, The. *L Lev* 3D **32**
Crescent, The. *Rad* 6F **25**
Crescent, The. *W'houg* 6G **27**
Cressingham Rd. *Bolt* 1G **29**
Crestfold. *L Hul.* 3E **39**
Cricceith Av. *Asp* 6H **17**
Cricketers Way. *W'houg* . . 5G **27**
Cricketfield La. *Wors* 4G **39**
Cricket St. *Bolt.* 6B **22**
Crinan Way. *Bolt* 5B **24**
Cringle Clo. *Bolt* 1E **29**
Crippen St. *Ath* 6A **36**
Croal St. *Rams.* 5B **22**
Croasdale St. *Bolt.* 2D **22**
(in two parts)
Crocus St. *Bolt.* 5D **12**
Croft Av. *Ath* 5D **36**
Croft Dell. *Bolt.* 6G **11**
Croft Dri. *T'ton* 3G **15**
Crofters Wlk. *Bolt.* 3G **13**
Croft Ga. *Bolt.* 5A **14**
Croft Gro. *L Hul* 2D **38**
Croftlands. *Rams* 4H **5**
Croft La. *Bolt.* 6F **23**
Croft Pl. *Tyl* 6F **37**
Croft Side. *Bolt.* 6A **24**
Croftside Av. *Wors* 4A **40**
Croftside Clo. *Wors.* 4A **40**
Croftside Gro. *Wors* 4A **40**
Croft St. *Bolt.* 1F **31**
Croft St. *L Hul.* 2D **38**
Croft St. *W'houg.* 2G **27**
Croft St. *The. Bolt.* 3D **22**
Croft, The. Hor *4D 8*
(off Stratton Gro.)
Croft, The. *W'houg* 2G **27**
Croich Bank. *Hawk* 5D **4**
Crombouke Dri. *Leigh.* . . . 6G **35**
Cromdale Av. *Bolt.* 3H **21**
Cromer Av. *Bolt.* 2G **23**
Cromer Dri. *Ath.* 5H **35**
Cromford Clo. *Bolt* 2C **22**
Cromford Gdns. *Bolt.* 1D **22**
Compton Av. *Bolt.* 3A **24**
Compton Clo. *Bolt.* 5E **13**
Compton Ct. *L Lev.* 2E **33**
Compton Pl. *Bolt.* 4D **22**
Compton Rd. *Los.* 3H **19**
Compton Rd. *Rad* 5C **32**
Compton St. *Farn.* 6A **32**
Compton St. *L Hul.* 2B **38**
Compton St. *Rams.* 3E **23**
Compton St. *Wors* 5B **40**
Compton Va. *Bolt.* 3H **23**
Compton Way. *Bolt.* 5D **12**
Cromwell Rd. *Swin.* 6G **41**
Cromwell St. *Rams.* 4C **22**
Crook St. *Adl* 2D **6**
Crook St. *Bolt.* 5D **22**
Crook St. *Hind* 3A **34**
Cropton Way. *Hind* 4B **34**

Crosby Av. *Wors* 5B **40**
Crosby Gro. *Ath.* 3E **37**
Crosby Rd. *Bolt.* 3E **37**
Crosby Rd. *Rad.* 4G **25**
Crosby St. *Ath.* 3E **37**
Crossdale Rd. *Bolt.* 3A **24**
Crossdale Rd. *Hind* 2B **34**
(in two parts)
Crossen St. *Bolt* 6G **23**
Cross Fld. Dri. *Rad.* 2G **33**
Crossfield Dri. *Swin* 6G **41**
Crossfields. *Brom X* 1G **13**
Crossford Dri. *Bolt.* 6E **21**
Cross Hill Wlk. *Bolt* 6E **21**
Cross La. *Holc* 2H **5**
Crossley St. *L Lev.* 1C **32**
Crossmoor Dri. *Bolt.* 3F **23**
Cross Ormrod St. *Bolt.* . . . 5B **22**
Cross St. *Asp* 5F **17**
Cross St. *Ath.* 3B **36**
Cross St. *Bolt* 2D **22**
Cross St. *Brom X* 2D **12**
Cross St. *Farn.* 4H **31**
Cross St. *Kear.* 2D **40**
Cross St. *L Lev.* 2D **32**
Cross St. *Tyl* 6F **37**
Croston Av. *Adl* 1E **7**
Croston St. *Bolt.* 1A **30**
(in two parts)
Crowborough Clo. *Los* 2H **19**
Crownall Rd. *Bolt.* 1G **23**
Crowndale. *Tur* 1H **3**
Crown Gdns. *Tur.* 1H **3**
Crown La. *Hor.* 1B **18**
Crown Point. *Tur.* 1A **4**
Crown St. *Ath* 4C **36**
Crown St. *Bolt* 4D **22**
Crows Nest. *Bolt.* 6B **24**
Croxton Wlk. *Hor* *5D 8*
(off Beatrice M.)
Croyde Clo. *Bolt* 4H **23**
Croydon Ho. Bolt. *2C 22*
(off Kenton Clo.)
Crummock Clo. *L Lev* 2B **32**
Crummock Gro. *Farn.* 6C **30**
Crumpsall St. *Bolt.* 1C **22**
Crundale Rd. *Bolt* 3A **24**
Culham Clo. *Bolt.* 1B **22**
Culross Av. *Bolt.* 5E **21**
Cumberland Av. *Swin* 5H **41**
Cumberland Av. *Tyl* 5F **37**
Cumberland Rd. *Ath* 3E **37**
Cumbermere La. *Tyl* 5H **37**
Cundey St. *Bolt.* 2A **22**
Cunliffe Brow. *Bolt* 1H **21**
Cunningham Rd. *W'houg.* . . 6F **27**
Curteis St. *Hor.* 6D **8**
Curtis St. *Bolt.* 3A **30**
Curzon Rd. *Bolt.* 4A **22**
Cutacre Clo. *Tyl.* 6H **37**
Cuthbert St. *Bolt.* 3H **29**
Cypress Gro. *Kear.* 6B **32**
Cyril St. *Bolt.* 6E **23**

D

Daffodil Rd. *Farn* 4E **31**
Daffodil St. *Rams* 4D **12**
Dagmar St. *Wors* 3G **39**
Dahlia Av. *Farn* 4E **31**
Daisyfield. Hor. *2F 19*
(off Chorley New Rd.)
Daisyfield Wlk. *Wors.* 4H **39**
Daisy Hall Dri. *W'houg* . . . 1G **35**
Daisy Hill. **1G 35**
Daisyhill Ct. *W'houg* 2H **35**
Daisy Hill Dri. *Adl* 1E **7**
Daisy St. *Bolt.* 1A **30**
Dalby Rd. *Hind.* 2D **34**
Dalebank. *Ath* 2C **36**
Dale Bank M. *Swin.* 2F **41**
Dalebrook Clo. *L Lev.* 1C **32**
Dalegarth Av. *Bolt.* 4C **20**
Dale Lee. *W'houg* 5A **28**
Dales Brow. *Bolt.* 3D **12**
Dales Gro. *Wors* 6B **40**

Dale St. *Kear.* 4A **32**
Dale St. *W'houg* 2H **35**
Dale St. E. *Hor.* 1F **19**
Dale St. Ind. Est. *Rad* 3H **33**
Dale St. W. *Hor.* 1F **19**
Dalkeith Gro. *Bolt* 6F **21**
Dalkeith Rd. *Hind* 2C **34**
Dalston Gdns. Bolt *1C 22*
(off Gladstone St.)
Dalton Clo. *Rams* 3H **5**
Dalton Fold. *W'houg* 5H **27**
Dalwood Clo. *Hind* 3B **34**
Dalymount Clo. *Bolt.* 1F **23**
Dams Head Fold.
. . . . *W'houg* 4H **27**
Danby Rd. *Bolt* 2C **30**
Danebridge Clo. *Farn.* 5A **32**
(Darley St.)
Danebridge Clo. *Farn.* 5A **32**
(Peel St.)
Danes Av. *Hind* 1A **34**
Danes Brook Clo. *Hind* . . . 1A **34**
Danesbury Rd. *Bolt.* 5F **13**
Danes Grn. *Hind* 6A **26**
Dane St. *Bolt.* 1A **30**
Danesway. *Hth C* 1D **6**
Danesway Ct. *Bolt.* 1B **22**
Dangerous Corner. **5F 35**
Darbishire St. *Bolt.* 2E **23**
Darby La. *Hind* 1A **34**
Darbyshire Clo. *Bolt* 3A **22**
Darcy Lever. **6H 23**
Dark La. *B'rod* 5F **7**
Darley Av. *Farn* 4A **32**
Darley Ct. *Rams* 1A **22**
Darley Gro. *Farn* 4A **32**
Darley St. *Bolt.* 2B **22**
Darley St. *Farn* 5A **32**
Darley St. *Hor.* 4D **8**
Darley Ter. *Bolt.* 2C **22**
Darlington St. *Tyl* 6G **37**
Darlington St. E. *Tyl* 6H **37**
Darnley Av. *Wors* 6G **39**
Darvel Clo. *Bolt.* 5B **24**
Darwen Rd.
. . . *Eger & Brom X* 6C **2**
Darwin St. *Bolt.* 1B **22**
Daubhill. **2A 30**
Davenport Av. *Rad* 5H **25**
Davenport Fold. *Bolt.* 6C **14**
Davenport Fold Rd. *Bolt* . . 5C **14**
Davenport Gdns. *Bolt* 3C **22**
Davenport St. *Bolt.* 3C **22**
David Brow. *Bolt.* 3G **29**
David Lloyd Leisure Cen.
. . . . 4B **22**
Davies St. *Kear.* 6C **32**
Dawes St. *Bolt.* 5D **22**
Dawley Clo. *Bolt.* 5A **22**
Dawson La. *Bolt.* 4C **22**
Dawson St. *Ath.* 4C **36**
Deacon Av. *Swin.* 6G **41**
Deakins Bus. Pk. *Eger.* . . . 6B **2**
Dealey Rd. *Bolt.* 1G **29**
Deal St. *Bolt.* 2D **30**
Dean Clo. *Farn* 5D **30**
Dean Ct. *Bolt.* 3D **22**
Deane. **1G 29**
Deane Av. *Bolt* 6H **21**
Deane Chu. Clough. *Bolt* . . 6G **21**
Deane Chu. La. *Bolt* 1H **29**
Deane Leisure Cen. **1F 29**
Deane Rd. *Bolt* 6A **22**
Deane Wlk. *Bolt.* 6A **22**
(in two parts)
Dean Ho. *Rams.* 3D **22**
Deansgate. *Bolt.* 4C **22**
Deansgate. *Hind* 1A **34**
Dean St. *Rad.* 2H **33**
Dearden Av. *L Hul* 2E **39**
Dearden St. *L Lev.* 1C **32**
Dearncamme Clo. *Bolt.* . . 4F **13**
Debenham Ct. *Farn.* 6H **31**
Dee Dri. *Kear.* 2C **40**
Deepdale Rd. *Bolt.* 1B **24**
Defence St. *Bolt* 5B **22**
Defiance St. *Ath* 4C **36**

De Havilland Way.
W'houg & Los 5E 19
De Lacy Dri. Bolt 2F 23
Delamere Gdns. Bolt 6B 12
Dellside Gro. Wors 4A 40
Dell St. Bolt 4G 13
Dell, The. Bolt 4G 13
Delph Av. Eger 4B 2
Delph Brook Way. Eger 5B 2
Delph Gro. Leigh 6F 35
Delph Hill. 1E 21
Delph Hill. Bolt 1E 21
Delph Hill Clo. Bolt 1E 21
Delph La. Bolt 5H 39
Delph La. Bolt 2E 25
Delph St. Bolt 6B 22
Delta Martial Arts, Gym &
Fitness Cen. 6G 41
Denbigh Gro. Ath 2C 36
Denbigh Rd. Bolt 6F 23
Dene Bank. Bolt 4G 13
Dene St. Bolt 4G 13
Denham Clo. Bolt 4E 13
Denham St. Rad 5H 25
Denstone Cres. Bolt 1A 24
Dentdale Clo. Bolt 5D 20
Denton Rd. Bolt 5D 24
Derby Pl. Adl. 1E 7
Derby Rd. Rad 5C 32
Derbyshire Row. Rams 6C 12
Derby St. Ath 3C 36
Derby St. Bolt 1B 30
Derby St. Hor 2F 19
Derby St. Tyl. 6G 37
Derby St. W'houg 4H 27
Derwent Clo. Hor. 1E 19
Derwent Clo. L Lev 2B 32
Derwent Clo. Wors. 5F 39
Derwent Dri. Kear 2D 40
Derwent Rd. Farn 5D 30
Derwent Rd. Hind 2A 34
Design St. Bolt 1H 29
Desmond St. Ath. 5A 36
(in two parts)
Destructor Rd. Swin 6G 41
Devoke Av. Wors 5A 40
Devoke Gro. Farn 5C 30
Devon Clo. Asp 6H 17
Devon Clo. L Lev 1D 32
Devon Dri. Bolt 2E 25
Devon Dri. Stand 2A 16
Devon Rd. Tyl 5F 37
Devonshire Ct. Bolt 4H 21
(off Devonshire Rd.)
Devonshire Pl. Ath 3D 36
Devonshire Rd. Ath 2C 36
Devonshire Rd. Bolt 2H 21
Devonshire Rd. Wors 1G 39
Devon St. Bolt. 4E 23
Devon St. Farn 3H 31
Devon St. Hind 2A 34
Devon St. Swin 5H 41
Dewberry Clo. Swin. 5G 41
Dewberry Clo. Tyl 6C 38
Dewhurst Clough Rd.
Eger 5B 2
Dewhurst Ct. Eger. 5B 2
Dewhurst Rd. Bolt. 6A 14
Dial Ct. Farn 4H 31
Dicconson La.
Asp & W'houg 1B 26
Dickenson St. Hind 3A 34
Dickinson Clo. Bolt 2C 22
Dickinson Ct. Hor 5D 8
Dickinson St. Bolt 2C 22
Dickinson St. W. Hor. 5C 8
Dickinson Ter. Bolt 2C 22
(off Dickinson St.)
Dijon St. Bolt. 1A 30
Dilham Ct. Bolt 3A 22
Dimple. 3B 2
Dimple Pk. Eger 4B 2
Dimple Rd. Eger 3A 2
Dingle Wlk. Bolt 3D 22
Dinsdale Dri. Bolt 6B 22
Division St. Bolt 1D 30
Dixey St. Hor 6C 8

Dixon Dri. Swin. 3G 41
Dixon Grn. Dri. Farn. 4F 31
Dixon St. Hor 6D 8
Dixon St. W'houg 2G 27
Dobb Brow. 6E 27
Dobb Brow Rd. W'houg . . . 6F 27
Dobhill St. Farn. 5H 31
Dobsen St. Rams 1B 22
Dobson Rd. Bolt 4A 22
Dodd La. W'houg 2C 26
(in two parts)
Dodd La. Ind. Est.
W'houg 1D 26
Dodds Farm La. Asp 2A 26
Dodhurst Rd. Hind 1B 34
Doe Brow. Swin 2G 41
Doe Hey Gro. Farn 3F 31
Doe Hey Rd. Bolt. 3F 31
Doffcocker. 2G 21
Doffcocker Brow. Rams . . . 2F 21
Doffcocker La. Bolt 2F 21
Doffcocker Lodge Local
Nature Reserve. 2E 21
Doman St. Bolt 6D 22
Doncaster Clo. L Lev 2B 32
Donnington Gdns. Wors . . . 4H 39
Donnington Rd. Rad 6E 25
Don St. Bolt 2B 30
Doodson Sq. Farn. 5H 31
Dootson St. Hind. 1C 34
Dorchester Av. Bolt 2A 24
Doris Av. Bolt 4H 23
Dorket Gro. W'houg. 1F 35
Dorking St. Bolt. 1D 22
Dormer St. Bolt. 6D 12
Dorning St. B'rod 4B 18
Dorning St. Kear 5B 32
Dorning St. Tyl 6F 37
Dorrian M. Bolt 4F 21
Dorris St. Bolt 2A 30
Dorset Av. Farn 5G 31
Dorset Av. Tyl 4F 37
Dorset Clo. Farn 5G 31
Dorset Rd. Ath 3C 36
Dorset St. Bolt. 4E 23
Dorset St. Hind 1A 34
Dorset St. Swin 5H 41
Dorstone Clo. Hind 2D 34
Dougill St. Bolt 2H 21
Douglas Av. Hor 4E 9
Douglas Clo. Hor. 5E 9
Douglas Pk. Ath. 4E 37
Douglas Rd. Ath 5E 37
Douglas St. Ath 4E 37
Douglas St. Bolt 4C 12
Dove Bank. 1C 32
Dove Bank Rd. L Lev. 1C 32
Dovecote Clo. Brom X 1F 13
Dovecote La. L Hul 4C 38
Dovedale Rd. Bolt 2B 24
Dover Clo. G'mnt 6H 5
Dover Gro. Bolt. 6B 22
Dove Rd. Bolt 1H 29
Dover St. Farn. 3H 31
Dove St. Rams 5C 12
Dove Wlk. Farn 6D 30
Dow Fold. Bury 6H 15
Dow La. Bury 6H 15
(in two parts)
Down Grn. Rd. Bolt 6A 14
Downhall Grn. Bolt 3D 22
Downham Av. Bolt. 3G 23
Downton Av. Hind 3A 34
Dowson St. Bolt 4E 23
Doyle Rd. Bolt 2E 29
Drake Av. Farn. 6H 31
Drake Hall. W'houg 2F 35
Drake St. Ath. 5C 36
Draycott Clo. Hind. 4B 34
Draycott St. Bolt 1C 22
Draycott St. E. Bolt. 1D 22
Drayton Clo. Bolt 1B 22
Drinkwater La. Hor 6D 8
Droxford Gro. Ath 2E 37
Druids Clo. Eger 4B 2
Drummond St. Bolt 5C 12
Dryad Clo. Swin 5H 41

Dryburgh Av. Bolt 5B 12
Dryfield La. Hor 4C 8
Drysdale Vw. Bolt. 5C 12
Duchess Wlk. Bolt. 1H 29
Duchy Av. Bolt 5G 29
Duchy Av. Wors 6H 39
Ducie Av. Bolt 4A 22
Ducie St. Rad 6H 25
Duckshaw La. Farn 5H 31
Duckworth St. Bolt 1A 30
Duddon Av. Bolt 2B 24
Dudley Av. Bolt 2G 23
Dudley Rd. Swin 6H 41
Dudwell Clo. Bolt. 2A 22
Duerden St. Bolt 3G 29
Duke Rd. A'wth 2E 25
Dukes All. Rams 4D 22
(off Ridgeway Gates)
Duke's Av. L Lev 1C 32
Duke's Row. Asp 6F 17
Duke St. Bolt. 3C 22
(in two parts)
Duke St. L Hul 2E 39
Duke St. Wors. 5C 40
Duke St. N. Bolt 3C 22
(Prince St.)
Duke St. N. Bolt 3C 22
(School Hill)
Dumbell St. Swin 5H 41
Dunbar Dri. Bolt 2C 30
Dunblane Av. Bolt 6E 21
Duncan St. Hor 6E 9
Dunchurch Clo. Los 5D 20
Duncombe Rd. Bolt. 2C 30
Dunedin Rd. G'mnt 5H 5
Dunham Clo. W'houg. 2F 35
Dunlin Clo. Bolt 6E 23
Dunoon Dri. Bolt 4A 12
Dunoon Rd. Asp 6H 17
Dunscar. 1C 12
Dunscar Bri. Eger 1C 12
Dunscar Fold. Eger 1D 12
Dunscar Ind. Est. Eger. 2C 12
Dunscar Sq. Eger 1C 12
Dunsop Dri. Bolt 6F 11
Dunstan St. Bolt 4G 23
Durban Rd. Rams 4C 12
Durban St. Ath 5A 36
Durham Clo. L Lev 1D 32
Durham Clo. Swin 5H 41
Durham Clo. Tyl 4G 37
Durham Rd. Hind 2A 34
Durham St. Bolt 1D 22
Duty St. Rams. 6C 12
Duxbury Av. Bolt 4A 14
Duxbury Av. L Lev. 6C 24
Duxbury St. Bolt 1B 22
Dymchurch Av. Rad. 6E 33
Dyson Clo. Farn 5H 31
Dyson Ho. Farn. 5H 31
(off Hesketh Wlk.)
Dyson St. Farn 6H 31

E

Eagle St. Bolt. 4E 23
Eagley. 2D 12
Eagley Bank. Bolt 3D 12
(Eagley Way)
Eagley Bank. Bolt 3D 12
(Old Eagley M.)
Eagley Brook Way. Bolt . . . 6D 12
Eagley Brow. Rams 3D 12
Eagley Ct. Brom X 2E 13
Eagley Ind. Est. Brom X . . . 2D 12
Eagley Way. Bolt 3D 12
Ealand Chase. Hor. 6B 8
Ealinger Way. Swin 5H 41
Eames Av. Rad 5C 32
Earlesdon Cres. L Hul 1E 39
Earl St. Ath 5B 36
Earlswood Wlk. Bolt 1D 30
Earnshaw St. Bolt. 2H 29
Easedale Rd. Bolt 3G 21
Eastbank St. Bolt. 1D 22
Eastbourne Gro. Bolt. 3G 21

Eastchurch Clo. Farn. 6H 31
Eastcote Wlk. Farn. 4A 32
Eastfields. Rad 6H 25
Eastgrove Av. Bolt 3C 12
Eastham Way. L Hul 2F 39
Eastleigh Gro. Bolt. 3C 22
E. Lynn Dri. Wors 4C 40
East Meade. Bolt 3C 30
Eastmoor Gro. Bolt 3H 29
East St. Ath 6F 37
East St. Hind. 4D 34
East Wlk. Eger. 5B 2
East Way. Bolt 6F 13
Eastwood Av. Wors 4E 39
Eastwood Clo. Bolt 2G 29
Eastwood Ter. Bolt. 3F 21
Eatock Way. W'houg 1F 35
Eaton Clo. Swin. 5H 41
Eaton St. Hind. 1A 34
Ebury St. Rad 1H 33
Eccleston Av. Bolt 2F 23
Eccleston Clo. Bury 2H 25
Eckersley Av. Hind. 4A 34
Eckersley Fold La. Ath 6B 36
Eckersley Precinct. Ath 4D 36
Eckersley Rd. Bolt 6C 12
Eckersley St. Bolt 1A 30
Edale Clo. Ath 4C 36
Edale Rd. Bolt 1G 29
Edale Rd. Farn 6G 31
Edbrook Av. Bolt. 6C 12
Edditch Gro. Bolt. 4G 23
Eden Av. Bolt 6C 12
Edenbridge Dri. Rad 6D 32
Eden Gro. Bolt. 6C 12
Edenhall Gro. Hind 4B 34
Eden Lodge. Bolt. 6C 12
Eden St. Bolt. 6C 12
Edgar St. Bolt 5C 22
Edge Fold. Farn 5A 30
Edge Fold Cres. Wors 6H 39
Edge Fold Ind. Est.
W'houg 4A 30
Edge Fold Rd. Wors 6H 39
Edge Hill. Hor 5E 9
Edge Hill Rd. Bolt 2H 29
Edge La. Bolt 4C 10
Edgemoor Clo. Rad. 6G 25
Edgeworth Av. Bolt 2F 25
Edgeworth Rd. Hind 4C 34
Edgmont Av. Bolt 1B 30
Edgworth. 1A 4
Edgworth Va. Tur 1A 4
Edinburgh Dri. Hind 4D 34
Edinburgh Rd. L Lev 3C 32
Edinburgh Wlk. Asp 6H 17
Edith St. Bolt. 5A 22
Edith St. Farn 6H 31
Edmunds Ct. Bolt 5B 22
Edstone Clo. Bolt. 1F 29
Edward St. Bolt. 6B 22
Edward St. Farn. 3F 31
Edward St. Hor 6C 8
Edward St. Rad. 5D 32
Edward St. W'houg. 5G 27
Egerton. 5B 2
Egerton Barn Cottage.
Eger 5C 2
Egerton Ct. Hind 2A 34
Egerton Gro. Wors 4H 39
Egerton Lodge. Eger 6C 2
Egerton Rd. Wors 4H 39
Egerton St. Farn 4G 31
Egerton Va. Eger. 5B 2
Egerton Wlk. Wors 4H 39
Egham Ct. Bolt 2F 23
Egham Ho. Bolt 3H 29
Egyptian St. Bolt. 2D 22
Eldercot Gro. Bolt 1G 29
Eldercot Rd. Bolt. 1G 29
Eldon St. Bolt 2F 23
Eleanor St. Bolt 4E 13
Elgin St. Bolt. 1A 22
Elgol Dri. Bolt 5E 21
Elham Clo. Rad 6E 33
Elizabethan Ct. Tyl 6F 37
(off Market St.)
Elizabeth Av. Bick 6A 34

Elizabeth St. *Ath* 4D **36**
(in two parts)
Elizabeth St. *Swin* 6H **41**
Elkstone Av. *L Hul* 1E **39**
Elland Clo. *W'houg* 2F **27**
Ellen Gro. *Kear* 2E **41**
Ellen St. *Bolt* 1A **22**
(in two parts)
Elleray Clo. *L Lev* 2E **33**
Ellerbeck Clo. *Bolt* 4G **13**
Ellerbrook Clo. *Bolt* 4F **13**
Eller Brook Clo. *Hth C* 1D **6**
Ellerby Av. *Swin* 4H **41**
Ellesmere Av. *Wors* 4G **39**
Ellesmere Clo. *L Hul* 4F **39**
Ellesmere Gdns. *Bolt* 2B **30**
Ellesmere Retail Pk.
Wors 4H **39**
Ellesmere Rd. *Bolt* 2A **30**
Ellesmere Shop. Cen.
Wors 4H **39**
Ellesmere St. *Bolt* 5B **22**
Ellesmere St. *Farn* 5H **31**
Ellesmere St. *L Hul* 4F **39**
Ellesmere St. *Tyl* 6F **37**
(in two parts)
Ellesmere Wlk. *Farn* 5H **31**
Elliot Dri. *Hind* 6A **26**
Elliott St. *Bolt* 6A **12**
Elliott St. *Farn* 6G **31**
Elliott St. *Tyl* 6E **37**
Ellis Cres. *Wors* 4F **39**
Ellis St. *Bolt* 6B **22**
Ellonby Ri. *Los* 6C **20**
Elm Av. *Rad* 5H **33**
Elmbridge Wlk. *Bolt* 6B **22**
Elmfield Av. *Ath* 3B **36**
Elmfield Rd. *Wigan* 6A **16**
Elmfield St. *Bolt* 6D **12**
(Blackburn Rd.)
Elmfield St. *Bolt* 1D **22**
(Fir St.)
Elmfield St. *Bolt* 1D **22**
(Pendlebury St.)
Elm Gro. *Brom X* 1E **13**
Elm Gro. *Farn* 5F **31**
Elm Gro. *Hor* 2G **19**
Elm Gro. *Swin* 5D **40**
Elm Rd. *Kear* 2B **40**
Elm Rd. *L Lev* 3D **32**
Elm Rd. *W'houg* 6G **27**
Elmstone Gro. *Bolt* 2D **22**
Elm St. *Farn* 4H **31**
Elm St. *Swin* 6G **41**
Elm St. *Tyl* 6G **37**
Elmwood Clo. *Bolt* 1G **37**
Elmwood Gro. *Bolt* 3A **22**
Elmwood Gro. *Farn* 1G **39**
Elockton Ct. *Hor* 5D **8**
Elsdon Dri. *Ath* 3E **37**
Elsdon Gdns. *Bolt* 2F **23**
Elsfield Clo. *Bolt* 1B **22**
Elsham Clo. *Bolt* 4C **12**
Elsham Dri. *Wors* 4F **39**
Elsie St. *Farn* 5G **31**
Elsinore St. *Bolt* 6F **13**
Elswick Av. *Bolt* 6H **21**
Elsworth Dri. *Bolt* 5D **12**
Elterwater Rd. *Farn* 6C **30**
Elton Av. *Farn* 5D **30**
Elton St. *Bolt* 4E **23**
Ely Clo. *Wors* 6F **39**
Ely Gro. *Bolt* 2C **22**
Embankment Rd. *Tur* 2G **3**
Embla Wlk. *Bolt* 1E **31**
Emblem St. *Bolt* 6B **22**
Embleton Clo. *Bolt* 2A **24**
Embsay Clo. *Bolt* 4B **12**
Emerald St. *Bolt* 6D **12**
Emlyn St. *Farn* 4G **31**
Emlyn St. *Wors* 4H **39**
Emmanuel Clo. Bolt *6B 22*
(off Emblem St.)
Emmanuel Pl. *Bolt* 6B **22**
Emmerson St. *Swin* 6H **41**
Emmett St. *Hor* 6D **8**
Empire Rd. *Bolt* 4A **24**

Empress St. *Bolt* 2H **21**
Emsworth Clo. *Bolt* 2F **23**
Ena St. *Bolt* 2E **31**
Endon St. *Bolt* 2H **21**
Endsley Av. *Wors* 6G **39**
Enfield Clo. *Bolt* 2C **22**
Enfield St. *Wors* 2H **39**
Engine Fold. **5F 39**
Engine Fold Rd. *Wors* 4E **39**
Engine La. *Tyl* 3F **37**
Engledene. *Bolt* 3B **12**
Ennerdale Av. *Bolt* 2B **24**
(in two parts)
Ennerdale Clo. *L Lev* 2B **32**
Ennerdale Gdns. *Bolt* 2A **24**
Ennerdale Gro. *Farn* 5C **30**
Ennerdale Rd. *Hind* 2A **34**
Enstone Way. *Tyl* 6A **38**
Enterprise Pk. *Hor* 3E **19**
Entwisle Row. *Farn* 5H **31**
Entwisle St. *Farn* 4H **31**
Entwisle St. *Swin* 6F **41**
Entwistle St. *Bolt* 3F **23**
Ephraim's Fold. *Asp* 5H **17**
Eppleworth Ri. *Swin* 4H **41**
Epsom Cft. *And* 2F **7**
Epworth St. *Bolt* 3A **30**
(Lynton Rd.)
Epworth Gro. *Bolt* 2A **30**
(Maltby Dri.)
Era St. *Bolt* 4A **24**
Ernest St. *Bolt* 5B **22**
(in two parts)
Ernlouen Av. *Bolt* 3G **21**
Errington Clo. *Bolt* 6F **21**
Erskine Clo. *Bolt* 6E **21**
Eskdale Av. *B'rod* 4A **18**
Eskdale Av. *Bolt* 1B **24**
Eskdale Gro. *Farn* 5D **30**
Eskdale Rd. *Hind* 2A **34**
Eskrick St. *Bolt* 2B **22**
Esporta Health & Fitness.
. . . . 6E **13**
Essex Pl. *Swin* 5H **41**
Essex Pl. *Tyl* 4F **37**
Essex Rd. *Stand* 2A **16**
Essex St. *Hor* 2F **19**
Essingdon St. *Bolt* 1B **30**
(in two parts)
Est Bank Rd. *Rams* 4H **5**
(in two parts)
Esther Fold. *W'houg* 5G **27**
Ethel St. *Bolt* 5B **22**
Europa Trad. Est. *Rad* 6D **32**
Europa Way. *Rad* 6C **32**
Eustace St. *Bolt* 2E **31**
Euxton Clo. *Bury* 2H **25**
Evans St. *Hor* 5E **9**
Evanstone Clo. *Hor* 6D **8**
Everard Clo. *Wors* 6G **39**
Everbrom Rd. *Bolt* 3G **29**
Everest Rd. *Ath* 1C **36**
Everleigh Clo. *Bolt* 4A **14**
Evesham Clo. *Bolt* 5B **22**
Evesham Dri. *Farn* 3F **31**
Evesham Wlk. *Bolt* 6B **22**
Ewart St. *Bolt* 1C **22**
Ewood Dri. *Bury* 3H **25**
Exchange St. *Bolt* 4D **22**
Exeter Av. *Bolt* 1F **23**
Exeter Av. *Farn* 4D **30**
Exeter Av. *Rad* 6F **25**
Exeter Dri. *Asp* 6H **17**
Exeter Rd. *Hind* 2A **34**
Exford Dri. *Bolt* 5C **24**
Exhall Clo. *L Hul* 1E **39**
Express Trad. Est. *Farn* 1A **40**

F

F**actory Brow.** *B'rod* 6H **7**
Factory Hill. *Hor* 5F **9**
Factory La. *Hth C* 1F **7**
Factory St. *Tyl* 6F **37**
Factory St. E. *Ath* 4C **36**
Factory St. W. *Ath* 4C **36**

Fairacres. *Bolt* 6A **14**
Fairbairn St. *Hor* 6D **8**
Fairclough St. *Bolt* 1D **30**
Fairfield Rd. *Farn* 6G **31**
Fairfields. *Eger* 1D **12**
Fairford Dri. *Bolt* 6C **22**
Fairhaven Av. *W'houg* 5B **28**
Fairhaven Rd. *Bolt* 6D **12**
Fairhurst Dri. *Wors* 5D **38**
Fairhurst La. *Stand* 3A **16**
Fairlie Av. *Bolt* 6F **21**
Fairlyn Clo. *Bolt* 6G **29**
Fairlyn Dri. *Bolt* 6G **29**
Fairmount Av. *Bolt* 3A **24**
Fairoak Ct. *Bolt* 6B **22**
Fairstead Clo. *W'houg* 5F **27**
Fair St. *Bolt* 3A **30**
Fair St. *Swin* 6H **41**
Fairview. **1E 7**
Fairview Cvn. Pk. *Ath* 3B **36**
Fairway Av. *Bolt* 5C **14**
Fairways. *Hor* 6E **9**
Fairways, The. *W'houg* 5F **27**
Faith St. *Bolt* 2G **21**
Falcon Dri. *L Hul* 2E **39**
Falcon St. *Bolt* 3D **22**
Falkirk Dri. *Bolt* 5B **24**
Falkland Rd. *Bolt* 4C **24**
Fall Birch Rd. *Los* 3H **19**
Fallons Rd. *Wors* 6E **41**
Fallow Clo. *W'houg* 3G **27**
Fallowfield Way. *Ath* 6E **37**
Faraday Dri. *Bolt* 2C **22**
Faraday Ho. Bolt *2C 22*
(off Faraday Dri.)
Far Hey Clo. *Rad* 2G **33**
Faringdon Wlk. *Bolt* 6C **22**
Farland Pl. *Bolt* 6F **21**
Farleigh Clo. *W'houg* 3A **28**
Farman St. *Bolt* 2B **30**
Farm Av. *Adl* 1E **7**
Farm Clo. *T'ton* 3H **15**
Farnborough Rd. *Bolt* 3C **12**
Farndale Sq. *Wors* 4G **39**
Farnham Clo. *Bolt* 2C **22**
Farnworth. **5H 31**
Farnworth & Kearsley By-Pass.
Farn 3H **31**
Farnworth Leisure Cen. . . . 5H **31**
Farnworth St. *Bolt* 1A **30**
Farringdon Dri. *Rad* 6G **25**
Faulkner St. *Bolt* 6C **22**
Fawcetts Fold. *W'houg* 1G **27**
Fawcett St. *Bolt* 4F **23**
Fearney Side. *L Lev* 2B **32**
Fearnhead Av. *Hor* 4D **8**
Fearnhead Clo. *Farn* 5A **32**
Fearnhead St. *Bolt* 1A **30**
Fellbridge Clo. *W'houg* 4A **28**
Fells Gro. *Wors* 6B **40**
Fellside. *Bolt* 6C **14**
Fellside Clo. *G'mnt* 6H **5**
Felsham Clo. *Farn* 4G **31**
Felsted. *Bolt* 3E **21**
Felton Wlk. *Bolt* 1C **22**
Fenners Clo. *Bolt* 2B **30**
Fenton Way. *Hind* 3B **34**
Fenwick Clo. *W'houg* 1H **35**
Fereday St. *Wors* 3H **39**
Fernbank. *Rad* 5H **33**
Fernbray Rd. *Hind* 2C **34**
Fern Clo. *Ath* 5D **36**
Fern Clough. *Bolt* 4F **21**
Ferndown Rd. *Bolt* 6A **14**
Fernhill Av. *Bolt* 1G **29**
Fernhill Gate. **2G 29**
Fernhills. *Eger* 5C **2**
Fernhurst Gro. *Bolt* 2C **22**
Fern Lea Gro. *L Hul* 3D **38**
Fernlea Lodge. *Farn* 6A **32**
Fernleigh. Hor *2F 19*
(off Chorley New Rd.)
Ferns Gro. *Bolt* 4H **21**
Fernside. *Rad* 6E **33**
Fernside Gro. *Wors* 3A **40**
Fernstead. *Bolt* 5A **22**

Fernstone Clo. *Hor* 6C **8**
Fern St. *Bolt* 5A **22**
Fern St. *Farn* 4A **32**
Fewston Clo. *Bolt* 4C **12**
Fieldbrook Wlk. *W'houg* 4A **28**
(in two parts)
Fielders Way. *Swin* 3G **41**
Fieldhead Av. *Bury* 2H **25**
Fielding Pl. *Adl* 1F **7**
Fields, The. *Asp* 6G **17**
Field St. *Hind* 3A **34**
Fifth Av. *Bolt* 2H **21**
Fifth Av. *L Lev* 1B **32**
Fifth St. *Bolt* 5F **11**
Filton Av. *Bolt* 6C **22**
Finch Av. *Farn* 6D **30**
Finger Post. *L Lev* 1C **32**
Finlay St. *Farn* 1C **32**
Finney St. *Bolt* 1D **30**
Firethorn Clo. *W'houg* 3H **27**
Firfield Gro. *Wors* 4B **40**
Fir Rd. *Farn* 5F **31**
Firs Pk. Cres. *Asp* 4A **26**
Firs Rd. *Bolt* 1F **37**
First Av. *Ath* 3D **36**
First Av. *L Lev* 1C **32**
First Av. *T'ton* 3H **15**
Fir St. *Bolt* 1D **22**
Fir Tree Way. *Hor* 2G **19**
Firwood Av. *Farn* 5G **31**
Firwood Fold. **6G 13**
Firwood Fold. *Bolt* 6G **13**
Firwood Gro. *Bolt* 1F **23**
Firwood Ind. Est. *Bolt* 1G **13**
Firwood La. *Bolt* 6F **13**
(in three parts)
Firwood Stables. *Bolt* 1G **13**
(off Ashdown Dri.)
Fishbrook Ind. Est. *Kear* 6B **32**
Fishermans Wharf. *Bolt* 6D **22**
Fitchfield Wlk. Wors *4H 39*
(off Emlyn St.)
Fitton Cres. *Swin* 4H **41**
Fitzhugh St. *Bolt* 4E **13**
Five Quarters. *Rad* 6G **25**
Flapper Fold La. *Ath* 3C **36**
Fleet Ho. Bolt *2C 22*
(off Nottingham Dri.)
Fleet St. *Hor* 6F **9**
Fleetwood Rd. *Wors* 4E **39**
Fletcher Av. *Ath* 2D **36**
Fletcher Av. *Swin* 4H **41**
Fletcher St. *Ath* 4C **36**
Fletcher St. *Bolt* 6C **22**
Fletcher St. *Farn* 5H **31**
Fletcher St. *L Lev* 2D **32**
Flitcroft Ct. *Bolt* 1D **30**
Flora St. *Bolt* 1B **30**
Florence Av. *Bolt* 5D **12**
Florence St. *Bolt* 1B **30**
Fogg La. *Bolt* 1H **31**
Fold Rd. *Rad* 6E **33**
Folds Rd. *Bolt* 3D **22**
Folds, The. *B'rod* 6G **7**
Fold St. *Bolt* 4D **22**
Fold St. *Farn* 5A **32**
Fold Vw. *Eger* 6C **2**
Foley St. *Hind* 2A **34**
Fontwell Rd. *L Lev* 3C **32**
Forbes Clo. *Hind* 6A **26**
Fordham Gro. *Bolt* 3A **22**
Ford St. *Rad* 5C **32**
Forest Dri. *W'houg* 5A **28**
Forester Hill Av. *Bolt* 2E **31**
(Newport St.)
Forester Hill Av. *Bolt* 2D **30**
(Rishton Av.)
Forester Hill Clo. *Bolt* 2D **30**
Forest Rd. *Bolt* 6H **11**
Forest Way. *Brom X* 3G **13**
Forfar St. *Bolt* 4C **12**
Formby Av. *Ath* 3D **36**
Forresters Clo. *Bick* 6A **18**
Forth Pl. *Rad* 6H **25**
Forth Rd. *Rad* 6H **25**
Forton Av. *Bolt* 4A **24**

Fortune St. *Bolt* 6F **23**
Fossgill Av. *Bolt* 4G **13**
Foster La. *Bolt* 2B **24**
(in two parts)
Foster St. *Rad.* 2H **33**
Foster Ter. *Bolt* *2C 22*
(off Barnwood Dri.)
Foundry St. *Bolt* 6D **22**
Foundry St. *L Lev* 2C **32**
Fountain Pk. *W'houg.* 2F **35**
Fountains Av. *Bolt* 2G **23**
Four Gates. **1E 27**
Four Lane Ends. **4F 15**
Fourth Av. *Bolt* 4H **21**
Fourth Av. *L Lev* 1B **32**
Fourth St. *Bolt* 5F **11**
Fowler Ind. Est. *Hor.* 1E **19**
Foxdale Clo. *Tur* 1A **4**
Foxendale Wlk. *Bolt.* 6D **22**
Foxholes. *Hor* 4F **9**
Foxholes Rd. *Hor.* 5F **9**
Foxley Gro. *Bolt* 5B **22**
Foxley Ho. *W'houg.* 6C **26**
Fox St. *Hor* 1E **19**
Frances Pl. *Ath* 6A **36**
Frances St. *Bolt.* 1B **22**
France St. *Hind.* 1A **34**
France St. *W'houg.* 1G **35**
Francis Av. *Wors* 5B **40**
Francis St. *Farn.* 4H **31**
Francis St. *Hind.* 2A **34**
Francis St. *Tyl* 6B **38**
Frankford Av. *Bolt* 1A **22**
Frankford Sq. *Bolt.* 1A **22**
Frank St. *Bolt* 1B **22**
Fraser Ho. *Bolt* *2B 22*
(off Kirk Hope Dri.)
Fraser St. *Bolt.* 6H **41**
Freckleton Dri. *Bury* 3H **25**
Frederick Ct. *Farn* 5A **32**
Frederick St. *Farn* 5H **31**
Freelands. *Tyl* 6A **33**
French Gro. *Bolt* 6H **23**
Frenchwood Ct. *Asp* 6G **17**
Freshfield Av. *Ath* 3C **36**
Freshfield Av. *Bolt* 3B **30**
(in three parts)
Freshfield Gro. *Bolt* 3D **30**
(in two parts)
Freshfield Rd. *Hind* 2B **34**
Freshfields. *Rad.* 6F **25**
Fresia Av. *Wors* 4D **38**
Friars Clo. *Tyl* 6B **38**
Frinton Rd. *Bolt.* 2H **29**
Frogley St. *Bolt* 6F **13**
Fryent Clo. *B'rod* 1H **17**
Fulbrook Way. *Tyl* 6A **38**
Fulmar Clo. *W'houg.* 1F **35**
Fulwell Av. *Tyl* 6E **37**
Fulwood Clo. *Bury.* 2H **25**
Furness Av. *Bolt.* 1F **23**
Furness Cres. *Leigh* 6F **35**
Furness Rd. *Bolt.* 4H **21**
Furness Sq. *Bolt* 1F **23**
Furze Av. *W'houg.* 6H **27**
Futura Pk. *Hor.* 2E **19**
Fylde Av. *Bolt* 4A **24**
Fylde St. *Bolt.* 3H **31**
Fylde St. E. *Bolt* 3H **31**

G

Gabbot St. *Adl.* 2E **7**
Gable St. *Bolt* 4H **13**
Gadbury Av. *Ath* 4B **36**
Gainford Wlk. *Bolt.* 1C **30**
(in two parts)
Gainsborough Av. *Bolt.* . . 2A **30**
Galgate Clo. *Bury* 2H **25**
Galindo St. *Bolt.* 5G **13**
Galleria, The. *Bolt* 4D **22**
Galloway Clo. *Bolt.* 6E **21**
Galloway Dri. *Swin* 3H **41**
Garden City. *Rams* 5H **5**
Gardens, The. *Bolt* 3D **12**
Gardens, The. *Tur* 3H **3**

Garden St. *Kear.* 5A **32**
Garden St. *T'ton* 2H **15**
Garden St. *Tyl.* 6G **37**
Garfield Gro. *Bolt* 6B **22**
Garfield St. *Bolt.* 2A **30**
Gargrave Av. *Bolt.* 1F **21**
Garnett St. *Bolt.* 6C **12**
Garsdale La. *Bolt.* 4D **20**
Garside Dri. *Ath* 4D **36**
Garside Gro. *Bolt.* 1A **22**
Garside St. *Bolt.* 4C **22**
Garstang Av. *Bolt* 5A **24**
Garstang Dri. *Bury* 2H **25**
Garston Av. *Ath.* 2B **36**
Garston Clo. *Leigh* 6G **35**
Garswood Rd. *Bolt.* 3C **30**
Garthmere Rd. *Ath.* 2F **37**
Garwick Rd. *Bolt.* 6H **11**
Gaskell St. *Bolt.* 3B **22**
Gaskell St. *Hind.* 6A **26**
Gaskell St. *Swin* 5H **41**
Gas St. *Adl* 3D **6**
Gas St. *Bolt.* 4C **22**
Gas St. *Farn* 5H **31**
Gatcombe M. *Rad.* 6H **25**
Gate Fold. **4H 13**
Gatehouse Rd. *Wors* 3E **39**
Gates Shop. Cen., The.
Bolt. 4D **22**
Gateways, The. *Swin.* 6H **41**
Gaythorne St. *Bolt.* 6D **12**
Gellert Pl. *W'houg.* 1G **35**
Gellert Rd. *W'houg* 1G **35**
Gendre St. *Eger.* 1C **12**
Geoffrey St. *Bolt.* 6F **29**
George Barton St. *Bolt.* . . 2F **23**
Georges La. *Hor* 2F **9**
George St. *Ath* 4D **36**
George St. *Farn* 6F **31**
George St. *Hind.* 2A **34**
George St. *Hor* 6E **9**
(in two parts)
George St. *Rad* 2H **33**
George St. *W'houg* 5H **27**
Georgiana St. *Farn.* 3F **31**
Georgian Ct. *Tyl* *6F 37*
(off Market St.)
Georgina Ct. *Bolt.* 2H **29**
Georgina St. *Bolt.* 3H **29**
Gerrard Clo. *Asp* 3A **26**
Gerrard St. *Kear.* 5A **32**
Gerrard St. *W'houg.* 4G **27**
Ghyll Gro. *Wors* 5A **40**
Gibbon St. *Bolt.* 6B **22**
Gib Fold. *Ath.* 3D **36**
Gibraltar St. *Bolt.* 5B **22**
Gibson Gro. *Wors* 4E **39**
Gibson La. *Wors* 4E **39**
Gibson St. *Bick.* 6A **34**
Gibson St. *Bolt.* 2G **23**
Gidlow Av. *Adl.* 2E **7**
Gidlow St. *Hind.* 1A **34**
Gifford Pl. *Hind.* 3B **34**
Gilbert St. *Wors* 6H **39**
Gilderdale St. *Bolt.* 1E **31**
Gillers Grn. *Wors* 4G **39**
Gilliburns Wlk. *W'houg* . . 2H **35**
Gilnow. **5B 22**
Gilnow Gdns. *Bolt.* 5A **22**
Gilnow Gro. *Bolt.* 5B **22**
Gilnow La. *Bolt.* 5A **22**
Gilnow Mill Ind. Est. *Bolt.* . 5A **22**
Gilnow Park. **4H 21**
Gilnow Rd. *Bolt.* 5A **22**
Gingham Brow. *Hor.* 5F **9**
Gingham Pk. *Rad.* 6G **25**
Girton St. *Bolt.* 4H **23**
Girvan St. *Bolt.* 2A **30**
Gisburn Av. *Bolt* 1E **21**
Gisburn Dri. *Bury* 6G **15**
Glabyn Av. *Los* 3H **19**
Glade St. *Bolt.* 4A **22**
Glade, The. *Bolt.* 2B **32**
Gladstone Clo. *Bolt.* 1C **22**
Gladstone Ct. *Farn.* 4G **31**
Gladstone Pl. *Farn.* 4G **31**

Gladstone Rd. *Farn* 4G **31**
Gladstone St. *Bolt.* 1C **22**
Gladstone St. *W'houg* . . . 4G **27**
Gladys St. *Bolt* 3H **31**
Glaisdale Clo. *Bolt* 1F **23**
Glaisdale St. *Bolt.* 1F **23**
Glaister La. *Bolt* 2H **23**
Glass St. *Farn* 6A **32**
Glastonbury Gdns. *Rad* . . . 6G **25**
Glazebury Dri. *W'houg* . . . 3H **27**
Gleaves Av. *Bolt* 5C **14**
Gleave St. *Bolt* 3D **22**
(off Bark St. E.)
Glebeland Rd. *Bolt.* 6H **21**
Glebe St. *Bolt* 5E **23**
Glebe St. *Hind.* 5E **35**
Glebe St. *W'houg.* 4G **27**
Gledhill Way. *Brom X.* . . . 1E **13**
Glen Av. *Bolt.* 6H **21**
Glen Av. *Kear.* 1D **40**
Glen Av. *Swin* 6F **41**
Glenbeck Clo. *Hor* 2F **19**
Glen Bott St. *Bolt* 1B **22**
Glenbrook Gdns. *Farn* . . . 3H **31**
Glenburn St. *Bolt.* 2B **30**
Glencar. *W'houg* 6F **27**
Glencoe. *Bolt.* 4F **23**
Glencoe Dri. *Bolt.* 5B **24**
Glen Cotts. *Bolt.* 6E **11**
Glencoyne Dri. *Bolt* 3B **12**
Glendale Dri. *Bolt.* 5F **21**
Glendevon Clo. *Bolt* 6F **21**
Gleneagles. *Bolt.* 2F **29**
Glenfield Sq. *Farn.* 3F **31**
Glengarth Dri.
Los & Bolt 5C **20**
Glenluce Wlk. *Bolt.* 6E **21**
Glenmaye Gro. *Hind* 2C **34**
Glenmore Av. *Farn.* 3E **31**
Glenmore Clo. *Bolt.* 6E **21**
Glenmore Rd. *Rams* 5H **5**
Glenridge Clo. *Bolt* 1D **22**
Glenshee Dri. *Bolt* 6F **21**
Glenside Dri. *Bolt* 3D **30**
Glenside Gro. *Wors* 4A **40**
Glen, The. *Bolt.* 4E **21**
Glenthorne St. *Bolt.* 2C **22**
Glentress M. *Bolt.* 3G **21**
Glentrool M. *Bolt.* 4G **21**
Glenview Rd. *Tyl* 5F **37**
Globe La. *Eger* 4B **2**
Glossop Way. *Hind* 3A **34**
Gloster St. *Bolt* 4E **23**
Gloucester Av. *Hor.* 1F **19**
Gloucester Ct. *Hor.* *1F 19*
(off Gloucester Av.)
Gloucester Cres. *Hind* . . . 1A **34**
Gloucester Pl. *Ath* 3D **36**
Gloucester St. *Ath* 4B **36**
Glover St. *Hor.* 5D **8**
Glover St. *Leigh* 6E **35**
Glynne St. *Farn.* 5G **31**
Glynrene Dri. *Swin.* 6E **41**
Glynwood Pk. *Farn* 4G **31**
Goldrill Av. *Bolt.* 3B **24**
Goldrill Gdns. *Bolt.* 3B **24**
Goldsmith St. *Bolt.* 1B **30**
Goldstein Rd. *Los* 1B **28**
Gooch St. *Hor.* 1E **19**
Goodwin St. *Bolt.* 3E **23**
Goodwood Clo. *L Lev* . . . 2B **32**
Goose Cote Hill. *Eger* . . . 5C **2**
Gordon Av. *Bolt.* 6A **22**
Gorse Dri. *L Hul* 1D **38**
Gorse Rd. *Wors* 5A **40**
Gorses Dri. *Asp.* 5G **17**
Gorses Mt. *Bolt.* 6G **23**
Gorses Rd. *Bolt.* 6H **23**
Gorsey Clough Dri. *T'ton...* 4H **15**
Gorsey Clough Wlk.
T'ton 4H **15**
Gorsey Hey. *W'houg.* . . . 6G **27**
Gorton Fold. *Hor.* 6E **9**
Gorton Gro. *Wors* 2G **39**
Gorton St. *Bolt* 5E **23**
Gorton St. *Farn* 6F **31**
Gowanlock's St. *Bolt* 1C **22**

Gower St. *Bolt.* 3B **22**
Gower St. *Farn* 4G **31**
Grace St. *Hor* 6D **8**
Grafton St. *Adl* 3D **6**
Grafton St. *Ath* 6A **36**
Grafton St. *Bolt.* 3B **22**
Graham St. *Bolt* 3D **22**
Granby St. *T'ton* 5H **15**
Grange Av. *L Lev* 2E **33**
Grange Av. *Swin* 5F **41**
Grange Mnr. *Brom X.* . . . 1G **13**
Grange Pk. Rd. *Brom X.* . . 3G **13**
Grange Rd. *Bick* 6A **34**
Grange Rd. *Bolt* 6H **21**
Grange Rd. *Brom X.* 2G **13**
Grange Rd. *Farn.* 4E **31**
Grange St. *Hind.* 3A **34**
Grange, The. *W'houg.* . . . 5F **27**
Grange Way. *Hind* 2C **34**
Grangewood. *Brom X* . . . 2G **13**
Grantchester Pl. *Farn.* . . . 4D **30**
Grantchester Way. *Bolt* . . 2A **24**
Grantham Clo. *Bolt.* 2C **22**
Grant St. *Farn* 3F **31**
Granville Rd. *Bolt* 2A **30**
Granville St. *Adl.* 2E **7**
Granville St. *Farn* 3H **31**
Granville St. *Hind.* 2A **34**
Granville St. *Wors.* 4G **39**
(in three parts)
Grasmere Av. *Farn.* 6D **30**
Grasmere Av. *Hind* 3A **34**
Grasmere Av. *L Lev* 1C **32**
Grasmere Av. *Swin* 5E **41**
Grasmere St. *Bolt* 1D **23**
Grasscroft Rd. *Hind.* 3C **34**
Grassington St. *Wals.* . . . 5H **15**
Grassington Pl. *Bolt.* 2E **23**
Grassland Ri. *L Hul* 3C **38**
Grathome Wlk. *Bolt.* 2C **30**
Gratten Ct. *Wors* 3G **39**
Graves St. *Rad* 5H **25**
Graymar Rd. *L Hul.* 3E **39**
Grayson Rd. *L Hul* 3F **39**
Gray St. *Bolt.* 3C **22**
Gray St. N. *Bolt.* 3C **22**
Graythwaite Rd. *Bolt* 1F **21**
Gt. Bank Rd. *W'houg.* . . . 2F **27**
Gt. Boys Clo. *Tyl* 6C **38**
Great Holme. *Bolt.* 1D **30**
Great House Info. Cen. . . . **1B 8**
Great Lever. **2E 31**
Gt. Marld Clo. *Bolt* 1F **21**
Gt. Moor St. *Bolt.* 5D **22**
Gt. Stone Clo. *Rad.* 2F **33**
Gt. Stones Clo. *Eger* 5C **2**
Grecian Cres. *Bolt.* 1D **30**
Green Acre. *W'houg* 6H **27**
Grn. Acre Pk. *Bolt.* 2D **22**
Greenacres. *Tur.* 1A **4**
Green Av. *Bolt* 2F **31**
Green Av. *L Hul.* 2C **38**
Green Bank. *Bolt.* 6A **14**
Green Bank. *Farn.* 4G **31**
Greenbank. *Hind.* 4C **34**
Greenbank. *Hor.* 2F **19**
Greenbank Ind. Est. *Hind.* . 3E **35**
Greenbank Rd. *Bolt.* 6H **21**
(in two parts)
Greenbank Rd. *Rad.* 6H **25**
Green Barn. *B'rod* 2A **18**
Greenbarn Way. *B'rod* . . . 1H **17**
Greenburn Dri. *Bolt.* 1A **24**
Green Clo. *Ath.* 6E **37**
Grn. Common La.
W'houg 1B **36**
Greencourt Dri. *L Hul* . . . 3D **38**
Greendale. *Ath.* 3E **37**
Green Dri. *Los.* 4C **20**
Greenfield Clo. *W'houg* . . 4A **28**
Greenfield Rd. *Adl.* 1E **7**
Greenfield Rd. *Ath.* 2E **37**
Greenfield Rd. *L Hul* 3F **39**
Greenfields Clo. *Hind.* . . . 1B **34**
Greenfold Av. *Farn* 6F **31**
Grn. Fold La. *W'houg* . . . 6G **27**
Greengate La. *Bolt.* 3B **24**

Greenhalgh La. And 1F **7**
Grn. Hall Clo. Ath 2F **37**
Greenhead Wlk. Bolt 1C **30**
Greenheys. 1C 38
Greenheys. Bolt 1A **24**
Greenheys Cres. G'mnt 6H **5**
Greenheys Rd. L Hul 1C **38**
Greenhill Av. Bolt 6H **21**
Greenhill Av. Farn 1G **39**
Greenhill La. Bolt 1F **29**
Greenhill Rd. Bury 2H **25**
Greenland La. And 4H **7**
Greenland Rd.
 Bolt & Farn 2D **30**
Green La. Bolt (BL1) 4D **22**
Green La. Bolt (BL3) 2D **30**
Green La. Hind 2D **34**
Green La. Hor 4D **8**
Green La. Kear 6C **32**
Greenleas. Los 5C **20**
Greenleigh Clo. Bolt 4B **12**
Green Meadows. W'houg . . 6F **27**
Greenmount 6H 5
Greenmount Clo. G'mnt 5H **5**
Greenmount Ct. Bolt 3G **21**
Grn. Mount Dri. G'mnt 5H **5**
Greenmount Ho. Bolt 4G **21**
Greenmount La. Bolt 3G **21**
Greenmount Pk. Kear 6C **32**
Greenoak. Rad 6E **33**
Greenoak Dri. Wors 2G **39**
Greenock Clo. Bolt 6E **21**
Greenough St. Ath 6A **36**
Grn. Park Clo. G'mnt 6H **5**
Greenroyd Av. Bolt 1A **24**
Greens Arms Rd. Tur 1D **2**
Greenside. Bolt 2E **25**
 (in two parts)
Greenside. Farn 4G **31**
Greenside Av. Kear 1B **40**
Greenside Clo. Hawk 4D **4**
Grn. side Dri. G'mnt 1C **15**
Greens's S. Polt 2E **25**
Greensmith Way.
 W'houg 3G **27**
Greenstone Av. Hor 6C **8**
Green St. And 1F **7**
Green St. Ath 6E **37**
Green St. Farn 4G **31**
Green St. Tyl 6G **37**
Green St. Wals 5H **15**
Green, The. G'mnt 6H **5**
Greenthorne Clo. Tur 1A **4**
Green Wlk. B'rod 2H **17**
Green Way. Bolt 6E **13**
Greenway. Hor 6H **9**
Grn. Way Clo. Bolt 5E **13**
Greenwood Av. Hor 2F **19**
Greenwood Av. Wors 4G **39**
Greenwood La. Hor 2F **19**
Greenwoods La. Bolt 5B **14**
Greenwood St. Farn 5H **31**
Greenwood Va. Bolt 6D **12**
 (off Beryl St.)
Greenwood Va. S. Bolt . . . 6D **12**
 (off Beryl St.)
Greenwood Va. S. Bolt . . . 6C **12**
 (Blackburn Rd.)
Gregory Av. Ath 2C **36**
Gregory Av. Bolt 3A **24**
Gregory St. W'houg 6C **26**
Gregson Fld. Bolt 1C **30**
 (in two parts)
Grenaby Av. Hind 2D **34**
Grendon St. Bolt 2A **30**
Gresham St. Bolt 6D **12**
Gresley Av. Hor 6D **8**
Gretna Rd. Ath 6A **36**
Greystoke Dri. Bolt 3B **12**
Greystone Av. Asp 6G **17**
Grierson St. Bolt 6C **12**
Grimeford La.
 B'rod & And 5F **7**
Grimeford Village 3H 7
Grindrod St. Rad 1H **33**
 (in two parts)
Grindsbrook Rd. Rad 4H **25**

Grisdale Rd. Bolt 6A **22**
Grizedale Clo. Bolt 1F **21**
Grosvenor Clo. Wors 2G **39**
Grosvenor Dri. Wors 2G **39**
Grosvenor Rd. Wors 2G **39**
Grosvenor St. Bolt 5E **23**
Grosvenor St. Hind 2A **34**
Grosvenor St. Kear 5B **32**
Grosvenor St. L Lev 1C **32**
Grosvenor St. Rad 1H **33**
Grosvenor St. Swin 5H **41**
Grosvenor Way. Hor 6E **9**
Grove Av. Adl 2E **7**
Grove Cotts. W'houg 5G **27**
Grove Cres. Adl 2E **7**
Grove M. Wors 4H **39**
Grove St. Bolt 1B **22**
Grove St. Kear 5A **32**
Grove, The. Bolt 6F **23**
Grove, The. L Lev 2D **32**
Grove, The. W'houg 5G **27**
Grundy Rd. Kear 6A **32**
Grundy St. Bolt 1B **30**
Grundy St. W'houg 4G **27**
Grundy St. Wors 5B **40**
Guido St. Bolt 1B **22**
Guild Av. Wors 5H **39**
Guildford Rd. Bolt 1H **21**
Guild St. Brom X 3E **13**
Gunters Av. W'houg 1H **35**

H

Hacken Bri. Rd. Bolt 1G **31**
Hacken La. Bolt 1G **31**
Hackford Clo. Bolt 3A **22**
Hadleigh Clo. Bolt 3E **13**
Hadwin St. Bolt 2D **22**
Hag End Brow. Bolt 6G **23**
Hag Fold 2C **36**
Haigh 5F 17
Haigh Country Pk. 6D 16
Haigh Country Pk. Info. Cen.
 . . . . 5D 16
Haigh Railway. 6D 16
 (Miniature Railway)
Haigh Rd. Asp 4F **17**
Halbury Wlk. Bolt 1D **22**
 (off Ulleswater St.)
Halesfield. Hind 5D **34**
Half Acre. Rad 5G **25**
Half Acre La. B'rod 2G **17**
 (in two parts)
Haliwell St. Bolt 1B **22**
Hall Coppice, The. Eger . . . 5B **2**
Hall Ga. W'houg 2G **35**
Hallington Clo. Bolt 6D **22**
Hall i' th' Wood. 6F 13
Hall i' th' Wood. Bolt 5E **13**
Hall i' th' Wood La. Bolt . . 6F **13**
Hall i' th' Wood (Mus.). . . 5E 13
Halliwell. 1B 22
Halliwell Ind. Est. Bolt 6B **12**
 (off Rossini St.)
Halliwell Rd. Bolt 6A **12**
Hall La. Farn 3H **31**
 (in two parts)
Hall La. Hind & Asp 3A **26**
Hall La. Los 4G **19**
Hall La. Wigan 6C **16**
Hall La. Gro. Hind 5A **26**
Hall Lee Dri. W'houg 4A **28**
Hallstead Av. L Hul 3C **38**
Hallstead Gro. L Hul 3C **38**
Hall St. Bolt 3H **31**
 (in two parts)
Hall St. Farn 3H **31**
Hall St. Rad 5H **25**
Hall St. Swin 5H **41**
Hall St. Wals 5G **15**
Halsall Dri. Bolt 3C **30**
Halshaw La. Kear 6B **32**
Halstead St. Bolt 4E **23**
Halton St. Bolt 4F **23**
Hambleden Clo. Bolt 6F **21**
Hambledon Clo. Ath 2E **37**

Hambleton Clo. Bury 2H **25**
Hamel St. Bolt 2B **30**
Hamer St. Bolt 2F **23**
Hamilton Ct. L Lev 2D **32**
Hamilton Rd. Hind 3B **34**
Hamilton St. Ath 5B **36**
Hamilton St. Bolt 4C **12**
Hamilton St. Swin 6F **41**
Hamlet, The. Hth C 1D **6**
Hamlet, The. Los 3B **20**
Hamlet, The. Bolt 4E **13**
Hampson Fold. Rad 1H **33**
Hampson Green. 3C 16
Hampson Sq. Rad 1H **33**
 (off Ainsworth Rd.)
Hampson St. Ath 4C **36**
Hampson St. Swin 6H **41**
Hampton Rd. Bolt 2E **31**
Hampton St. Hor 5D **8**
Hanborough Ct. Tyl 6E **37**
Handel St. Bolt 6B **12**
Hanover Ct. Bolt 6H **21**
 (off Greenbank Rd.)
Hanover Ho. Bolt 2H **29**
Hanover St. Bolt 4C **22**
Hanson St. Adl 3E **7**
Harbern Dri. Leigh 5F **35**
Harborne Wlk. G'mnt 6H **5**
Harbour La. Tur. 2H **3**
Harbour M. Cottage.
 Brom X 1F **13**
Harbourne Av. Wors 6G **39**
Harbourne Clo. Wors. 6G **39**
Harcourt Ind. Cen. Wors . . 2H **39**
Harcourt M. Hor 5D **8**
Harcourt St. Farn 3H **31**
Harcourt St. Wors 2H **39**
Harcourt St. S. Wors 2H **39**
Hardcastle Clo. Bolt. 3G **13**
Hardcastle Gdns. Bolt 3G **13**
Hardcastle St. Bolt 1D **22**
Harden Dri. Bolt 1H **23**
Hardie Av. Farn 6F **31**
Harding St. Adl 1F **7**
Hardman Clo. Rad 5H **25**
Hardman Fold. Bolt 3F **31**
Hardmans. Brom X 2D **12**
Hardman's La. Brom X 1D **12**
Hardman St. Farn 6A **32**
Hardman St. Rad 5H **25**
 (in two parts)
Hardwick Clo. Rad 6D **24**
Hardy Clo. W'houg 2G **27**
Hardy Mill Rd. Bolt 5B **14**
Harebell Av. Wors 4D **38**
Harewood Way. Swin 5H **41**
Hargreaves Ho. Bolt 5C **22**
Hargreaves St. Bolt 1C **22**
Harlea Av. Hind 4C **34**
Harlech Av. Hind 3C **34**
Harlesden Cres. Bolt 6A **22**
Harley Av. A'wth 2F **25**
Harley Av. Bolt 6A **14**
Haroldene St. Bolt 1F **23**
Harold St. Asp 6H **17**
Harold St. Bolt 1B **22**
Harper Fold Rd. Rad 2F **33**
Harper Green. 4F 31
Harper Green Leisure Cen.
 . . . . 4F 31
Harper Grn. Rd. Farn 3F **31**
Harper's La. Bolt 1H **21**
Harper St. Farn 3F **31**
Harpford Clo. Bolt 6C **24**
Harpford Dri. Bolt 6C **24**
Harriet St. Bolt 3H **29**
Harriet St. Wors 3H **39**
 (in two parts)
Harrison Cres. B'rod 6F **7**
Harrison Rd. Adl 3D **6**
Harrison St. Hind 4D **34**
Harrison St. Hor 5D **8**
Harrison St. L Hul 3E **39**
Harris St. Bolt 5C **22**
Harrogate Sq. Bury 2H **25**
Harrop St. Bolt 1G **29**
Harrop St. Wors 4F **39**

Harrowby Ct. Farn 5F **31**
Harrowby Fold. Farn 5G **31**
Harrowby La. Farn 5G **31**
Harrowby Rd. Bolt (BL1). . . 1F **21**
Harrowby Rd. Bolt (BL3) . . 2G **29**
Harrowby St. Farn 5F **31**
Harrow Rd. Bolt 3H **21**
Hart Common 6D 26
Hartfield Wlk. Bolt 3G **23**
Hartford Rd. W'houg 1H **35**
Hartington Rd. Bolt 4A **22**
Hartland Ct. Bolt 6C **12**
 (off Blackburn Rd.)
Hartley St. Hor 1D **18**
Hart's Houses. Hor 4F **9**
Hart St. Tyl 6A **38**
Hart St. W'houg 6D **26**
Hartwell Clo. Bolt 6G **13**
Harvest Pk. Bolt 3A **24**
Harvey St. Bolt 6B **12**
Harwood 5B 14
Harwood Cres. T'ton 2G **15**
Harwood Gro. Bolt 2F **23**
Harwood Lee. 4A 14
Harwood Mdw. Bolt. 6B **14**
Harwood Rd. T'ton 5E **15**
Harwood Va. Bolt 6A **14**
Harwood Va. Ct. Bolt 6A **14**
Harwood Wlk. T'ton 2G **15**
Haseley Clo. Rad 6D **24**
Hasguard Clo. Bolt 3F **21**
Haskoll St. Hor 2F **19**
Haslam Ct. Bolt 6H **21**
Haslam Hall M. Bolt 4E **21**
Haslam Hey Clo. Bury 1G **25**
Haslam St. Bolt 6B **22**
Hastings Rd. Bolt 3H **21**
Hatfield Rd. Bolt 2A **22**
Hatford Clo. Tyl 6A **38**
Hathaway Dri. Bolt 4E **13**
Hatherleigh Wlk. Bolt. 5B **24**
Hatton Av. Ath 2D **36**
Hatton Gro. Bolt 4E **13**
Hatton St. Adl 3D **6**
Haven Clo. Rad 6F **25**
Haven, The. L Lev 2D **32**
Havercroft Pk. Bolt 3D **20**
Haverhill Gro. Bolt 1F **23**
Havisham Clo. Los 1B **28**
Hawarden St. Bolt 4C **12**
Hawes Av. Farn 5C **30**
Hawker Av. Bolt 2B **30**
Hawkridge Clo. W'houg. . . 1H **35**
Hawkshaw. 4D 4
Hawkshaw La. Hawk 4D **4**
Hawkshaw St. Hor 6D **8**
Hawkshead Dri. Bolt 2G **29**
Hawksheath Clo. Eger. 6D **2**
Hawksley St. Hor 1F **19**
Hawkstone Clo. Bolt 6A **14**
Haworth St. Tur 2H **3**
Haworth St. Wals 5G **15**
Hawthorn Av. Hind 4C **34**
Hawthorn Av. Stand. 5A **16**
Hawthorn Av. Wors 4A **40**
Hawthorn Bank. Bolt 5A **14**
Hawthorn Clo. Tyl 6B **38**
Hawthorn Cres. T'ton 2H **15**
Hawthorne Av. Farn 5F **31**
Hawthorne Av. Hor 2G **19**
Hawthorne Rd. Bolt 6H **21**
Hawthorne St. Bolt 6H **21**
Hawthorn Rd. Kear 2D **40**
Hawthorn Rd. W'houg. 6H **27**
Hawthorns, The. Ath 4D **36**
 (off Water St.)
Haxey Wlk. Hor 6B **8**
Haydn St. Bolt 1B **22**
Haydock La. Brom X 1F **13**
 (Chapeltown Rd.)
Haydock La. Brom X 6E **3**
 (Hospital La.)
Haydock St. Bolt 3D **22**
Hayfield Clo. G'mnt 6H **5**
Haymill Av. L Hul 1E **39**
Haynes St. Bolt 2H **29**
Haysbrook Av. Wors 3D **38**

Hayward Av. *L Lev.* 2E **33**
Hayward Sports Cen. 3B **30**
Hazel Av. *L Hul.* 2C **38**
Hazel Av. *Rad* 5C **32**
Hazel Av. *T'ton* 4H **15**
Hazel Av. *W'houg.* 6H **27**
Hazeldene. *W'houg.* 2F **35**
Hazel Gro. *Farn* 5F **31**
Hazel Gro. *Rad* 5H **33**
Hazelhurst. 2H **5**
Hazelhurst Clo. *Bolt.* 1C **22**
Hazelmere Gdns. *Hind.* . . . 3A **34**
Hazel Mt. *Eger.* 5C **2**
Hazel Rd. *Ath* 3C **36**
Hazelwood Av. *Bolt.* 6A **14**
Hazelwood Rd. *Bolt.* 1H **21**
Hazlemere. *Kear* 6C **32**
Headingley Way. *Bolt.* 2B **30**
Heaplands. *G'mnt* 6H **5**
Heap St. *Bolt* 6C **22**
Heapy Clo. *Bury* 2H **25**
Heath Clo. *Bolt* 3H **29**
Heath Cotts. *Bolt.* 3B **12**
Heather Bank. *T'ton.* 2G **15**
Heather Clo. *Hor.* 5D **8**
Heatherfield. *Bolt.* 4B **12**
. . . . (in two parts)
Heatherfield. *Tur.* 1A **4**
Heathfield. *Farn.* 4A **32**
Heathfield. *Har* 5B **14**
Heathfield. *Hth C.* 1D **6**
Heathfield Dri. *Bolt.* 3H **29**
Heathfield Dri. *Tyl.* 6B **38**
Heath Gdns. *Hind* 4E **35**
Heathlea Clo. *Bolt.* 3C **12**
Heathside Gro. *Wors* 4A **40**
Heaton. 3G **21**
Heaton Av. *Bolt.* 2F **21**
Heaton Av. *Brad* 4A **14**
Heaton Av. *Farn.* 5G **31**
Heaton Av. *L Lev.* 1C **32**
Heaton Ct. Gdns. *Bolt* 4E **21**
Heaton Grange. *Bolt* 4G **21**
Heaton Grange Dri. *Bolt* . . 4G **21**
Heaton Mt. *Bolt.* 2F **21**
Heaton Rd. *Brad F.* 6D **24**
Heaton Rd. *Los.* 6C **20**
Heatons Gro. *W'houg* 3A **28**
Heaton St. *Asp* 6H **17**
Heaviley Gro. *Hor.* 4C **8**
Hebble Clo. *Bolt.* 4F **13**
Hebden Ct. *Bolt.* 3C **22**
Hedley St. *Bolt* 1A **22**
Heights, The. *Hor.* 2F **19**
Helen St. *Farn.* 5H **31**
Helias Clo. *Wors* 4D **38**
Helmsdale. *Wors.* 5G **39**
Helmsdale Av. *Bolt.* 5F **21**
Helsby Gdns. *Bolt.* 5D **12**
Hemley Clo. *W'houg* 1F **35**
Hemsby Clo. *Bolt.* 1G **29**
Hemsworth Rd. *Bolt* 3B **22**
Henderson Av. *Swin.* 6H **41**
Hengist St. *Bolt.* 4G **23**
Henley Gro. *Bolt* 2B **30**
Henley St. *Asp.* 5F **17**
Hennicker St. *Wors* 6H **39**
Henniker Rd. *Bolt* 3G **29**
Hennon St. *Bolt.* 2B **22**
Henrietta St. *Bolt.* 1H **29**
Henry Herman St. *Bolt* . . . 2G **29**
. . . . (in two parts)
Henry Lee St. *Bolt.* 2A **30**
Henry St. *Bolt.* 5E **23**
Henry St. *Tyl.* 6G **37**
Henry St. *W'houg.* 4G **27**
Henshaw Wlk. *Bolt* 1C **22**
. . . . (off Madeley Gdns.)
Herbert St. *Hor.* 5C **8**
Herbert St. *L Lev.* 2D **32**
Herbert St. *Rad.* 6H **25**
Herbert St. *W'houg.* 3G **27**
Hereford Cres. *L Lev.* 1C **32**
Hereford Rd. *Bolt.* 3H **21**
Hereford Rd. *Hind.* 1B **34**
Hereford Rd. *Bolt.* 1D **22**

Heron Av. *Farn* 6D **30**
Heron's Way. *Bolt* 6E **23**
Hertford Dri. *Tyl* 4G **37**
Hesketh Av. *Bolt.* 4D **12**
Hesketh Ct. *Ath* 4C **36**
Hesketh Ho. Farn *5H* **31**
. . . . (off Hesketh Wlk.)
Hesketh Mnr. Ath *4C* **36**
. . . . (off Bullough St.)
Hesketh St. *Ath.* 3D **36**
Hesketh Wlk. *Farn.* 5H **31**
Heswall Dri. *Wals* 4G **15**
Heswall St. *Bolt.* 4B **24**
Hewlett St. *Bolt.* 4E **23**
Hewlett St. *W'houg.* 6D **26**
Hexham Av. *Bolt.* 2F **21**
Hexham Clo. *Ath.* 3E **37**
Hey Head Cotts. *Bolt.* 4D **14**
Heys Av. *Bolt.* 5E **41**
Heys Clo. N. *Swin.* 5E **41**
Heywood Gdns. *Bolt.* 1C **30**
Heywood Ho. *Ath* 4D **36**
Heywood M. L Lev. *2D* **32**
. . . . (off Heywood St.)
Heywood Pk. Vw. *Bolt.* 1C **30**
Heywood's Hollow. *Bolt.* . . 6D **12**
Heywood St. *Bolt* 3D **22**
Heywood St. *L Lev* 2D **32**
Hibbert St. *Bolt.* 1E **31**
. . . . (in two parts)
Hibernia St. *Bolt* 6A **22**
High Av. *Bolt.* 3A **24**
High Bank. *Ath* 1G **37**
High Bank. *Brom X* 2D **12**
High Bank St. *Bolt.* 4G **23**
High Beeches. *Brad F* 6D **24**
Highbridge Clo. *Bolt* 5C **24**
Highbrook Gro. *Bolt* 2D **22**
High Brow. *L Hul.* 4C **38**
Highbury Clo. *W'houg* 1F **35**
Highcrest Gro. *Tyl* 6B **38**
Higher Ainsworth Rd.
. . . . *Rad* 4G **25**
Higher Austin's. *Hor* 2H **19**
Higher Barn. *Hor.* 6H **9**
Higher Bri. St. *Bolt.* 2D **22**
Higherbrook Clo. *Bolt.* 2F **19**
Higher Damshead.
. . . . *W'houg* 5H **27**
Higher Darcy St. *Bolt.* 6G **23**
Higher Dean St. *Rad.* 2G **33**
Higher Drake Mdw.
. . . . *W'houg* 2G **35**
Higher Dunscar. *Eger* 6C **2**
Higher Knowles. *Hor.* 1G **19**
Higher La. *Asp* 6E **17**
Higher Mkt. St. *Farn* 5A **32**
. . . . (in two parts)
Higher Market St. *Farn* . . . 6A **32**
Higher Pit La. *Rad* 3F **25**
Higher Ridings. *Brom X* . . . 1D **12**
. . . . (in two parts)
Higher Shady La. *Brom X.* . 2F **13**
Higher Southfield.
. . . . *W'houg* 6G **27**
Higher Swan La. *Bolt.* 1B **30**
Highfield. 5D **30**
Highfield Av. *Ath* 2E **37**
Highfield Av. *Bolt.* 6C **14**
Highfield Clo. *Adl.* 2E **7**
Highfield Ct. *Farn.* 6F **31**
Highfield Dri. *Farn* 5E **31**
Highfield Gro. *Asp.* 6G **17**
Highfield Ho. *Farn.* 5D **30**
Highfield Rd. *Adl.* 2E **7**
Highfield Rd. *B'rod* 2A **18**
Highfield Rd. *Bolt.* 1H **21**
Highfield Rd. *Farn.* 5C **30**
Highfield Rd. *Hind.* 6A **26**
Highfield Rd. *Rad.* 2D **38**
Highfield Rd. Ind. Est.
. . . . *L Hul.* 1D **38**
Highfield Rd. N. *Adl.* 1E **7**
Highfield St. *Kear* 1C **40**
High Gables. *Bolt* 3H **21**
Highgate. *Bolt.* 3C **28**

Highgate Dri. *L Hul* 2C **38**
Highgate La. *L Hul.* 2C **38**
Highgrove Clo. *Bolt.* 5D **12**
Highgrove, The. *Bolt.* 2D **20**
High Houses. *Bolt.* 3B **12**
Highland Rd. *Brom X.* 1F **13**
Highland Rd. *Hor.* 2G **19**
High Lupus St. *Bolt.* 4E **13**
Highmeadow. *Rad.* 4H **33**
High Meadows. *Brom X.* . . 1F **13**
High Mt. *Bolt.* 6A **14**
High Rid La. *Los.* 3A **20**
High Stile St. *Kear.* 6A **32**
High St. *Ath* 4D **36**
High St. *Bolt.* 1B **30**
High St. *Hor.* 5D **8**
High St. *L Lev.* 2D **32**
High St. *Tur* 3G **3**
High St. *Tyl* 6F **37**
High St. *Wals* 6H **15**
High St. *Wors* 4G **39**
Highview St. *Bolt.* 3C **12**
High Vw. St. *Bolt.* 1A **30**
Highwood Clo. *Bolt.* 2B **24**
Highworth Clo. *Bolt.* 6C **22**
Hilary Av. *Ath* 2C **36**
Hilary Gro. *Farn* 6G **31**
Hilda Av. *T'ton.* 3H **15**
Hilda St. *Bolt.* 1E **31**
Hilden St. *Bolt.* 5E **23**
Hillbank Clo. *Bolt.* 6A **12**
Hill Cot Rd. *Bolt* 4D **12**
Hill Crest. *Ath* 2F **37**
Hillcrest Rd. *Tyl.* 6B **38**
Hillfield Dri. *Bolt.* 2F **23**
Hillfield Wlk. *Bolt.* 2F **23**
Hillingdon Ho. Bolt *2C* **22**
. . . . (off Enfield Clo.)
Hill La. *B'rod.* 6F **7**
Hill La. *Bolt.* 3E **23**
Hillock Pl. Ath *5D* **36**
. . . . (off Wardour St.)
Hillock, The. *Bolt.* 4H **13**
Hill Ri. *Rams* 3H **5**
Hillsdale Gro. *Bolt* 6A **14**
Hill Side. *Bolt.* 4F **21**
Hillside Av. *Ath* 3E **37**
Hillside Av. *B'rod.* 2A **18**
Hillside Av. *Brom X* 6F **3**
Hillside Av. *Farn.* 6F **31**
Hillside Av. *Hor.* 5E **9**
Hillside Av. *Wors.* 3G **39**
Hillside Clo. *Bolt.* 3D **28**
Hillside Clo. *Brad.* 4A **14**
Hillside Ct. *Bolt.* 4F **21**
Hillside Cres. *Hor.* 5E **9**
Hillside Ho. *Bolt.* 4F **21**
Hillside St. *Bolt.* 6B **22**
Hillstone Clo. *G'mnt* 5H **5**
Hill St. *Hind* 1A **34**
Hill St. *Rad.* 1H **33**
Hill St. *T'ton* 5H **15**
Hill Top. 3H **39**
Hill Top. *Ath.* 2F **37**
Hill Top. *Bolt.* 6B **12**
Hill Top. *L Lev.* 1C **32**
Hilltop Dri. *T'ton.* 3G **15**
Hill Top Rd. *Wors* 3F **39**
Hillview Ct. *Bolt.* 5C **12**
Hillview Rd. *Bolt.* 5C **12**
Hilly Cft. *Brom X.* 1D **12**
Hilmarton Clo. *Brad.* 4A **14**
Hilton Av. *Hor.* 6C **8**
Hilton Bank. *Wors* 4F **39**
Hilton Gro. *Wors* 4F **39**
Hilton House. 5C **18**
Hilton La. *Wors* 4F **39**
Hilton Pl. *Asp* 5G **17**
Hilton St. *Bolt.* 4G **23**
Hilton St. *L Hul.* 1D **38**
Hinchcombe Clo. *L Hul* . . . 1E **39**
Hinchley Way. *Swin.* 5H **41**
Hindles Clo. *Ath* 6A **36**
Hindle St. *Rad.* 2H **33**
Hindley. 1A **34**
Hindley Green. 4E **35**

Hindley Leisure Cen. 2B **34**
Hindley Mill La. *Hind.* 6A **26**
Hindley Rd. *W'houg.* 2E **35**
Hindley Swimming Pool . . . 2B **34**
Hindsford. 6E **37**
Hindsford Clo. *Bolt.* 6F **37**
Hind St. *Bolt.* 4G **23**
Hinkler Av. *Bolt.* 2C **30**
Hirst Av. *Wors.* 2G **39**
Hoade St. *Hind* 6A **26**
Hobart St. *Bolt.* 1B **22**
Hodge Rd. *Wors.* 5H **39**
Hodson Rd. *Swin* 5G **41**
Holbeach Clo. *Hind* 3A **34**
Holbeck Clo. *Hor.* 3F **19**
Holborn Av. *Rad* 1F **33**
Holbrook Av. *L Hul* 1E **39**
Holcombe. 1H **5**
Holcombe Brook. 5H **5**
Holcombe Clo. *Kear.* 1C **40**
Holcombe Ct. *Rams* 5H **5**
Holcombe Cres. *Kear.* 1C **40**
Holcombe Lee. *Rams* 3H **5**
Holcombe M. *Rams* 4H **5**
Holcombe Old Rd. *Holc.* . . 2H **5**
Holcombe Rd. *L Lev.* 2B **32**
Holcombe Rd.
. . . . *T'ton & G'mnt* 1G **15**
Holcombe Village. *Holc.* . . 1H **5**
Holden Av. *Bolt.* 3C **12**
Holden Lea. *W'houg* 2G **27**
Holden St. *Adl.* 2D **6**
Holder Av. *L Lev.* 6D **24**
Holding St. *Hind* 1A **34**
Holkar Meadows.
. . . . *Brom X* 1F **13**
Holland St. *Ath* 5D **36**
Holland St. *Bolt.* 5D **12**
Hollies, The. *Ath* 4D **36**
Hollies, The. *Bolt.* 3B **24**
Hollin Acre. *W'houg* 6H **27**
Hollin Hey Rd. *Bolt.* 6E **11**
Hollinhurst Dri. *Los.* 4C **20**
Hollins. *Farn* 5B **30**
Hollins Rd. *Hind* 2C **34**
Hollins St. *Bolt.* 5F **23**
Hollins, The. 2C **34**
Hollinswood Rd. *Bolt.* 5F **23**
Holloway Dri. *Wors.* 6E **41**
Hollowell La. *Hor.* 2F **19**
Hollow Meadows. *Rad.* . . . 1E **41**
Holly Av. *Wors.* 5A **40**
Holly Bank Dri. *Los* 3B **20**
Holly Bank Ind. Est. *Rad* . . 2H **33**
Holly Bank St. *Rad* 2H **33**
Hollycroft Av. *Bolt.* 6A **24**
Hollydene. *Asp* 6F **17**
Holly Dene Dri. *Los.* 4B **20**
Holly Gro. *Bolt.* 2A **22**
Holly Gro. *Farn* 5E **31**
Holly Gro. *Los.* 4B **20**
Holly Mill Cres. *Bolt* 5D **12**
Holly Mt. La. *G'mnt* 6F **5**
Holly Nook. 5H **17**
Holly Rd. *Asp* 6F **17**
Holly St. *Bolt.* 5D **12**
Holly St. *T'ton.* 3H **15**
Hollywood. *Bolt.* 1H **21**
Hollywood Bowl. 3F **19**
Hollywood Rd. *Bolt.* 1H **21**
Holmbrook. *Tyl.* 6A **38**
Holmebrook Dri. *Hor.* 2F **19**
Holmes Cotts. *Bolt* 6A **12**
Holmes St. *Bolt.* 1E **31**
Holmeswood Rd. *Bolt* 3B **30**
Holmfield Grn. *Bolt.* 2F **29**
Holthouse Rd. *T'ton* 4G **15**
Holt St. *Bolt.* 6B **22**
Holt St. *Swin.* 5H **41**
Holt St. *Tyl* 6G **37**
Holy Harbour St. *Bolt* 1A **22**
Holyhurst Wlk. *Bolt.* 1C **22**
Holyoake Rd. *Wors.* 5H **39**
Homer St. *Rad* 2G **33**
Hondwith Clo. *Bolt.* 4G **13**
Honeybourne Clo. *Tyl* 6A **38**

Honiton Clo. *Leigh* 5F **35**
Honiton Dri. *Bolt* 5C **24**
Honiton Gro. *Rad* 6F **25**
Hood Clo. *Tyl* 6B **38**
Hooton St. *Bolt* 2A **30**
Hope Av. *Bolt* 5F **23**
Hope Av. *Brad* 4A **14**
Hope Av. *L Hul* 3G **39**
Hopefield St. *Bolt* 1B **30**
Hope Fold Av. *Ath* 5B **36**
Hopefold Dri. *Wors* 5A **40**
Hope Hey La. *L Hul* 2D **38**
Hope St. *Adl* 1F **7**
Hope St. *Asp* 2B **26**
Hope St. *B'rod* 3A **18**
Hope St. *Farn* 5A **32**
Hope St. *Hind* 1B **34**
Hope St. *Hor* 5D **8**
Hope St. *L Hul* 3E **39**
Hope St. N. *Hor* 4D **8**
Hopwood Av. *Hor* 5E **9**
Horace St. *Bolt* 1B **22**
(in two parts)
Horeb St. *Bolt* 6B **22**
Hornby Dri. *Bolt* 3D **28**
Hornsea Clo. *Bury* 1H **25**
Horridge Fold. *Eger* 4C **2**
Horridge Fold Av. *Bolt* . . . 3F **29**
Horrobin Fold. *Tur* 5G **3**
Horrobin La. *And & Hor* . . 1G **7**
Horrobin La. *Tur* 5G **3**
(in two parts)
Horrocks Fold **3B 12**
Horrocks Fold. *Bolt* 2A **12**
Horrocks Fold. *Tur* 1H **3**
Horrocks Fold Av. *Bolt* . . . 3B **12**
Horrocks Rd. *Tur* 1H **3**
Horrocks St. *Ath* 6E **37**
Horrocks St. *Bolt* 6G **21**
Horrocks St. *Tyl* 6F **37**
Horsa St. *Bolt* 2F **23**
Horseshoe La. *Brom X* 1E **13**
Horsfield St. *Bolt* 6G **21**
Horsham Clo. *W'houg* 1H **35**
Horton Av. *Bolt* 3C **12**
Horwich **5D 8**
Horwich Bus. Pk. *Hor* 1D **18**
Horwich Leisure Cen. **6E 9**
Hosker's Nook **2E 35**
Hoskers Nook. *W'houg* . . . 6F **27**
Hoskers, The. *W'houg* 6E **27**
Hospital Rd. *Brom X* 1D **12**
Hotel St. *Bolt* 4D **22**
Hough Fold Way. *Bolt* 4H **13**
Hough La. *Brom X* 2D **12**
Hough La. *Tyl* 6A **38**
Hough St. *Bolt* 6G **21**
Hough St. *Tyl* 6B **38**
Houghton St. *Bolt* 6C **22**
Houldsworth St. *Rad* 6H **25**
Hounslow Ho. *Bolt* 2B **22**
Hove Clo. *G'mnt* 6G **5**
Hove St. *Bolt* 6A **22**
Hove St. N. *Bolt* 6A **22**
Howard Av. *Bolt* 1G **29**
Howard Av. *Kear* 6B **32**
Howard St. *Bolt* 2D **22**
Howarth St. *Farn* 6H **31**
Howarth St. *W'houg* 5H **27**
Howclough Clo. *Wors* 5B **40**
Howclough Dri. *Wors* 5B **40**
Howcroft Clo. *Bolt* 3C **22**
Howcroft St. *Bolt* 6B **22**
Howe Bridge **6A 36**
Howe Bri. Clo. *Ath* 6A **36**
Howe Bridge Crematorium.
Ath 5H **35**
Howe Bridge Sports Cen.

. . . . 6A **36**
Howell Cft. N. *Bolt* 4D **22**
Howell Cft. S. *Bolt* 4D **22**
Howell's Yd. *Bolt* 4D **22**
Howsin Av. *Bolt* 5F **13**
Hoyle St. *Bolt* 5C **12**
Hudson Rd. *Bolt* 2H **29**
Hughendon Ct. *T'ton* 2H **15**
Hughes Av. *Hor* 5C **8**

Hughes St. *Bolt* 1A **22**
(Bennett's La.)
Hughes St. *Bolt* 1B **22**
(Rushey Fold La.)
Hugh St. *Bolt* 1A **30**
Hugo St. *Farn* 3F **31**
Hulme Rd. *Bolt* 3A **14**
Hulme Rd. *Rad* 6E **33**
Hulmes Ter. *Bolt* 3E **25**
Hulton Av. *Wors* 4E **39**
Hulton Clo. *Bolt* 1G **29**
Hulton District Cen.
Wors 3E **39**
Hulton Dri. *Bolt* 2G **29**
HULTON HOSPITAL 2G **29**
Hulton La. *Bolt* 3G **29**
Hulton Lane Ends **5G 29**
Hunger Hill **3D 28**
Hunger Hill Av. *Bolt* 3E **29**
Hunters Grn. *Rams* 4H **5**
Hunt Fold Dri. *G'mnt* 5H **5**
Huntingdon Wlk. *Bolt* 1C **22**
Huntroyde Av. *Bolt* 2G **23**
Hunt's Bank. *W'houg* 1H **35**
Hunt St. *Ath* 4D **36**
Hurlston Rd. *Bolt* 3B **30**
Hurst Clo. *Bolt* 6F **29**
Hurstfield Rd. *Wors* 6F **39**
Hurst Grn. Clo. *Bury* 3H **25**
Hurst St. *Bolt* 2A **30**
Hurst St. *Wors* 1G **39**
Hurstwood. *Bolt* 4B **12**
Hurstwood Ct. *Bolt* 1F **31**
Hutchinson Way. *Rad* 2H **33**
Huxley St. *Bolt* 1A **22**
Huyton Rd. *Adl* 3E **7**
(in three parts)
Huyton Ter. *Adl* 3F **7**
Hyde Dri. *Wors* 5G **39**
Hyde Gro. *Wors* 5G **39**
Hyde Rd. *Wors* 5G **39**
Hyde St. *Bolt* 2A **30**
Hypatia St. *Bolt* 3F **23**
Hythe St. *Bolt* 1G **29**

I

Ice Ho. Clo. *Wors* 4D **38**
Idonia St. *Bolt* 6B **12**
Ilkeston Dri. *Asp* 2B **26**
Ilkley Clo. *Bolt* 4G **23**
Ina Av. *Bolt* 2F **21**
Independent St. *L Lev* 2C **32**
Industrial St. *W'houg* 6H **27**
Infirmary St. *Bolt* 4D **22**
Ingleby Clo. *W'houg* 3A **28**
Ingledene Gro. *Bolt* 1G **21**
Ingleton Clo. *Bolt* 5H **13**
Institute St. *Bolt* 4D **22**
Invar Rd. *Swin* 6F **41**
Inverbeg Dri. *Bolt* 4C **24**
Inverlael Av. *Bolt* 3H **21**
Inverness Clo. *Asp* 6H **17**
Inworth Clo. *W'houg* 1H **35**
Iona Pl. *Bolt* 1G **23**
Iris Av. *Farn* 4E **31**
Iris Av. *Kear* 2B **40**
(in two parts)
Irlam St. *Bolt* 6C **12**
Irma St. *Bolt* 6D **12**
Iron St. *Hor* 1E **19**
Irving Ho. Bolt 1C **22**
(off Irving St.)
Irving St. *Bolt* 1C **22**
Irwell Av. *L Hul* 3F **39**
Irwell St. *Rad* 6C **32**
Isaac St. *Bolt* 3A **22**
Isabel Wlk. *Bolt* 6B **22**
Ivanhoe Ct. *Bolt* 3G **31**
Ivanhoe St. *Bolt* 3G **31**
Ivy Bank Clo. *Bolt* 4C **12**
Ivy Bank Rd. *Bolt* 4C **12**
Ivybridge Ho. *Bolt* 6A **22**
Ivy Gro. *Farn* 5F **31**
Ivy Gro. *Kear* 6B **32**
Ivy Gro. *L Hul* 3D **38**

Ivy Rd. *Bolt* 2A **22**
Ivy Rd. *W'houg* 6H **27**
Ivy St. *Bolt* 1A **30**
Ivy St. *Rams* 4H **5**

J

Jackdaw Rd. *G'mnt* 5H **5**
Jack's La. *W'houg* 6C **26**
Jackson St. *Farn* 5H **31**
Jackson St. *Kear* 6B **32**
Jackson St. *Wors* 3G **39**
Jack St. *Bolt* 2G **23**
Jacob St. *Hind* 1A **34**
James St. *Ath* 6F **37**
James St. *Eger* 4B **2**
James St. *Hor* 6B **8**
James St. *Kear* 5B **32**
James St. *L Lev* 2D **32**
James St. *Tyl* 6E **37**
James St. *W'houg* 3G **27**
Jane Barter Ho. *Farn* 5H **31**
(off Hesketh Wlk.)
Jasmine Ct. *Bolt* 2C **30**
Jauncey St. *Bolt* 6A **22**
Jedburgh Av. *Bolt* 3H **21**
Jenkinson St. *Hind* 1A **34**
Jennaby Wlk. *Bolt* 1C **22**
Jenny Beck Gro. *Bolt* 1C **30**
Jesmond Rd. *Bolt* 5H **11**
Jessie St. *Bolt* 6A **22**
Jessop Forge. *L Lev* 2C **32**
Jethro St. *Bolt* 3G **23**
Jethro St. *Brad* 5G **13**
Joan Lestor Ho. *L Hul* 4G **39**
John Brown St. *Bolt* 3C **22**
John Cross St. *Bolt* 1C **30**
John Paine Ct. Swin 5H **41**
(off Pott St.)
Johnson Av. *Bick* 6A **34**
Johnson Fold **6F 11**
Johnson Fold Av. *Bolt* 1E **21**
Johnson St. *Ath* 6A **36**
Johnson St. *Bolt* 5D **22**
Johnson St. *Tyl* 6G **37**
Johnson St. S. *Tyl* 6G **37**
John St. *Brom X* 2E **13**
John St. *Farn* 5A **32**
John St. *Hind* 4D **34**
John St. *L Lev* 2D **32**
John St. *Tyl* 6G **37**
John St. *Wors* 3H **39**
Jolly Brows. *Bolt* 6H **13**
Jolly Tar La. *Copp* 2A **6**
Jonquil Dri. *Wors* 5D **38**
Joseph St. *Farn* 4H **31**
Jubilee Cotts. *Wors* 4G **39**
Jubilee Ho. *Bolt* 5C **22**
Jubilee Houses. *Tyl* 6E **37**
Jubilee Pool **2B 22**
Jubilee St. *Bolt* 2A **30**
Julia M. *Hor* 5D **8**
Julia St. *Hor* 5D **8**
Jumbles Beck. *Tur* 3H **3**
Jumbles Country Pk. 5H **3**
Jumbles Country Pk. Vis. Cen.

. . . . 6H **3**
Jumbles Wlk. *Tur* 3H **3**
Junction Rd. *Bolt* 6F **21**
Junction Rd. W. *Los* 6C **20**
Juniper Clo. *Bolt* 2C **22**
Juniper Dri. *Hind* 4C **34**
Jutland Gro. *W'houg* 4G **27**

K

Kayfields. *Bolt* 5A **14**
Kay St. *Ath* 5D **36**
Kay St. *Bolt* 2D **22**
(Croasdale St.)
Kay St. *Bolt* 3D **22**
(St George's St.)
Kay St. *L Lev* 2C **32**

Kay St. *Tur* 3G **3**
Kearsley **1C 40**
Kearsley Dri. *Bolt* 2F **31**
Kearsley Hall Rd. *Rad* 6E **33**
Kearsley Mt. *Kear* 1D **40**
Kearsley Mt. Shop. Precinct.
Kear 1D **40**
Kearsley Rd. *G'mnt* 5H **5**
Kearsley Sports Cen. 1A **40**
Kearsley Va. *Rad* 5D **32**
Keats Clo. *Ath* 2D **36**
Keats Cres. *Rad* 1G **33**
Keats Rd. *G'mnt* 5H **5**
Keats Wlk. *Bolt* 1C **22**
Keighley Clo. *Bury* 1H **25**
Keighley St. *Bolt* 1A **22**
Keilder M. *Bolt* 4G **21**
Kellet's Row. *Wors* 2G **39**
Kellett St. *Bolt* 3D **12**
Kelsall St. *Bolt* 4G **23**
Kelso Gro. *Hind* 3A **34**
Kemble Clo. *Hor* 4D **8**
Kempston Gdns. *Bolt* 1C **22**
Kempton Av. *L Lev* 3C **32**
Kendal Gro. *Wors* 5B **40**
Kendal Rd. *Bolt* 3A **22**
Kendal Rd. *Hind* 2A **34**
Kendal Rd. *Rams* 5H **5**
Kendal Rd. W. *Rams* 5H **5**
Kendrew Rd. *Bolt* 1G **29**
Kenilworth Clo. *Rad* 5H **25**
Kenilworth Rd. *Hind* 3B **34**
Kenilworth Sq. *Bolt* 2H **21**
Kenmay Av. *Bolt* 5F **21**
Kennedy Dri. *L Lev* 2E **33**
Kennedy St. *Bolt* 4G **23**
Kennet Clo. *W'houg* 4G **27**
Kennington Fold. *Bolt* 2B **30**
Kensington Av. *Rad* 1F **33**
Kensington Clo. *G'mnt* . . . 6H **5**
Kensington Ct. *Bolt* 4C **22**
Kensington Dri. *Hor* 6E **9**
Kensington St. *Bolt* 4C **22**
Kensworth Clo. *Bolt* 2B **22**
Kensworth Dri. *Bolt* 2B **22**
Kent Clo. *Wors* 5F **39**
Kent Ct. *Bolt* 3C **22**
Kentford Gro. *Farn* 5G **31**
Kentford Rd. *Bolt* 2C **22**
Kentmere Gro. *Farn* 6D **30**
Kentmere Rd. *Bolt* 2B **24**
Kenton Clo. *Bolt* 2B **22**
Kent Rd. *Ath* 3C **36**
Kent Rd. *Tyl* 5D **24**
Kentsford Dri. *Rad* 6D **24**
Kent St. *Bolt* 3C **22**
Kent St. *Swin* 5H **41**
Kenwood Rd. *Bolt* 6H **11**
Kenyon Bus. Pk. *Bolt* 6C **22**
Kenyon Gro. *L Hul* 3C **38**
Kenyon Rd. *Brad F* 6D **24**
Kenyon St. *Leigh* 6F **35**
Kenyon Ter. *L Hul* 4C **38**
Kenyon Way. *L Hul* 3C **38**
Kenyon Way. *T'ton* 4H **15**
Kerans Dri. *W'houg* 4G **27**
Kermoor Av. *Bolt* 3C **12**
Kerry Gro. *Bolt* 3F **23**
Kersal Av. *L Hul* 3F **39**
Kershaw Av. *L Lev* 1C **32**
Kershaw Bus. Cen. *Bolt* . . 6B **22**
Kershaw St. *Bolt* (BL2). . . . 4G **13**
Kershaw St. *Bolt* (BL3). . . . 6B **22**
Kershaw St. *Tyl* 6G **37**
Kestor St. *Bolt* 3E **23**
(in two parts)
Kestrel Av. *Farn* 6D **30**
Kestrel Av. *L Hul* 2E **39**
Kestrel St. *Bolt* 3E **23**
Keswick Rd. *Wors* 5B **40**
Keswick St. *Bolt* 1D **22**
Kibbles Brow. *Brom X* 1F **13**
Kilbride Av. *Bolt* 5B **24**
Kilburn Clo. *Leigh* 6F **35**
Kilburn Rd. *Rad* 1F **33**
Kildale Clo. *Bolt* 1E **29**

Kildare St. *Farn* 6G **31**
Kildonan Dri. *Bolt* 5F **21**
Killingworth M. *Hor* 2F **19**
   (off New Rd.)
Kilmaine Dri. *Bolt* 6E **21**
Kilmory Dri. *Bolt* 5B **24**
Kiln Brow. *Brom X* 1G **13**
Kilnfield. *Brom X* 1D **12**
Kilnhurst Wlk. *Bolt* 3B **22**
Kiln St. *L Lev* 2C **32**
Kilphin, The. *Los* 3B **20**
Kilsby Clo. *Farn* 3F **31**
Kilsby Clo. *Los* 5D **20**
Kilworth Dri. *Los* 6D **20**
Kimberley Rd. *Bolt* 4C **12**
Kimble Clo. *G'mnt* 5H **5**
Kincraig Clo. *Bolt* 1E **29**
King Edward Vs. *Hind* 2A **34**
   (off Castle Ri.)
Kingfisher Dri. *Farn* 6D **30**
Kingholm Gdns. *Bolt* 2B **22**
Kingsbridge Av. *Bolt* 3F **25**
Kingsbridge Ho. *Bolt* 6A **22**
Kingsbury Av. *Bolt* 2G **21**
Kingsbury Ct. *Bolt* 2G **21**
Kingsbury Ct. Lodge.
   Bolt 2G **21**
Kings Ct. *Tyl* 6F **37**
   (off Market St.)
Kingscourt Av. *Bolt* 1A **22**
King's Cres. *Tyl* 6E **37**
Kingsdown Dri. *Bolt* 2D **22**
Kingsdown Gdns. *Bolt* 2D **22**
   (off Kingsdown Dri.)
Kingsfold Clo. *Bolt* 5A **24**
Kings Ga. *Bolt* 4C **22**
Kingsland Rd. *Farn* 4E **31**
Kings Lea. *Adl* 1D **6**
Kingsley Rd. *Hind* 2B **34**
Kingsley Rd. *Swin* 6F **41**
Kingsley Rd. *Wors* 3G **39**
Kingsley St. *Bolt* 1B **22**
Kingsnorth Clo. *Bolt* 2D **22**
Kings Rd. *Rad* 4G **25**
Kingston Av. *Bolt* 2G **23**
King St. *Bolt* 4C **22**
King St. *Brad* 4H **13**
King St. *Brom X* 1D **12**
King St. *Farn* 5H **31**
King St. *Hind* 1A **34**
King St. *Hor* 5C **8**
King St. *W'houg* 4H **27**
Kingsway. *Kear* 1B **40**
Kingswear Dri. *Bolt* 2A **22**
Kingthorpe Gdns. *Bolt* . . . 1D **30**
King William St. *Tyl* 6F **37**
Kingwood Av. *Bolt* 2F **21**
Kinloch Dri. *Bolt* 4H **21**
Kinnerley Gro. *Wors* 6E **39**
Kinross Dri. *Bolt* 6F **21**
Kinsley Dri. *Wors* 5G **39**
Kintyre Dri. *Bolt* 6E **21**
Kinver Clo. *Bolt* 2A **30**
Kirby Av. *Ath* 2C **36**
Kirkby Rd. *Bolt* 3H **21**
Kirkebrok Rd. *Bolt* 1G **29**
Kirkhall La. *Bolt* 3A **22**
Kirkhall Workshops, The.
   Bolt 3A **22**
Kirkham St. *Bolt* 2F **23**
Kirkham St. *L Hul* 2E **39**
Kirk Hope Dri. *Bolt* 2B **22**
Kirk Hope Wlk. *Bolt* 2B **22**
Kirklands. *Bolt* 1H **23**
Kirklees Clo. *T'ton* 2H **15**
Kirklees St. *T'ton* 2H **15**
Kirkpatrick St. *Hind* 4D **34**
Kirkstall Gdns. *Rad* 6G **25**
Kirkstile Pl. *Swin* 3G **41**
Kirkstone Av. *Wors* 6B **40**
Kirkwall Dri. *Bolt* 6F **23**
Kitchener St. *Bolt* 2F **31**
Kiveton Clo. *Wors* 5G **39**
Knight St. *Bolt* 3D **22**
Knightswood. *Bolt* 2F **29**
Knott La. *Bolt* 1F **21**

Knowles Edge St. *Bolt* 1A **22**
Knowles St. *Bolt* 2E **23**
Knowles St. *Rad* 1H **33**
Knowl Vw. *T'ton* 3H **15**
Knowsley Av. *Ath* 3C **36**
Knowsley Grange. *Bolt* . . . 4D **20**
Knowsley Gro. *Hor* 2F **19**
Knowsley Rd. *A'wth* 2E **25**
Knowsley Rd. *Bolt* 1H **21**
Knowsley St. *Bolt* 3D **22**
Knowsley St. *Bolt* 6H **21**
Knutshaw Bridge. 2E **29**
Knutshaw Cres. *Bolt* 3D **28**
Kylemore Av. *Bolt* 6H **21**

L

Laburnum Av. *Ath* 4E **37**
Laburnum Av. *T'ton* 2H **15**
Laburnum Ct. *T'ton* 2H **15**
Laburnum Gro. *Hor* 2G **19**
Laburnum Gro. *Tyl* 6B **38**
Laburnum Lodge. *Bolt* . . . 3B **24**
Laburnum Pk. *Bolt* 4F **13**
Laburnum Rd. *Farn* 5F **31**
Laburnum Rd. *Wors* 5A **40**
Laburnum St. *Ath* 4E **37**
Laburnum St. *Bolt* 3B **22**
Ladies La. *Hind* 1A **34**
Ladies' Wlk. *Ath* 5C **36**
Ladybridge Av. *Wors* 6G **39**
Lady Bri. Brow. *Bolt* 4F **21**
Lady Bri. La. *Bolt* 4F **21**
Lady Harriet Wlk. *Wors* . . . 4G **39**
Ladyshore Rd. *L Lev* 3E **33**
Ladywell Av. *L Hul* 3E **39**
Ladywell Gro. *L Hul* 2E **39**
Lakelands Dri. *Bolt* 6F **21**
Lakenheath Dri. *Bolt* 3D **12**
Lakeside Av. *Bolt* 3E **31**
Lakeside Av. *Wors* 2H **39**
Lake Side Cottages.
   Stand 2A **16**
Lake St. *Bolt* 6D **22**
Lambeth Clo. *Hor* 6F **9**
Lambeth St. *Ath* 4B **36**
Lambourn Clo. *Bolt* 6C **22**
Lambton St. *Bolt* 3A **30**
Lamphey Clo. *Bolt* 3D **20**
Lancaster Av. *Ath* 5E **37**
Lancaster Av. *Farn* 5D **30**
Lancaster Av. *Hor* 1F **19**
Lancaster Av. *Tyl* 4G **37**
Lancaster Clo. *Adl* 2F **7**
Lancaster Clo. *Bolt* 4E **23**
Lancaster Dri. *L Lev* 1D **32**
Lancaster Pl. *Adl* 1E **7**
Lancaster Rd. *Hind* 1A **34**
Lancaster St. *Rad* 2G **33**
Lancaster Ter. *Bolt* 1C **22**
   (off Boardman St.)
Lancaster Wlk. *Bolt* 1C **22**
Lancaster Way. *W'houg* . . . 2F **27**
   (in two parts)
Lanchester Dri. *Bolt* 6B **22**
Landedmans. *W'houg* 6H **27**
Landmark Ct. *Bolt* 2G **21**
   (off Bk. Markland Hill La. E.)
Lane, The. *Bolt* 4D **20**
Langdale Dri. *Wors* 6B **40**
Langdale Rd. *Hind* 2A **34**
Langdale St. *Bolt* 2C **30**
Langdale St. *Farn* 6G **31**
Langdon Clo. *Bolt* 2B **22**
Langford Gdns. *Bolt* 1C **30**
Langham Clo. *Bolt* 4E **13**
Langholm Dri. *Bolt* 5B **24**
Langley Dri. *Bolt* 6A **22**
Langset Av. *Hind* 1A **34**
Langshaw Rd. *Bolt* 6A **22**
Langshaw Wlk. *Bolt* 6A **22**
Langside Dri. *Bolt* 1E **29**
Langstone Clo. *Hor* 6D **8**
Langthorne Wlk. *Bolt* 5B **22**
Langworthy Av. *L Hul* 3F **39**
Lansdale St. *Farn* 5A **32**
Lansdale St. *Wors* 2H **39**

Lansdowne Clo. *Bolt* 2F **23**
Lansdowne Dri. *Wors* 6G **39**
Lansdowne Rd. *Ath* 2F **37**
Lansdowne Rd. *Bolt* 1F **23**
Larch Gro. *Ath* 3C **36**
Larch Gro. *Swin* 5D **40**
Larchwood St. *Bolt* 1D **22**
Larkfield Av. *L Hul* 2D **38**
Larkfield Av. *Wigan* 6A **16**
Larkfield Clo. *G'mnt* 5H **5**
Larkfield Gro. *Bolt* 3F **23**
Larkfield Gro. *L Hul* 2D **38**
Larkfield M. *L Hul* 2D **38**
Lark Hill. *Farn* 6H **31**
Larkside Av. *Wors* 4A **40**
Lark St. *Bolt* 3D **22**
Lark St. *Farn* 6H **31**
Latham Rd. *B'rod* 6G **7**
Latham Row. *Hor* 6H **9**
Latham St. *Bolt* 1D **22**
Launceston Rd. *Hind* 4E **35**
Launceston Rd. *Rad* 6E **25**
Laurel Cres. *Hind* 4C **34**
Laurel Dri. *L Hul* 3E **39**
Laurel St. *Bolt* 4A **22**
Laurel St. *T'ton* 3H **15**
Laurence Lowry Ct. *Swin* . 6H **41**
Laurels, The. *Bolt* 3D **22**
   (off Haydock St.)
Lavender Rd. *Farn* 4E **31**
Lavender St. *Rad* 2F **33**
Lawefield Cres. *Swin* 2F **41**
Lawn St. *Bolt* 2A **22**
Lawnswood Dri. *Tyl* 6B **38**
Lawson Av. *Hor* 5E **9**
Lawson Av. *Leigh* 6G **35**
Lawson Rd. *Bolt* 1A **22**
Lawson St. *Bolt* 5C **12**
Laxey Av. *Ath* 5E **37**
Laxford Gro. *Bolt* 5E **21**
Laycock Av. *Bolt* 6F **13**
Layfield Clo. *T'ton* 2F **15**
Layton Dri. *Kear* 1B **40**
Lazonby Av. *Asp* 2B **26**
Leach St. *Bolt* 6C **22**
Leach St. *Farn* 4A **32**
Leacroft Av. *Bolt* 6H **23**
Leafield. *Tyl* 6A **38**
Lea Fld. Clo. *Rad* 2G **33**
Leaf St. *Bolt* 6G **23**
Lea Ga. Clo. *Bolt* 4H **13**
Leaside Gro. *Wors* 4A **40**
Leavale Clo. *L Hul* 3D **38**
Lecturers Clo. *Bolt* 6D **22**
Lecturers Closes. 5C **22**
Lee Av. *Bolt* 2B **30**
Lee Bank. *W'houg* 5A **28**
Lee Ga. *Bolt* 4H **13**
Lee Gro. *Farn* 5D **30**
Lee La. *Hor* 5C **8**
Lees Cotts. *Tur* 5G **3**
Lees Dri. *W'houg* 4A **28**
Lees Rd. *And* 1F **7**
Lees St. *Swin* 6H **41**
Lee St. *Ath* 5D **36**
Leewood. *Swin* 3F **41**
Le Gendre St. *Bolt* 2F **23**
   (in two parts)
Leicester Av. *Hind* 1B **34**
Leicester Av. *Hor* 6C **8**
Leicester Rd. *Tyl* 5G **37**
Leigh Clo. *T'ton* 2G **15**
Leigh Comn. *W'houg* 4G **27**
Leigh La. *Bury* 6F **15**
   (in two parts)
Leigh Rd. *Ath* 6A **36**
Leigh Rd. *Hind* 6D **34**
Leigh Rd. *W'houg* 5H **27**
   (in three parts)
Leigh St. *Asp* 2B **26**
Leigh St. *Farn* 5H **31**
Leigh St. *Hind* 6D **34**
Leigh St. *Wals* 5H **15**
Leigh St. *W'houg* 4G **27**
Leighton Av. *Ath* 4B **36**

Leighton Av. *Bolt* 3H **21**
Leighton St. *Ath* 4B **36**
Leinster St. *Farn* 5G **31**
Le Mans Cres. *Bolt* 4D **22**
Lemon St. *Tyl* 6F **37**
Lena St. *Bolt* 1D **22**
Lenham Gdns. *Bolt* 5A **24**
Lennox Gdns. *Bolt* 6F **21**
Lenora St. *Bolt* 1H **29**
Leonard St. *Bolt* 2C **30**
Leslie St. *Bolt* 2F **23**
Lester Rd. *L Hul* 3B **38**
Letitia St. *Hor* 6C **8**
Leven Clo. *Kear* 2D **40**
Levens Dri. *Bolt* 2A **24**
Lever Bri. Pl. *Bolt* 6G **23**
Lever Chambers. *Bolt* 5D **22**
Lever Clo. *Tyl* 6F **37**
Lever Clo. *Bolt* 2C **30**
Lever Edge. 2C **30**
Lever Edge La. *Bolt* 3A **30**
Lever Gdns. *L Lev* 1C **32**
Lever Gro. *Bolt* 6E **23**
Lever Hall Rd. *Bolt* 4H **23**
Leverhulme Av. *Bolt* 2E **31**
Leverhulme Pk. Athletics
   Stadium. 5H **23**
Lever Pk. 1C **8**
   (Country Pk.)
Lever Pk. Av. *Hor* 4C **8**
Lever St. *Bolt* 1C **30**
   (in three parts)
Lever St. *L Lev* 1C **32**
Lever St. *Rad* 6H **25**
Lever St. *Tyl* 6F **37**
Lever St. *W'houg* 2G **27**
Levi St. *Bolt* 2F **21**
Lewis Clo. *Adl* 3C **6**
Lewisham Ho. *Bolt* 2B **22**
Leybourne St. *Bolt* 1C **22**
Leyburn Gro. *Farn* 4H **31**
Leyland Av. *Hind* 4A **34**
Leyton Clo. *Farn* 4E **31**
Library St. *W'houg* 5H **27**
Libra St. *Bolt* 1B **22**
Lichfield Av. *Bolt* 1F **23**
Lichfield Clo. *Farn* 5E **31**
Lichfield Clo. *Rad* 6F **25**
Lichfield Rd. *Rad* 6F **25**
Lidgate Gro. *Farn* 5G **31**
Lidget Clo. *L Hul* 2G **39**
Lightbounds Rd. *Bolt* 6F **11**
Lightburne Av. *Bolt* 4H **21**
Lightwood Clo. *Farn* 4A **32**
Lilford St. *Ath* 5D **36**
Lilly St. *Bolt* 3B **22**
Lily Av. *Farn* 4F **31**
Limefield Av. *Farn* 4H **31**
Limefield Clo. *Bolt* 5H **11**
Limefield Rd. *Bolt* 5G **11**
Limefield Rd. *Rad* 2F **33**
Lime Gro. *Hind* 4B **34**
Lime Gro. *Wors* 6H **39**
Limesdale Clo. *Brad F* . . . 6D **24**
Lime St. *Ath* 4H **35**
Lime St. *Farn* 5A **32**
Lime St. *Tyl* 6F **37**
Linacre Av. *Bolt* 3C **30**
Lincoln Av. *L Lev* 3C **32**
Lincoln Clo. *Tyl* 5G **37**
Lincoln Dri. *Asp* 6G **17**
Lincoln Gro. *Ath* 4B **36**
Lincoln Gro. *Bolt* 5B **14**
Lincoln Mill Enterprise Cen.
   Bolt 5A **22**
Lincoln Rd. *Bolt* 3H **21**
Lincoln Rd. *Hind* 2A **34**
Lincoln St. *Bolt* 2D **22**
Lincroft Rd. *Hind* 4C **34**
Lindale Av. *Bolt* 3F **21**
Linden Av. *Ath* 5B **36**
Linden Av. *L Lev* 6C **24**
Linden Gro. *Bolt* 6A **26**
Linden Wlk. *Bolt* 4F **13**
Lindfield Dri. *Bolt* 2C **22**
Lindisfarne Pl. *Bolt* 1G **23**
Lindley St. *Kear* 1D **40**

Lindley St. *L Lev* 2D **32**	Longsight. *Bolt* 4A **14**	Lower Tong. *Brom X* 2D **12**
Lindrick Ter. *Bolt* 6B **22**	Longsight La. *Bolt* 6H **13**	Lwr. Wood La. *Bolt* 2F **23**
Lindsay St. *Hor* 2F **19**	(in two parts)	Lowe St. *Rad* 1H **33**
Lindsay Ter. *Asp* 6F **17**	Longsight Lodge. *Bolt* 5A **14**	Loweswater Rd. *Farn* 6C **30**
(in two parts)	**Longsight Pk. Arboretum.**	Lowick Av. *Bolt* 2E **31**
Lindy Av. *Swin* 4H **41**	. . . . 5G **13**	Low Grn. *Ath* 2F **37**
Linfield Clo. *Bolt* 5H **13**	Longsight Rd.	Lowndes St. *Bolt*. 3H **21**
Ling Dri. *Ath* 5D **36**	Rams & G'mnt 4H **5**	Lowry Dri. *Swin* 6H **41**
Lingfield Clo. *Farn* 6G **31**	Longson St. *Bolt* 2E **23**	Lowry Wlk. *Bolt* 2B **22**
Lingmell Clo. *Bolt* 3F **21**	Longtown Gdns. *Bolt*. 1C **22**	Lowside Av. *Bolt*. 5C **20**
Lingmoor Rd. *Bolt*. 2F **21**	(off Gladstone St.)	Lowther Clo. *Eger* 6C **2**
Links Dri. *Los* 4B **20**	Longview Dri. *Swin* 6E **41**	Lowther St. *Bolt* 3E **31**
Links Rd. *Bolt* 6C **14**	Longworth Av. *B'rod* 6G **7**	Lowton St. *Rad*. 1H **33**
Links Rd. *Los* 4B **20**	Longworth Clough. *Eger* 5B **2**	Loxham St. *Bolt* 3H **31**
Linkway, The. *Hor* 3F **19**	Longworth La. *Eger*. 5A **2**	Lucas Rd. *Farn* 5E **31**
Linnets Wood M. *Wors* 4A **40**	Longworth Rd. *Eger* 4A **2**	Luciol Clo. *Tyl* 6A **38**
Linnyshaw. **4B 40**	Longworth Rd. *Hor* 5E **9**	Lucy St. *Bolt*. 6A **22**
Linnyshaw Ind. Est.	Longworth St. *Bolt* 4G **23**	Ludlow Av. *Hind* 3C **34**
Wors 4B **40**	Lonsdale Gro. *Farn* 5G **31**	Ludovic Ter. *Wigan* 6A **16**
Linnyshaw La. *Wors* 3A **40**	Lonsdale Rd. *Bolt* 3H **21**	Luke Kirby Ct. *Swin*. 6H **41**
Linslade Gdns. *Bolt*. 6C **22**	Lord Av. *Ath* 6F **37**	Luke St. *Bolt* 6C **22**
Linstock Way. *Ath* 4B **36**	Lord Gro. *Ath* 6F **37**	Lulworth Dri. *Hind*. 3C **34**
Linthorpe Wlk. *Bolt* 1H **29**	Lord St. *Ath* 6E **37**	Lulworth Rd. *Bolt*. 2G **29**
Linton Va. Rad 5D **32**	Lord St. *Hind* 3A **34**	Lumb Carr Av. *Rams*. 3H **5**
(off Market St.)	Lord St. *Hor* 5D **8**	Lumb Carr Rd. *Holc* 4H **5**
Lion La. *B'rod* 1G **17**	Lord St. *Kear*. 5A **32**	Lumsden St. *Bolt* 6C **22**
Liscard St. *Ath* 4B **36**	Lord St. *L Lev* 2D **32**	Lum St. *Bolt* 3E **23**
Lismore Av. *Bolt* 6F **21**	Lord St. *Rad* 2H **33**	Lumwood. *Bolt*. 6H **13**
Lister St. *Bolt* 2H **29**	Lord St. *W'houg* 4G **27**	Lune St. *Tyl* 6F **37**
Litherland Rd. *Bolt* 3C **30**	Lorne St. *Bolt* 4D **22**	Lupin Av. *Farn* 4E **31**
Littlebourne Wlk. *Bolt* 3E **13**	Lorne St. *Farn* 3G **31**	Lurdin La. *Stand* 4A **16**
Little Brow. *Brom X* 2E **13**	Lorton Gro. *Bolt* 3B **24**	Luton Gro. *Ath* 4B **36**
Lit. Factory St. *Tyl* 6F **37**	**Lostock.** **6C 20**	Luton St. *Bolt* 1E **31**
Little Ga. *W'houg* 2G **35**	Lostock Dene. *Los*. 3B **20**	Lychgate Ct. *Bolt*. 3A **24**
Lit. Harwood Lee. *Bolt*. 6H **13**	**Lostock Hall Fold.** **4H 19**	Lydbrook Clo. *Bolt*. 5C **22**
Little Hulton. **3E 39**	Lostock Ind. Est. *Los*. . . . 4F **19**	Lydford Gdns. *Bolt* 6B **24**
Little Lever. **2D 32**	(Cranfield Rd.)	Lydgate Av. *Bolt* 3B **24**
Little Meadow. *Eger*. 2D **12**	Lostock Ind. Est. *Los* 5G **19**	Lydgate Clo. *Bolt* 2D **30**
Lit. Moor Clough. *Eger* 5C **2**	(Lynstock Way)	Lymbridge Dri. *B'rod*. 1H **17**
Lit. Moss La. *Swin* 5H **41**	**Lostock Junction.** **6D 20**	Lymm Clo. *Wors* 4E **39**
Little Scotland. **1F 17**	Lostock Junct. La. *Los* 5C **20**	Lyndene Av. *Wors* 6C **40**
Lit. Scotland. *B'rod* 1F **17**	Lostock La.	Lyndon Clo. *T'ton* 3H **15**
Lit. Stones Rd. *Eger* 5C **2**	W'houg & Los 6F **19**	Lyndsted Av. *Bolt*. 2E **31**
Liverpool Castle. **2B 8**	Lostock Pk. Dri. *Los* 4A **20**	Lynstock Way. *Los* 5G **19**
Livesey Ct. *Bolt*. 2D **22**	Lostock Rd. *W'houg* 1E **27**	Lynton Av. *Swin* 6H **41**
Lobelia Av. *Farn*. 4E **31**	Lottery Row. *Bolt* 4D **22**	Lynton Cres. *Wors* 6H **39**
Locke Ind. Est. Hor 6D **8**	Louisa St. *Bolt* 1C **22**	Lynton Rd. *Bolt* 3A **30**
(off Emmett St.)	Louisa St. *Wors* 3H **39**	Lynton Rd. *Hind* 1B **34**
Lock La. *Los & Bolt* 1C **28**	Louise Gdns. *W'houg* 1G **35**	Lynton Rd. *Swin* 6H **41**
Locomotion Ind. Est. *Hor* 1D **18**	Louvaine Av. *Bolt*. 5F **11**	Lynton Rd. *Tyl*. 6B **38**
Lodge Bank. *Hor*. 1B **18**	Lovalle St. *Bolt* 2A **22**	Lynton Ter. *Rad*. 6D **32**
Lodge Gro. *Ath* 6E **37**	Lovat Rd. *Bolt* 4C **24**	Lynwood Gro. *Ath*. 4B **36**
Lodge Rd. *Ath* 6E **37**	Loveless Ho. Ath. 3D **36**	Lynwood Gro. *Bolt*. 5H **13**
Lodge Vw. Cvn. Pk. *Bolt* . . . 3E **23**	(off Brooklands Av.)	Lyon Gro. *Wors*. 6C **40**
(Mill Hill)	Lovers La. *Ath* 5H **35**	Lyon Rd. *Kear*. 1A **40**
Lodge Vw. Cvn. Pk. *Bolt* . . . 3E **23**	Lowe Av. *Ath* 2C **36**	Lyon Rd. Ind. Est. *Kear* 2A **40**
(Nicholas St.)	Lowe Mill La. *Hind* 2A **34**	Lytton St. *Bolt* 1B **22**
Loen Cres. *Bolt* 6A **12**	Lower Austin's. *Hor*. 2H **19**	
Logan St. *Bolt* 4C **12**	Lwr. Bridgeman St. *Bolt*. . . . 5E **23**	
Lomax's Bldgs. *Bolt* 5D **22**	Lowercroft Dri. *Bury* 1H **25**	**M**
Lomax St. *Bolt* 1C **22**	Lowercroft Rd. *Bury* 1G **25**	
Lomax St. *Farn* 4G **31**	Lwr. Darcy St. *Bolt* 6G **23**	Mabel Av. *Bolt*. 2E **31**
Lomax St. *G'mnt* 6H **5**	Lwr. Drake Fold. *W'houg* . . . 2G **35**	Mabel's Brow. *Kear* 6A **32**
Lombard St. *Ath* 4B **36**	Lower Fold. *Bolt* 5B **14**	(in two parts)
Lomond Pl. *Bolt* 5E **21**	Lwr. Goodwin Clo. *Bolt*. . . . 6A **14**	Mabel St. *Bolt*. 3A **22**
London St. *Bolt* 1C **30**	Lwr. Goodwin Fold. *Bolt* . . . 6A **14**	Mabel St. *W'houg* 1H **35**
Long Causeway. *Farn* 6H **31**	Lwr. House Dri. *Los*. 4C **20**	Macdonald Av. *Farn* 6E **31**
Longcliffe Wlk. *Bolt*. 1D **22**	Lwr. House Wlk. *Brom X* . . . 1E **13**	Mackenzie Gro. *Bolt* 5B **12**
Longden St. *Bolt* 3A **22**	Lower Knotts. *Bolt* 3B **14**	Mackenzie St. *Bolt*. 4B **12**
Longfellow Av. *Farn*. 2H **29**	Lower Landedmans.	Madams Wood Rd.
Longfield Rd. *Bolt* 3G **29**	W'houg 6H **27**	Wors 4D **38**
Longford Av. *Bolt* 1A **22**	Lwr. Leigh Rd. *W'houg* 2H **35**	Madeley Gdns. *Bolt* 1C **22**
Longhirst Clo. *Bolt* 6H **11**	Lwr. Makinson Fold. *Hor* . . . 2F **19**	Madeline St. *Bolt* 3H **31**
Longhurst Rd. *Hind*. 3B **34**	Lower Marlands. *Brom X* . . . 1D **12**	Mafeking Rd. *Bolt*. 4A **24**
Long La. *Bolt* 6H **23**	Lower Mead. *Eger*. 6D **2**	Maidstone Clo. *Leigh*. 5E **35**
Long La. *Hind* 3C **34**	Lower Meadow. *Tur*. 1H **3**	Makants Clo. *Ath* 2F **37**
Long La. *W'houg* 3E **27**	Lower New Row. *Wors*. 6E **39**	Makants Clo. *Tyl* 6C **38**
(in two parts)	**Lower Pools.** **1G 21**	Makant St. *Bolt* 6A **12**
Longley Rd. *Wors* 5H **39**	Lower Pools. *Bolt* 1G **21**	Makinson Av. *Hind* 6A **26**
Long Mdw. *Brom X* 2G **13**	Lwr. Rawson St. *Farn* 4A **32**	Makinson Av. *Hor* 1G **19**
Longridge. *Brom X* 1G **13**	Lower Southfield.	Makinson La. *Hor*. 5H **9**
Longridge Cres. *Bolt* 1F **21**	W'houg 6G **27**	Malcolm Av. *Swin* 5H **41**
Longridge Dri. *Bury*. 3H **25**	Lower St. *Farn* 6G **31**	Malcolm Dri. *Swin*. 5H **41**
Longshaw Av. *Swin*. 6H **41**	Lwr. Sutherland St. *Swin*. . . . 6G **41**	Maldon Clo. *L Lev* 2C **32**
Longshaw Dri. *Wors* 3E **39**		Maldwyn Av. *Bolt* 3H **29**
Longshaw Ford Rd. *Bolt* 4E **11**		

Malham Gdns. *Bolt* 2A **30**	Market Pl. *Ath*. 4D **36**
Mallard Dri. *Hor* 6C **8**	Market Pl. *Bolt* 3D **22**
Mallett Cres. *Bolt* 1F **21**	Market Pl. *Farn* 5H **31**
Mallison St. *Bolt* 6D **12**	Market Precinct. *Farn* 5H **31**
Mallowdale Clo. *Bolt* 4D **20**	Market St. *Adl* 3E **7**
Maltby Dri. *Bolt* 2A **30**	Market St. *Ath* 4C **36**
Malton Av. *Bolt* 1G **29**	Market St. *Bolt* 4D **22**
Malvern Av. *Ath* 2F **37**	Market St. *Farn* 4H **31**
Malvern Av. *Bolt* 2G **21**	Market St. *Hind*. 2A **34**
Malvern Av. *Hind*. 3C **34**	Market St. *L Lev* 3D **32**
Malvern Clo. *Farn* 5D **30**	Market St. *Rad* 5D **32**
Malvern Clo. *Hor* 4E **9**	Market St. *Swin* 6H **41**
Malvern Gro. *Wors* 4H **39**	Market St. *T'ton* 2H **15**
Manchester Rd. *B'rod* 1H **17**	
Manchester Rd.	
Bolt & Bolt 5E **23**	
Manchester Rd. *Farn* 5A **32**	
Manchester Rd.	
Kear & Swin 1C **40**	
Manchester Rd. *Tyl*. 6G **37**	
Manchester Rd. *W'houg* 4B **18**	
Manchester Rd. E. *L Hul* 3E **39**	
Manchester Rd. W.	
L Hul 1B **38**	
Mancroft Av. *Bolt* 1B **30**	
Mancroft Ter. *Bolt* 1B **30**	
Mandeville Ter. *Hawk*. 5D **4**	
Mandley Clo. *L Lev* 6C **24**	
Mandon Clo. *Rad* 6G **25**	
Manley Av. *Swin*. 3G **41**	
Manley Cres. *W'houg* 4B **28**	
Manley Row. *W'houg* 5B **28**	
Manley Ter. *Bolt*. 5C **12**	
Manningham Rd. *Bolt* 6H **21**	
Manor Av. *L Lev* 2E **33**	
Manor Ct. *Bolt*. 5H **13**	
Manorfield Clo. *Bolt* 2G **21**	
Manor Fold. *Ath* 4C **36**	
Manor Ga. Rd. *Bolt* 3C **24**	
Manor Gro. *Asp* 6F **17**	
Manorial Dri. *L Hul* 2C **38**	
Manor Rd. *Hind*. 2B **34**	
Manor Rd. *Hor*. 5F **9**	
Manor St. *Bolt* 4D **22**	
Manor St. *Farn* 6G **31**	
Manor St. *Kear* 2D **40**	
Mansell Way. *Hor* 2F **19**	
Mansfield Gro. *Bolt* 2H **21**	
Maple Av. *Ath* 3B **36**	
Maple Av. *Bolt*. 2H **21**	
Maple Av. *Hind* 4B **34**	
Maple Av. *Wors*. 2G **19**	
Maple Clo. *Kear*. 2B **40**	
Maple Gro. *T'ton* 4H **15**	
Maple Gro. *Wors*. 6H **39**	
Maple Rd. *Farn*. 5E **31**	
Maple St. *Bolt* (BL2) 4G **13**	
Maple St. *Bolt* (BL3) 6B **22**	
Maplewood Gdns. *Bolt* 1C **22**	
Maplewood Ho. *Bolt* 2C **22**	
Marcus St. *Bolt*. 2H **21**	
Mardale Av. *Swin*. 5E **41**	
Mardale Clo. *Ath* 2C **36**	
Mardale Clo. *Bolt* 2B **24**	
Mardale Dri. *Bolt*. 2B **24**	
Margaret St. *Hind* 1A **34**	
Margrove Chase. *Los* 6C **20**	
Maria St. *Bolt* 1C **22**	
Marion St. *Bolt* 3G **31**	
Market Hall. *Bolt*. 4D **22**	

Market St.—Moor Way

Market St. Tyl 6F 37
(Charles St.)
Market St. Tyl 6F 37
(Shuttle St.)
Market St. W'houg 5G 27
Markland Hill 3E 21
Markland Hill. Bolt 3E 21
Markland Hill Clo. Bolt 2F 21
Markland Hill La. Bolt 2E 21
Markland St. Bolt 5D 22
Marlborough Gdns. Farn 5E 31
Marlborough Rd. Ath 3E 37
Marlborough St. Bolt 3A 22
Marlbrook Dri. W'houg 2G 35
Marlbrook Wlk. Bolt 1D 30
Marld Cres. Bolt 1F 21
Marled Hey. Tur 2H 3
Marlow Clo. Bolt 2B 24
Marlow Ct. Adl 3D 6
Marlwood Rd. Bolt 1F 21
Marnland Gro. Bolt 1E 29
Marple Av. Bolt 5E 13
Mars Av. Bolt 2A 30
Marsden Rd. Bolt 4C 22
Marsden St. W'houg 5G 27
Marsden St. Wors 5D 40
Marsden Wlk. Rad 1H 33
Marsham Rd. W'houg 1H 35
Marshbank. W'houg 4G 27
Marshbrook Clo. Hind 1C 34
Marsh Brook Fold. W'houg 6C 26
Marshdale Rd. Bolt 3F 21
Marsh Fold La. Bolt 3A 22
Marsh Hey Clo. L Hul 1D 38
Marsh La. Farn 5E 31
Marsh La. L Lev 1D 32
Marsh Rd. L Hul 3F 39
Marsh Rd. L Lev 1C 32
Marsh Row. Hind 3C 34
Marsh St. Bolt 1C 22
Marsh St. Hor 5C 8
Marsh St. W'houg 4G 27
Marsh St. Wors 5B 40
Mars St. Tur 1A 4
Marston Clo. Los 3H 19
Martha St. Bolt 1B 30
Martin Av. Farn 6D 30
Martin Av. L Lev 2E 33
Martindale Gdns. Bolt 1C 22
Martin Gro. Kear 6B 32
Martinsclough. Los 5C 20
Martins Ct. Hind 1C 34
Martin St. Ath 4D 36
Martin St. Tur 3H 3
Martlew Dri. Ath 3F 37
Marton Av. Bolt 3G 23
Marton Dri. Ath 3E 37
Marwood Clo. Rad 5C 32
Mary Hulton Ct. W'houg 5A 28
Maryland Av. Bolt 4H 23
Mary St. Farn 6H 31
Mary St. Tyl 6G 37
Mary St. E. Hor 5D 8
Mary St. W. Hor 5C 8
Masbury Clo. Bolt 2C 12
Masefield Av. Rad 1G 33
Masefield Dri. Farn 6F 31
Masefield Rd. L Lev 1D 32
Mason Clough. Bolt 4D 12
Mason Gdns. Bolt 5C 22
Mason La. Ath 5E 37
Mason Row. Eger 5B 2
Mason St. Eger 6C 2
Mason St. Hor 6C 8
Matchmoor La. Hor 5H 9
Matherbank. W'houg 2H 35
(off Lwr. Leigh Rd.)
Mather Fold Cotts. Eger 1C 12
Mather Fold Rd. Wors 6F 39
Mather St. Ath 4D 36
Mather St. Bolt 5C 22
Mather St. Kear 5A 32
Matlock Clo. Ath 5D 36
Matlock Clo. Farn 4A 32
Matthews Av. Kear 6B 32
Maud St. Bolt 4G 13
Maunby Gdns. L Hul 4G 39
Mawdsley St. Bolt 4D 22
Maxton Ho. Farn 5A 32
Maxwell St. Bolt 5C 12
Maybank St. Bolt 6B 22
Maybreck Clo. Bolt 6A 22
Mayfair. Hor 6F 9
Mayfair Av. Rad 1F 33
Mayfair Dri. Asp 3A 26
Mayfair Dri. Ath 3F 37
Mayfield. Bolt 4H 13
Mayfield. Rad 3G 33
Mayfield Av. Adl 2E 7
Mayfield Av. Bolt 2F 31
Mayfield Av. Farn 6G 31
Mayfield Av. Wors 4H 39
Mayfield Rd. Rams 5H 5
Mayfield St. Ath 4C 36
Mayflower Cotts. Stand 3A 16
Mayhill Dri. Wors 6C 40
Mayor St. Bolt 5B 22
(in two parts)
May St. Bolt 4E 23
May St. Tur 1A 4
Maze St. Bolt 6G 23
(in two parts)
McDonna St. Bolt 6A 12
McKean St. Bolt 1E 31
Meade, The. Bolt 3C 30
Meadland Gro. Bolt 5D 12
Meadowbank Av. Ath 3E 37
Meadowbank Rd. Bolt 3H 29
Meadowbrook Clo. Los 2C 28
Meadow Clo. L Lev 3D 32
Meadowcroft. Rad 6H 25
Meadowcroft. W'houg 6H 27
Meadowfield. Los 4B 20
Meadow La. Bolt 4C 24
Meadow Pit La. Haigh 3C 16
Meadowside Av. Bolt 3G 23
(in two parts)
Meadowside Av. Wors 3A 40
Meadowside Clo. Rad 6H 25
Meadowside Gro. Wors 4A 40
Meadowside Rd. Hind 3B 34
Meadows La. Bolt 6B 14
Meadows, The. Rad 6G 25
Meadow St. Adl 3E 7
Meadow, The. Bolt 4C 20
Meadow Wlk. Farn 5E 31
Meadow Way. B'rod 2A 18
Meadow Way. T'ton 3G 15
Meadow Way. Tur 1H 3
Meads Gro. Farn 5B 30
Meadway. Farn 4B 32
Meadway. Tyl 6B 38
Mealhouse Ct. Ath 4C 36
Mealhouse La. Ath 4C 36
Mealhouse La. Bolt 4D 22
Meanley St. Tyl 6G 37
Medlock Clo. Farn 5F 31
Medway Clo. Hor 6F 9
Medway Dri. Hor 6F 9
Medway Dri. Kear 2D 40
Medway Rd. Wors 6F 39
Megfield. W'houg 1G 35
Melbourne Clo. Hor 6E 9
Melbourne Gro. Hor 6E 9
Melbourne Rd. Bolt 6H 21
Melbury Dri. Los 3H 19
Melford Ho. Bolt 2C 22
(off Nottingham Dri.)
Meliden Cres. Bolt 2H 21
Mellor Dri. Wors 6G 39
Mellor Gro. Bolt 2H 21
(in two parts)
Melrose Av. Bolt 2G 21
Melrose Av. Leigh 6F 35
Melrose Gdns. Rad 6G 25
Melrose Rd. L Lev 2B 32
Melrose Rd. Rad 6G 25
Meltham Pl. Bolt 1B 30
(off Bk. Willows La.)
Melton Clo. Wors 5G 39
Melton Row. Rad 1H 33
(off Melton St.)
Melton St. Rad 1H 33
Melton Wlk. Rad 1H 33
(off Melton St.)
Melton Way. Rad 1H 33
(off Melton St.)
Melville Rd. Kear 1B 40
Melville St. Bolt 1E 31
Memorial Rd. Wors 5H 39
Menai St. Bolt 1H 29
Mendip Clo. Bolt 4C 24
Mendip Clo. Hor 4E 9
Mendip Dri. Bolt 5C 24
Mercia St. Bolt 6A 22
Mere Bank Clo. Wors 4G 39
Mereclough Av. Wors 6B 40
Meredith St. Bolt 2D 30
Mere Dri. Swin 5H 41
Merefold. Hor 6B 8
Mere Fold. Wors 4F 39
Mere Gdns. Bolt 3C 22
Merehall Clo. Bolt 3C 22
Merehall Dri. Bolt 2C 22
Merehall St. Bolt 2B 22
Meremanor. Wors 6B 40
Mereside Gro. Wors 4A 40
Mere Wlk. Bolt 3C 22
Meriden Clo. Rad 5H 25
Meriden Gro. Los 5D 20
Merlin Gro. Bolt 2H 21
(in two parts)
Merrion St. Farn 3G 31
Mersey Clo. Hind 4E 35
Merton Clo. Bolt 6A 22
Mesne Lea Rd. Wors 6A 40
Metal Box Way. W'houg 3H 27
Metcalfe Ct. L Hul 3D 38
Metcalf's Yd. B'rod 1H 17
Metcalf Ter. A'wth 2F 25
Metfield Pl. Bolt 3A 22
Methwold St. Bolt 1A 30
Mews, The. Bolt 3H 21
Mickleton. Ath 3E 37
Middlebrook Dri. Los 5C 20
Middlebrook Retail & Leisure Pk. Los 3F 19
Middlefell St. Farn 3H 31
Middle Row. Haigh 2B 16
Middleton Clo. Rad 4H 25
Middle Turn. Tur 1H 3
Midford Dri. Bolt 2C 12
Midhurst Clo. Bolt 2C 22
Milburn Dri. Bolt 3B 24
Mile La. Bury 2H 25
Miles St. Bolt 1B 22
Miles St. Farn 5G 31
Milford Rd. Bolt 2C 30
Milford Rd. Har 5B 14
Milk St. Tyl 6G 37
Millbeck Gro. Bolt 1C 30
Millbrook Av. Ath 2E 37
Millbrook Ho. Farn 5A 32
Millbrook Row. Hth C 1F 7
Mill Cft. Bolt 3B 22
Milldale Clo. Ath 4C 36
Milldale Clo. Los 4B 20
Millennium Ct. Bolt 2H 29
Miller's La. Ath 5D 36
(in two parts)
Miller St. B'rod 4A 18
Miller St. Bolt 5C 12
Miller St. Rad 5H 25
Millfield Rd. Bolt 4C 24
Millgate. Eger 5B 2
Mill Hill 3E 23
Mill Hill. L Hul 1C 38
Mill Hill Cvn. Pk. Bolt 3E 23
(off Mill Hill St.)
Mill Hill St. Bolt 3E 23
Mill La. Asp 2B 26
Mill La. Hor 5F 9
Mill La. Los 4H 19
(in two parts)
Mill La. W'houg 2G 35
Millstone Rd. Bolt 2F 21
Mill St. Adl 1E 7
Mill St. Bolt 4E 23
Mill St. Brom X 1D 12
Mill St. Farn 5G 31
Mill St. Hind 1A 34
Mill St. T'ton 2H 15
(in two parts)
Mill St. Tyl 6E 37
Mill St. W'houg 5H 27
Mill St. Ind. Est. Bolt 4E 23
Mill Yd. Hor 5F 9
Milner St. Rad 2G 33
Milnholme. Bolt 6H 11
Milnthorpe Rd. Bolt 3A 24
Milsom Av. Bolt 2A 30
Milton Av. Bolt 2H 29
Milton Av. L Lev 1D 32
Milton Clo. Ath 2D 36
Milton Cres. Farn 1F 39
Milton Rd. Rad 1F 33
Milton Rd. Swin 6F 41
Milverton Clo. Los 6D 20
Mimosa Dri. Swin 5H 41
Minehead Av. Leigh 5F 35
Minerva Rd. Farn 4D 30
Minnie St. Bolt 2A 30
Minorca St. Bolt 1C 30
Minster Clo. Bolt 1G 23
Minster Rd. Bolt 1G 23
Miriam St. Bolt 1H 29
Miry La. W'houg 2F 35
(Hindley Rd., in three parts)
Miry La. W'houg 6G 27
(Lower Southfield)
Mitre St. Bolt 5C 12
Mitton Clo. Bury 1G 25
Mobberley Rd. Bolt 3H 23
Modbury Ct. Rad 6D 32
Moffat Clo. Bolt 5B 24
Moisant St. Bolt 2B 30
Mold St. Bolt 6C 12
Molyneux Rd. W'houg 4A 28
Moncrieffe St. Bolt 5D 22
(in two parts)
Monks La. Bolt 1H 23
Montague St. Bolt 2H 29
Montcliffe 4G 9
Montfort Clo. W'houg 1F 35
Montgomery Way. Rad 6E 25
Monton St. Bolt 2C 30
Monton St. Rad 2H 33
Montrose Av. Bolt 2G 23
Montrose Av. Rams 5H 5
Montrose Dri. Brom X 2F 13
Montserrat 1E 21
Montserrat Brow. Bolt 1D 20
Montserrat Rd. Bolt 1E 21
Monyash Vw. Hind 4B 34
Moorbottom Rd. Holc 1G 5
Moorby Wlk. Bolt 6D 22
Moor Clo. Rad 6G 25
Moore's Ct. Bolt 3A 22
Moorfield. Tur 1H 3
Moorfield. Wors 6B 40
Moorfield Chase. Farn 6H 31
Moorfield Gro. Bolt 2F 23
Moor Ga. Bolt 4H 13
Moorgate Ct. Bolt 2F 23
Moorgate Rd. Rad 3G 25
Moorhey Rd. L Hul 1D 38
Moorland Dri. Hor 6H 9
Moorland Dri. L Hul 1E 39
Moorland Gro. Bolt 1G 21
Moorlands Vw. Bolt 3G 29
Moor La. Bolt 5C 22
Moor La. Leigh 6G 35
Moor Platt Clo. Hor 6H 9
Moor Rd. Holc 1H 5
(in two parts)
Moorside 6F 41
Moorside. Asp 6G 17
Moorside Av. A'wth 2F 25
Moorside Av. Bolt 1G 21
(in two parts)
Moorside Av. Farn 6F 31
Moorside Av. Hor 5E 9
Moorside Rd. Swin 6F 41
Moorside Rd. T'ton 3G 15
Moorside Vw. T'ton 3H 15
Moor St. Asp 6H 17
Moor Way. Hawk 4D 4

Morar Dri. *Bolt* 4C **24**
Morelands, The. *Bolt* 4G **21**
Morley Rd. *Rad* 1F **33**
Morley St. *Ath* 4C **36**
Morley St. *Bolt* 5B **22**
Mornington Rd. *Adl* 1F **7**
Mornington Rd. *Ath* 1F **37**
Mornington Rd. *Bolt* 3H **21**
Mornington Rd. *Hind* 2B **34**
Morris Fold Dri. *Los* 5C **20**
Morris Green. 3A 30
Morris Grn. *Bolt* 3A **30**
Morris Grn. Bus. Pk.
  Bolt 1A **30**
Morris Grn. La. *Bolt* 2A **30**
Morris Grn. La. *Bolt* 3A **30**
Morrison St. *Bolt* 2C **30**
Morris St. *Bolt* 4E **23**
Morris St. *Tyl* 6F **37**
Mort Ct. *Bolt* 6A **12**
Mortfield Gdns. *Bolt* 3B **22**
Mortfield La. *Bolt* 3B **22**
  (Chorley Old Rd.)
Mortfield La. *Bolt* 2B **22**
  (Eskrick St.)
Mort Fold. *L Hul* 2E **39**
Mortlake Clo. *Wors* 4D **38**
Mort La. *Tyl* 6C **38**
Mortons, The. *W'houg* 3G **27**
Mort St. *Farn* 5F **31**
Mort St. *Hind* 2C **34**
Mort St. *Hor* 5D **8**
Morven Gro. *Bolt* 4B **24**
Moses Gate. 3G 31
Moses Gate Country Pk. . . 1H 31
Moses Ga. Workshops.
  Bolt 3G **31**
Mosley St. *Rad* 1H **33**
Moss Bank Clo. *Bolt* 5B **12**
Moss Bank Gro. *Swin* 5F **41**
Moss Bank Rd. *Swin* 5F **41**
Moss Bank Trad. Est.
  Wors 3A **40**
Moss Bank Way. *Bolt* 2E **21**
Mossbrook Dri. *L Hul* 1C **38**
Moss Clo. *Rad* 6F **25**
Moss Colliery Rd. *Swin* . . . 4G **41**
Mossdale Av. *Bolt* 4D **20**
Moss Dri. *Hor* 6H **9**
Mossfield Ct. *Bolt* 3C **22**
Mossfield Rd. *Farn* 5F **31**
Mossfield Rd. *Kear* 2B **40**
Mossfield Rd. *Swin* 5G **41**
Mossland Gro. *Bolt* 3D **28**
Moss La. *B'rod* 1B **18**
Moss La. *Bolt* 6G **11**
Moss La. *Kear* 2D **40**
Moss La. *Swin* 5F **41**
Moss La. *Wors* 3A **40**
  (in two parts)
Moss Lea. *Bolt* 5B **12**
  (in two parts)
Moss Mdw. *W'houg* 3G **27**
Moss Rd. *Kear* 6A **32**
  (in two parts)
Moss Shaw Way. *Rad* 6F **25**
  (in two parts)
Moss St. *Farn* 4A **32**
Moss Vw. Rd. *Bolt* 3A **24**
Mottershead Av. *L Lev* 1C **32**
Mottram M. *Hor* 5D **8**
Mottram St. *Hor* 5D **8**
Mountain Gro. *Wors* 3G **39**
Mountain St. *Wors* 3G **39**
Mountfield Wlk. *Bolt* 2C **22**
  (in two parts)
Mountmorres Clo. *Bolt* . . . 6F **29**
Mount Pleasant. *Adl* 1E **7**
Mount Pleasant. *Bolt* 6G **23**
Mount Pleasant. *Tur* 2H **3**
Mt. Pleasant Rd. *Farn* 5D **30**
Mt. Pleasant St. *Hor* 2F **19**
Mt. Pleasant Wlk. *Rad* 1H **33**
  (in two parts)
Mt. St Joseph's Rd. *Bolt* . . 6H **21**
Mt. Sion Rd. *Rad* 3F **33**
Mt. Skip La. *L Hul* 3E **39**

Mount St. *Bolt* 2C **22**
Mount St. *Hor* 1F **19**
Mowbray St. *Bolt* 2H **21**
Moyse Av. *Wals* 5H **15**
Muirfield Clo. *Bolt* 2F **29**
Mule St. *Bolt* 3E **23**
Mulgrave St. *Bolt* 3A **30**
Mulgrave St. *Swin* 6F **41**
Mulliner St. *Bolt* 2D **22**
Mullineux St. *Wors* 5H **39**
Murray St. *Ath* 5B **36**
Murton Ter. *Bolt* 5C **12**
Muscle & Fitness Gymnasium.
  . . . . 5H **41**
Musgrave Gdns. *Bolt* 3A **22**
Musgrave Rd. *Bolt* 3A **22**
Mycroft Clo. *Leigh* 6G **35**
Myrrh St. *Bolt* 6C **12**
Myrrh Wlk. *Bolt* 6C **12**
  (off Myrrh St.)
Myrtle St. *Bolt* 3B **22**
Mytham Gdns. *L Lev* 3D **32**
Mytham Rd. *L Lev* 2D **32**
Mytton Rd. *Bolt* 5H **11**

N

Nabbs Fold. *G'mnt* 4H **5**
Nabbs Way. *G'mnt* 6H **5**
Nandywell. *L Lev* 2D **32**
Nantes Ct. *Bolt* 1B **22**
Nantwich Wlk. *Bolt* 1C **30**
Narborough Clo. *Hind* 3A **34**
Narcissus Wlk. *Wors* 4D **38**
Nasmyth St. *Hor* 6E **9**
Naylor St. *Ath* 5C **36**
Near Hey Clo. *Rad* 2G **33**
Neasden Gro. *Bolt* 6A **22**
Neath Fold. *Bolt* 2B **30**
Nebo St. *Bolt* 1B **30**
Nebraska St. *Bolt* 2C **22**
Neilston Ri. *Bolt* 4D **20**
Nell St. *Bolt* 5C **12**
Nel Pan La. *Leigh* 6E **35**
Nelson Fold. *Swin* 6H **41**
Nelson Sq. *Bolt* 4D **22**
Nelson St. *Ath* 3B **36**
  (in two parts)
Nelson St. *Bolt* 6E **23**
Nelson St. *Farn* 5A **32**
Nelson St. *Hind* 1A **34**
Nelson St. *Hor* 6F **9**
Nelson St. *L Lev* 2D **32**
Nelson St. *Tyl* 6H **37**
Nene Gro. *Hind* 3A **34**
Nesbit St. *Bolt* 6F **13**
Neston Av. *Bolt* 4D **12**
Neston Rd. *Wals* 5H **15**
Nethercott Ct. *Tyl* 6E **37**
Netherfield Rd. *Bolt* 3B **30**
Netherton Gro. *Farn* 3F **31**
Netley Gdns. *Rad* 1G **33**
Nevada St. *Bolt* 2C **22**
Nevern Clo. *Bolt* 3F **21**
Neville Clo. *Bolt* 3C **22**
Nevis Gro. *Bolt* 4B **12**
Nevy Fold Av. *Hor* 6H **9**
Newark Av. *Rad* 6E **25**
New Bank St. *Tyl* 6G **37**
New Barn St. *Bolt* 2H **21**
Newbeck Clo. *Hor* 2F **19**
Newbridge Gdns. *Bolt* 5A **14**
New Briggs Fold. *Eger* 5C **2**
Newbrook Rd.
  Ath & Bolt 2F **37**
New Brunswick St. *Hor* . . . 6D **8**
New Bury. 6G 31
Newbury Rd. *L Lev* 2B **32**
Newbury Wlk. *Bolt* 2C **22**
Newby Rd. *Bolt* 2A **24**
New Chapel La. *Hor* 1G **19**
New Church Rd. *Bolt* 1F **21**
Newcombe Dri. *L Hul* 1D **38**
New Ct. Dri. *Eger* 4B **2**
New Drake Grn. *W'houg* . . 2G **35**
Newearth Rd. *Wors* 6F **39**

New Ellesmere App.
  Wors 3G **39**
Newenden Rd. *Wigan* 6A **16**
Newfield Clo. *Rad* 2G **33**
Newfield Ct. *W'houg* 4G **27**
Newgate Dri. *L Hul* 1D **38**
New Grn. *Bolt* 3A **14**
Newhall Av. *Brad F* 5D **24**
New Hall La. *Bolt* 2G **21**
New Hall M. *Bolt* 2D **20**
Newhall Pl. *Bolt* 3G **21**
Newhart Gro. *Wors* 5G **39**
Newhaven Wlk. *Bolt* 2F **23**
New Heys Way. *Bolt* 3H **13**
New Holder St. *Bolt* 4C **22**
Newholme Gdns. *Wors* . . . 4G **39**
Newington Dri. *Bolt* 2D **22**
Newington Dri. *Bury* 3H **25**
Newington Wlk. *Bolt* 2D **22**
  (in two parts)
Newland Dri. *Bolt* 6F **29**
Newlands Av. *Bolt* 2B **24**
Newlands Dri. *B'rod* 4A **18**
New La. *Bolt* 2H **23**
New La. Ct. *Bolt* 1A **24**
Newlea Clo. *Bolt* 1A **22**
New Lester Way. *L Hul* . . . 3C **38**
New Lodge, The. *Ath* 4C **36**
New Manchester. 6E 39
Newmarket Rd. *L Lev* 3C **32**
New Mdw. *Los* 4C **20**
Newnham St. *Bolt* 6C **12**
Newport M. *Farn* 6H **31**
Newport Rd. *Bolt* 2E **31**
Newport St. *Bolt* (BL1) . . . 4D **22**
Newport St. *Bolt* (BL3) . . . 5D **22**
Newport St. *Farn* 6H **31**
Newport St. *T'ton* 4H **15**
Newquay Av. *Bolt* 2F **25**
New Riven Ct. *L Lev* 1C **32**
  (in two parts)
New Rd. *And* 1H **7**
New Rd. *Haigh* 5E **17**
New Rock. *W'houg* 2H **35**
Newsham Clo. *Bolt* 6B **22**
New Springs. *Bolt* 6H **11**
Newstead Dri. *Bolt* 3G **31**
New St. *B'rod* 1H **17**
New St. *Bolt* 5C **22**
New St. *T'ton* 3H **15**
New Tempest Rd. *Los* 1C **28**
Newton Dri. *G'mnt* 6H **5**
Newton St. *Bolt* 1C **22**
Newton Ter. *Bolt* 1C **22**
Newton Wlk. *Bolt* 1C **22**
Newtown. 5G 41
Newtown Clo. *Swin* 5H **41**
New York. *Bolt* 6F **21**
Neyland Clo. *Bolt* 4F **21**
Nicholas St. *Bolt* 3E **23**
Nicola St. *Eger* 1C **12**
Nightingale Rd. *B'rod* 6G **7**
Nightingale St. *Adl* 1E **7**
Nightingale Wlk. *Bolt* 2D **30**
Nile St. *Bolt* 6D **22**
Ninehouse La. *Bolt* 1D **30**
Ninian Gdns. *Wors* 4H **39**
Nixon Rd. *Bolt* 2A **30**
Nixon Rd. S. *Bolt* 2A **30**
Nob End. 3C 32
Noble St. *Bolt* 6C **22**
Noel St. *Bolt* 4C **22**
Nook Fields. *Bolt* 6A **14**
Norbreck Gdns. *Bolt* 3G **23**
Norbreck St. *Bolt* 3G **23**
Norbury Gro. *Bolt* 5E **13**
Norbury Gro. *Swin* 6H **41**
Norden Ct. *Bolt* 1C **30**
Norfolk Clo. *Hind* 1C **34**
Norfolk Clo. *L Lev* 1D **32**
Norfolk Dri. *Farn* 4H **31**
Norfolk Rd. *Ath* 2B **36**
Norfolk St. *Wors* 1H **39**
Normanby Gro. *Swin* 6G **41**
Normanby Rd. *Wors* 6G **39**

Normanby St. *Bolt* 3H **29**
Normanby St. *Swin* 6G **41**
Normandale Av. *Bolt* 2G **21**
Normandy Cres. *Rad* 2H **33**
Norman St. *Bolt* 1D **30**
Norris Rd. *W'houg* 4C **28**
Norris St. *Bolt* 6C **22**
Norris St. *Farn* 6G **31**
Norris St. *L Lev* 2C **32**
Norris St. *Tyl* 6G **37**
Nortex Bus. Cen. *Bolt* 3A **22**
North Av. *Farn* 5E **31**
North Av. *G'mnt* 6H **5**
N. Dean St. *Swin* 6H **41**
Northern Gro. *Bolt* 2A **22**
Northfield St. *Bolt* 6A **22**
North Gro. *Wors* 4G **39**
Northland Rd. *Bolt* 3D **12**
Northlands. *Rad* 6G **25**
Northolt Dri. *Bolt* 1D **30**
North Rd. *Ath* 3B **36**
North St. *Ath* 4E **37**
Northumbria St. *Bolt* 6A **22**
North Way. *Bolt* 5F **13**
Northwold Dri. *Bolt* 3E **21**
Northwood. *Bolt* 5H **13**
Northwood Cres. *Bolt* 6A **22**
Norton St. *Bolt* 6D **12**
Norway St. *Bolt* 1B **22**
Norwich Clo. *Bolt* 1E **29**
Norwood Clo. *Adl* 1E **7**
Norwood Clo. *Wors* 6A **40**
Norwood Gro. *Bolt* 3A **22**
Nottingham Dri. *Bolt* 2C **22**
Nuffield Ho. *Bolt* 2H **21**
Nugent Rd. *Bolt* 5D **22**
  (in two parts)
Nunnery Rd. *Bolt* 1H **29**
Nut St. *Bolt* 1B **22**
Nuttall Av. *Hor* 6C **8**
Nuttall Av. *L Lev* 2E **33**
Nuttall St. *Ath* 4E **37**

O

Oak Av. *Hind* 4C **34**
Oak Av. *Hor* 3G **19**
Oak Av. *L Lev* 2D **32**
Oakbank Dri. *Bolt* 3B **12**
Oakbarton. *Los* 1C **28**
Oak Coppice. *Bolt* 4G **21**
Oakdale. *Bolt* 5H **13**
Oakdale Av. *Ath* 3C **36**
Oaken Bottom. 4H 23
Oakenbottom Rd. *Bolt* 4H **23**
Oakenclough Dri. *Bolt* 1F **21**
Oakes St. *Kear* 6B **32**
Oakfield Av. *Ath* 3C **36**
Oakfield Clo. *Hor* 1H **19**
Oakfield Cres. *Asp* 6G **17**
Oakfield Dri. *L Hul* 2C **38**
Oakfield Gro. *Farn* 3F **31**
Oakford Wlk. *Bolt* 1A **30**
Oak Gates. *Eger* 6C **2**
Oakhill Clo. *Bolt* 4C **24**
Oakhill Trad. Est. *Wors* . . . 2G **39**
Oakhurst Gro. *W'houg* . . . 6E **27**
Oakland Ct. *Hind* 3G **34**
Oakland Gro. *Bolt* 1G **21**
Oaklands. *Bolt* 4F **21**
Oaklands. *Los* 3B **20**
Oakleigh Av. *Bolt* 3E **31**
Oakley Clo. *Rad* 5H **33**
Oakley Pk. *Bolt* 4C **22**
Oaklings, The. *Hind* 4C **34**
Oaks Av. *Bolt* 4G **13**
Oaks La. *Bolt* 4F **13**
Oak St. *Ath* 6A **36**
Oak St. *Tyl* 6G **37**
Oak Tree Clo. *Ath* 6A **36**
Oakwood Av. *Swin* 3G **41**
Oakwood Av. *Wors* 5B **40**
Oakwood Dri. *Bolt* 3F **21**
Oakwood Dri. *Wors* 5B **40**
Oakworth Dri. *Bolt* 4B **13**
Oban Gro. *Bolt* 4C **12**
Oban St. *Bolt* 6B **12**

Oban Way. *Asp* 6H **17**
Octagon Ct. *Bolt* 5D **22**
Octagon Theatre 4D **22**
Offerton St. *Hor* 6C **8**
Okehampton Clo. *Rad* 6E **25**
Olaf St. *Bolt* 2F **23**
Old Barn Pl. *Brom X* 1E **13**
Oldbridge Dri. *Hind* 1A **34**
Old Chapel Ct. *Adl* 2E **7**
Old Clough La. *Wors* 6B **40**
(in two parts)
Old Doctors St. *T'ton*. 2H **15**
Old Eagley M. *Bolt*. 3D **12**
Oldfield Clo. *W'houg*. 5H **27**
Old Fold Rd. *Asp*. 6H **17**
(in two parts)
Old Fold Rd. *W'houg*. 6D **26**
Old Grn. *Bolt*. 3A **14**
Old Green. *G'mnt* 6H **5**
Old Greenwood La. *Hor* . . . 2F **19**
Old Hall Clough. *Los* 4C **20**
(in two parts)
Old Hall La. *Los*. 2C **20**
Old Hall La. *W'houg*. 1G **35**
Old Hall M. *Bolt*. 2D **20**
Old Hall St. *Kear* 6A **32**
Old Hall St. N. *Bolt*. 4D **22**
Oldhams La. *Bolt*. 4B **12**
(in two parts)
Oldhams Ter. *Bolt* 5B **12**
(in two parts)
Old Kiln La. *Bolt* 1C **20**
Old La. *Hor*. 1H **19**
(in three parts)
Old La. *L Hul* 1D **38**
Old La. *W'houg* 6F **27**
Old La. *Wigan* 6A **16**
Old Links Clo. *Bolt* 1E **21**
Old Lord's Cres. *Hor* 4D **8**
Old Manor Pk. *Ath* 5A **36**
Old Nans La. *Bolt* 1B **24**
Old Nursery Fold. *Bolt* . . . 5A **14**
Old Oak Clo. *Bolt* 6D **24**
Old Oake Clo. *Wors* 5A **40**
Old Quarry La. *Eger* 6D **2**
Old Rake. *Hor* 4F **9**
Old Rd. *Bolt* 5C **12**
Old School La. *Adl* 4C **6**
Old Sirs. 2H **35**
Oldstead Gro. *Bolt* 1F **29**
Old Swan Clo. *Eger* 5C **2**
Old Swan Cotts. *Eger* 5C **2**
Old Towns Clo. *T'ton* 2H **15**
Old Vicarage. *W'houg* 2G **35**
Old Vicarage Gdns.
Wors 4H **39**
Old Vicarage M. *W'houg* . . 2G **35**
Old Vicarage Rd. *Hor* 6H **9**
Old Wells Clo. *L Hul* 1E **39**
Old Will's La. *Hor* 3D **8**
Old Wood La. *Bolt* 3C **24**
(in two parts)
Olga St. *Bolt* 1B **22**
Oliver St. *Ath* 4D **36**
Olive St. *Bolt*. 1B **30**
Ollerbrook Ct. *Bolt*. 1D **22**
Ollerton St. *Adl* 1E **7**
Ollerton St. *Bolt*. 3D **12**
Ollerton Ter. Bolt 3D **12**
(off Ollerton St.)
Openshaw Ct. *Swin* 5H **41**
Openshaw Pl. *Farn*. 5F **31**
Oracle Ct. *Wors*. 5G **39**
Orchard Av. *Bolt* 6D **12**
Orchard St. *Kear* 6A **32**
Orchard, The. W'houg . . . 4G **27**
(off Gerrard St.)
Orchard Wlk. *G'mnt* 6H **5**
(off Lomax St.)
Orchid Av. *Farn* 4F **31**
Ordsall Av. *L Hul* 3F **39**
Organ St. *Hind* 4D **34**
Oriel St. *Bolt* 6A **22**
Orlando St. *Bolt* 6E **23**
(in two parts)
Ormond St. *Bolt* 6H **23**

Ormrod St. *Bolt*. 5C **22**
Ormrod St. *Brad*. 5G **13**
Ormrod St. *Farn* 5G **31**
Ormside Clo. *Hind*. 3D **34**
Ormskirk Clo. *Bury* 3H **25**
Ormston Av. *Hor*. 4D **8**
Ormstons La. *Hor* 3F **9**
Ornatus St. *Bolt*. 4D **12**
Orwell Rd. *Bolt* 1H **21**
Osborne Ct. *Ath*. 4C **36**
Osborne Gro. *Bolt*. 2A **22**
Osborne Ho. Rad 2H **33**
(off Bolton Rd.)
Osborne Wlk. *Rad*. 1G **33**
Osbourne Clo. *Farn* 4H **31**
Oscar St. *Bolt* 1A **22**
Oscott Av. *L Hul* 1E **39**
Osmund Av. *Bolt* 4H **23**
Osprey Av. *W'houg* 1E **35**
Oswald St. *Bolt* 1A **30**
(in two parts)
Oswestry Clo. *G'mnt* 1G **15**
Otterbury Clo. *Bury*. 1H **25**
Otterside St. *Adl* 3E **7**
Oulton St. *Bolt*. 4E **13**
Outwood. **5H 33**
Outwood Av. *Swin* 3F **41**
Outwood Gro. *Bolt*. 4C **12**
Overdale Crematorium.
Bolt. 5G **21**
Overdale Dri. *Bolt* 4G **21**
Overdene Clo. *Los*. 5B **20**
Overgreen. *Bolt* 6A **14**
Overhouses. *Tur* 1F **3**
Over Hulton. **5F 29**
Overton La. *Bolt*. 4D **20**
Owenington Gro. *L Hul* . . . 1E **39**
Owens Row. Hor. 6E **9**
(off Bk. Chapel St.)
Owlerbarrow Rd. *Bury*. . . . 6H **15**
Owlwood Clo. *L Hul*. 4C **38**
Owlwood Dri. *L Hul*. 4C **38**
Owsten Ct. *Hor*. 6B **8**
Oxford Clo. *Farn* 5D **30**
Oxford Gro. *Bolt* 2A **22**
(in two parts)
Oxford Rd. *Ath*. 2B **36**
Oxford Rd. *L Lev*. 2B **32**
Oxford Rd. *Los*. 3H **19**
Oxford St. *Adl* 3E **7**
Oxford St. *Bolt* 4D **22**
Oxford St. *Hind*. 6B **26**
Ox Ga. *Bolt*. 4H **13**
Ox Hey Clo. *Los* 3G **19**
Ox Hey La. *Los* 3G **19**
Oxlea Gro. *W'houg* 6G **27**

P

Packer St. *Bolt* 1A **22**
Padbury Way. *Bolt*. 1H **23**
Paddock Clo. *Ath*. 2E **37**
Paderborn Ct. *Bolt*. 5C **22**
Pailton Clo. *Los*. 5D **20**
Paisley Pk. *Farn* 4H **31**
Paiton St. *Bolt*. 5A **22**
Palace Ct. *Bolt* 3D **22**
Palace St. *Bolt* 3D **22**
Palatine St. *Bolt* 4D **22**
Paley St. *Bolt* 4D **22**
Palin St. *Hind* 4D **34**
Palmer Gro. *Leigh*. 6G **35**
Palm St. *Bolt*. 6C **12**
Pansy Rd. *Farn* 5E **31**
Panton St. *Hor*. 2F **19**
Paper Mill Rd. *Brom X* . . . 2E **13**
Paragon Bus. Pk. *Hor* 3G **19**
Paris St. *Bolt* 1H **29**
Park Av. *Bolt*. 5C **12**
Park Bank. *Ath* 1F **37**
Park Bus. Cen. *Hind* 3A **34**
Park Cotts. *Bolt*. 6A **12**
Parkdale Rd. *Bolt* 2G **23**
Parkdene Clo. *Bolt*. 5H **13**
Park Edge. *W'houg* 6A **28**
Parkfield Av. *Farn*. 6F **31**

Parkfield Dri. *Tyl* 6B **38**
Parkfield Rd. *Bolt* 2D **30**
Parkgate. *Wals* 4G **15**
Parkgate Dri. *Bolt* 4D **12**
Park Gro. *Rad*. 1H **33**
Park Gro. *Wors* 6H **39**
Parkham Clo. *W'houg* 1H **35**
Pk. Hill St. *Bolt*. 3B **22**
Park Ho. *Tyl*. 6F **37**
Parkinson St. *Bolt*. 6A **22**
Parklands. *Los*. 4F **19**
Parklands Dri. *Asp* 5G **17**
Parklands, The. *Rad* 6D **32**
Park La. *Hor*. 6F **9**
Park Mdw. *W'houg* 5A **28**
Park Rd. *Adl* 3D **6**
Park Rd. *Bolt*. 4A **22**
Park Rd. *Hind* 3A **34**
Park Rd. *L Lev* 1B **32**
Park Rd. *Rams* 4H **5**
Park Rd. *Tur* 2A **4**
Park Rd. *W'houg*. 5H **27**
Park Rd. *Wors* 6G **39**
Park Row. *Bolt* 3D **12**
Parkside. *Hind*. 1A **34**
Parkside Av. *Wors*. 6H **39**
Parkside St. *Bolt*. 2G **23**
Parks Nook. *Farn* 6G **31**
Parkstone Clo. *Bury* 1H **25**
Parkstone Ct. *L Lev* 2E **33**
Park St. *Ath*. 3E **37**
Park St. *Bolt* 3B **22**
Park St. *Farn* 4H **31**
Park St. *Tyl*. 6G **37**
Park Ter. *Bolt* 3D **12**
Park Ter. *W'houg*. 4H **27**
Park Vw. *Bolt* 3D **12**
(in two parts)
Park Vw. *Eger*. 5C **2**
Park Vw. *Farn* 4H **31**
Park Vw. *Kear*. 6B **32**
Pk. View Ho. *Ath* 4C **36**
Pk. View Rd. *Bolt* 1A **30**
Park Way. *L Hul* 3C **38**
(in two parts)
Parkway. *W'houg*. 1F **35**
Parkway Gro. *L Hul* 3C **38**
Parkwood. *Eger*. 5B **2**
Parkwood Dri. *Bolt*. 6F **29**
Parnham Clo. *Rad*. 6D **24**
Parr Clo. *Farn* 5F **31**
Parr Fold. **6H 39**
Parr Fold Av. *Wors* 6G **39**
(in two parts)
Parrot St. *Bolt* 6C **22**
Parr St. *Tyl* 6F **37**
Parsonage Dri. *Wors* 5G **39**
Parsonage Rd. *Rad*. 6E **33**
Parsonage Rd. *Wors*. 5G **39**
Partington Ct. *Farn* 4G **31**
Partington St. *Bolt*. 3A **30**
Part St. *W'houg* 3G **27**
Patchett St. *Tyl* 6G **37**
Paton Av. *Bolt* 2E **31**
Paton M. *Bolt* 2E **31**
Patricia Dri. *Wors* 5A **40**
Patterdale Rd. *Bolt* 5B **14**
Patterson St. *Bolt*. 1G **29**
Patterson St. *W'houg* 6D **26**
Paulette St. *Bolt*. 1C **22**
Paulhan St. *Bolt* 2B **30**
Pauline St. *Ince*. 6D **34**
Pavilion Sq. *W'houg* 5G **27**
Pavilion Wlk. *Rad* 2H **33**
Paxton Pl. *Farn* 5H **31**
Peabody St. *Bolt* 1C **30**
Peace St. *Ath*. 4E **37**
Peace St. *Bolt* 6B **22**
Peak Av. *Ath* 2C **36**
Peak St. *Bolt* 1B **22**
Pearl Brook Ind. Est. *Hor*. . . 6D **8**
Pear Tree Ct. *Asp* 6G **17**
Pear Tree Gro. *Tyl* 6B **38**
Peatfield Av. *Swin* 5G **41**
Pedder St. *Bolt* 2A **22**
Pedel. **3D 38**
Peel Clo. *Ath*. 4E **37**

Peel Dri. *L Hul* 3D **38**
Peel Hall Av. *Tyl* 6H **37**
Peel La. *Wors* 4D **38**
Peel Mt. *Rams* 3H **5**
Peel Pk. Cres. *L Hul* 3D **38**
Peel St. *Adl* 2F **7**
Peel St. *Farn* 5A **32**
Peel St. *W'houg*. 4G **27**
Peel Ter. *W'houg*. 3G **27**
Peel Vw. *T'ton*. 3H **15**
Peelwood Av. *L Hul* 2E **39**
Peelwood Gro. *Ath*. 5E **37**
Peers Dri. *T'ton*. 4H **15**
Pegamoid St. *Bolt* 2F **23**
Pelham St. *Bolt*. 2A **30**
Pelton Av. *Swin*. 5F **41**
Pemberlei Rd. *Asp*. 3A **26**
Pemberton St. *Bolt* 5C **12**
Pemberton St. *L Hul* 3F **39**
Pembroke Clo. *Hor* 5C **8**
Pembroke Rd. *Hind* 4E **35**
Pembroke St. *Bolt*. 3B **22**
Penarth Rd. *Bolt* 1H **29**
Penbury Rd. *Wigan*. 6A **16**
Pendennis Av. *Los*. 6D **20**
Pendennis Clo. *Rad*. 6E **25**
Pendennis Cres. *Hind* . . . 4C **34**
Pendle Av. *Bolt* 3C **12**
Pendlebury Fold. *Bolt* . . . 3D **28**
Pendlebury Ho. Swin 6H **41**
(off Pendlebury Rd.)
Pendlebury La. *Haigh* 5A **16**
Pendlebury Recreation Cen. 6G **41**
Pendlebury Rd. *Swin* 6H **41**
Pendlebury St. *Bolt*. 6D **12**
Pendlebury St. *Rad*. 2H **33**
Pendle Ct. *Bolt* 6B **12**
Pendle Dri. *Hor* 4E **9**
Pengarth Rd. *Hor* 5E **9**
Pengwern Av. *Bolt*. 1H **29**
Pennine Clo. *Hor*. 4E **9**
Pennine Ct. *Swin* 6H **41**
Pennine Rd. *Hor* 4E **9**
Pennington Clo. *Asp* 4A **26**
Pennington Clo. *L Hul* . . . 3C **38**
Pennington Green. **3A 26**
Pennington Grn. La.
Asp 3A **26**
Pennington La. *Haigh* 3C **16**
Pennington Rd. *Bolt* 2D **30**
Pennington St. *Hind* 1A **34**
Pennington St. *Wals*. 5G **15**
Pennington St. *Wors*. 5A **40**
Penn St. *Farn* 5G **31**
Penn St. *Hor*. 6E **9**
Penrhyn Gro. *Ath* 2C **36**
Penrice Clo. *Rad* 6F **25**
Penrith Av. *Bolt* 2G **21**
Penrith Av. *Wors* 5B **40**
Penrose St. *Bolt* 4G **23**
Pensford Ct. *Bolt*. 3A **14**
Pentland Ter. *Bolt* 2C **22**
Percy St. *Bolt* 1D **22**
Percy St. *Farn* 6A **32**
Perendale Ri. *Bolt* 5C **12**
Perth St. *Bolt*. 2H **29**
(in two parts)
Peterborough Dri. *Bolt* . . . 2D **22**
Peterborough Wlk. Bolt . . . 2C **22**
(off Charnock Dri.)
Peterborough Wlk. Bolt . . . 2D **22**
(off Newington Wlk.)
Peterhead Clo. *Bolt* 2B **22**
Peter Martin St. *Hor* 5D **8**
Petersfield Wlk. *Bolt* 2C **22**
Peter St. *Tyl* 6F **37**
Peter St. *W'houg*. 6C **26**
Petunia Wlk. Wors 4D **38**
(off Madams Wood Rd.)
Peveril St. *Bolt* 2H **29**
Pewfist Grn. *W'houg* 1G **35**
Pewfist Spinney, The.
W'houg 6F **27**
Pewfist, The. *W'houg* 6G **27**
Phethean St. *Bolt*. 4E **23**
Phethean St. *Farn* 4G **31**

Philip Howard Ct. Farn 5G **31**
(off Glynne St.)
Philips Av. Farn 6H **31**
Philip St. Bolt 6B **22**
Phipps St. Wors 3G **39**
Phoebe St. Bolt 1A **30**
Phoenix Cen., The. L Lev 2E **33**
Phoenix St. Bolt 3E **23**
Phoenix St. Farn 6H **31**
Phoenix Way. Rad 3H **33**
Pickering Clo. Rad 5C **32**
Pickford Av. L Lev 2E **33**
Pickley Green. 6G **35**
Pickley Grn. Leigh 6G **35**
Piggott St. Farn 6G **31**
Pike Av. Ath 5A **36**
Pike Mill Est. Bolt 1C **30**
Pike Nook Workshops.
Bolt 6B **22**
Pike Rd. Bolt 1B **30**
Pike Vw. Hor 5F **9**
Pilkington Rd. Kear 1B **40**
Pilkington Rd. Rad 6H **25**
Pilkington St. Bolt 6C **22**
Pilkington St. Hind 1A **34**
Pilling Fld. Eger 6C **2**
Pilning St. Bolt 1E **31**
Pilot Ind. Est. Bolt 1F **31**
Pimlott Rd. Bolt 6F **13**
Pincroft La. Adl 3E **7**
Pine Gro. Farn 5F **31**
Pine Gro. W'houg 6G **27**
Pine Meadows. Rad 1E **41**
Pine St. Bolt 1D **22**
Pine St. Tyl 6G **37**
Pinewood Clo. Bolt 1C **22**
Pinfold Clo. W'houg 1F **35**
(in two parts)
Pinfold Rd. Wors 6G **39**
Pinnacle Dri. Eger 5B **2**
Pioneer Clo. Bolt. 5D **8**
Pioneer St. Hor 5E **9**
Pitcombe Clo. Bolt. 2B **12**
Pitfield La. Bolt 6B **14**
Pitfield St. Bolt 4F **23**
Pitt St. Rad 2G **33**
Pixmore Av. Bolt 5F **13**
Plantation Av. Wors 3G **39**
Plantation Rd. Tur 1B **4**
Platt Hill Av. Bolt 1G **29**
Platt La. Hind 2A **34**
Platt La. Stand 6A **6**
Platt La. W'houg 5B **28**
Play Fair St. Bolt 3D **12**
Pleasant Gdns. Bolt. 3C **22**
Pleasant St. Wals 5H **15**
Pleasington Dri. Bury 1G **25**
Plevna St. Bolt 4E **23**
Plodder La. Bolt & Farn 4G **29**
Ploughfields. W'houg 2G **27**
Plowden Clo. Bolt 2A **30**
Plymouth Dri. Farn 5D **30**
Plymouth Gro. Rad 6F **25**
Pocket. 5A **22**
Pocket Nook. Los 2C **28**
Pocket Nook Rd. Los. 2B **28**
Pocket Workshops, The.
Bolt 5A **22**
Polegate Dri. Leigh 5E **35**
Pole St. Bolt 2F **23**
Pollard Ho. Bolt. 3H **29**
Pondwater Clo. Wors 4D **38**
Pool Fld. Clo. Rad 2F **33**
Pool Fold Clo. Bolt 1G **21**
Pool Grn. B'rod 1H **17**
Pool Pl. Bolt 1G **21**
(off Church Rd.)
Pool St. Bolt 3C **22**
(off Back La., in two parts)
Pool Ter. Bolt 1G **21**
Poplar Av. Bolt 5D **12**
Poplar Av. Brad 3G **13**
Poplar Av. Hor 2G **19**
Poplar Gro. Hind 4D **34**
Poplar Gro. Tyl 6G **37**
Poplar Gro. W'houg 5G **27**
Poplar Rd. Wors 6A **40**

Poplars, The. Adl 3D **6**
Poplar St. Tyl. 6F **37**
Porchester Dri. Rad. 6E **25**
Portfield Clo. Bolt 3F **21**
Portland Pl. Hor 6E **9**
Portland Rd. Wors 2G **39**
Portland St. Bolt 1C **22**
Portland St. Farn 3H **31**
Portugal St. Bolt 4F **23**
Pot Green. 4H **5**
Pott St. Swin 5H **41**
Poulton Av. Bolt 4A **24**
Powys St. Ath 6E **37**
Precinct, The. Rams 4H **5**
Preesall Clo. Bury 3H **25**
Prenton Way. Wals 4H **15**
Presall St. Bolt 3G **23**
Presbyterian Fold. Hind 1A **34**
Prescot Av. Ath 3E **37**
Prescot Av. Tyl 6B **38**
Prescott St. Bolt 1A **30**
Prescott St. Wors 4F **39**
Prestbury Rd. Bolt 4E **13**
Preston Gdns. Bolt 1H **29**
Prestolee. 5C **32**
Prestolee Rd. Bolt 4C **32**
(in two parts)
Preston St. Bolt 1F **31**
Presto St. Bolt 1H **29**
Presto St. Farn 4A **32**
Prestwich Ind. Est. Ath 3B **36**
Prestwich St. Ath 3B **36**
Prestwood Clo. Bolt. 2B **22**
Prestwood Dri. Bolt 2B **22**
Prestwood Rd. Farn 4E **31**
Pretoria Rd. Bolt 4A **24**
Price St. Farn 4H **31**
Priestley Rd. Wors 6F **41**
Primrose Av. Farn 4E **31**
Primrose Av. Wors 5F **39**
Primrose Bank. T'ton 2G **15**
Primrose Bank. Wors 5F **39**
Primrose Clo. Bolt 5C **14**
Primrose St. Bolt 5D **12**
Primrose St. Kear 6A **32**
Primrose St. N. Tyl 6G **37**
Primrose St. S. Tyl 6G **37**
Primula St. Bolt 5D **12**
Prince's Av. L Lev 1D **32**
Princess Av. Ath 2C **36**
Princess Av. Kear 1B **40**
Princess Gro. Farn 5H **31**
(in two parts)
Princess Rd. And. 1F **7**
Princess Rd. Los 4B **20**
Princess St. Bolt 4D **22**
Princess St. Rad 2G **33**
Prince St. Bolt 3C **22**
Princethorpe Clo. Los 5D **20**
Printers Ct. Tur 3H **3**
Printers La. Bolt 3G **13**
Printshop La. Ath 6E **37**
Priory Av. Leigh 6F **35**
Priory Pl. Bolt 1G **23**
Priory Rd. Swin 6G **41**
Prodesse Ct. Hind 1A **34**
Progress St. Bolt. 2D **22**
Prospect Av. Bolt 6B **14**
Prospect Av. Farn 6H **31**
Prospect Cotts.
Haigh. 5E **17**
Prospect Ct. T'ton 2H **15**
Prospect Pl. Farn 6G **31**
Prospect St. Bolt 2D **22**
Prospect St. Hind 2A **34**
Prospect St. Tyl 6F **37**
Prosser Av. Ath 5A **36**
Providence St. Bolt 6D **22**
Pryce St. Bolt 2B **22**
Pullman Ct. Bolt 6E **23**
Pump St. Hind 2A **34**
Punch La. Bolt 3D **28**
(in three parts)
Punch St. Bolt. 5B **22**
Pungle, The. 2F **35**

Pungle, The. W'houg 2F **35**
(in two parts)
Purbeck Dri. Los. 2H **19**
Purcell Clo. Bolt 2B **22**
Purple St. Bolt 4D **22**

Q

Quakerfields. W'houg 6F **27**
Quakers Fld. T'ton 1H **15**
Quarlton Dri. Hawk 4D **4**
Quarry Pond Rd. Wors 4D **38**
Quarry Rd. Kear 6C **32**
Quebec Pl. Bolt 6A **22**
Quebec St. Bolt. 6B **22**
Queen's Av. Ath. 2C **36**
Queen's Av. Brom X 2E **13**
Queen's Av. L Lev 1C **32**
Queensbrook. Bolt. 4C **22**
Queensbury Clo. Bolt. 4B **12**
Queen's Clo. Wors 3H **39**
Queensgate. Bolt. 3A **22**
Queens Pk. St. Bolt 3B **22**
Queens Rd. Bolt 1H **29**
Queensway. Kear 2B **40**
Queensway. Swin 5H **41**
Queensway. Wors 6F **39**
Queen St. Farn 5H **31**
Queen St. Hind 1A **34**
Queen St. Hor. 6D **8**
Queen St. L Hul 4F **39**
Queen St. T'ton 4H **15**
Queen St. W'houg. 5G **27**
Queensway. Kear 2B **40**
Queensway. Swin 5H **41**
Queensway. Wors 6F **39**
Quintrell Brow. Brom X 1E **13**

R

Racecourse Wlk. Rad 1H **33**
Radbourne Gro. Bolt 1F **29**
Radbourne Ho. Bolt 5F **23**
Radcliffe. 2G **33**
Radcliffe Moor Rd.
Bolt & Rad. 5D **24**
Radcliffe Rd. Bolt. 4F **23**
Radelan Gro. Rad 1F **33**
Radley Clo. Bolt 2G **21**
Radnor Clo. Hind. 4C **34**
Radstock Clo. Bolt 2C **12**
Radway. Tyl. 6A **38**
Raglan St. Bolt 1B **22**
Raikes Clough Ind. Est.
Bolt 1G **31**
Raikes La. Bolt 1F **31**
(in two parts)
Raikes La. Ind. Est. Bolt . . . 1F **31**
Raikes Rd. Bolt 6H **23**
Raikes Way. Bolt. 6H **23**
Railway Rd. Adl & And 2E **7**
Railway St. Ath 3B **36**
(in two parts)
Railway St. Farn 4A **32**
Railway St. Hind 6A **26**
Railway Vw. Adl. 2E **7**
Raimond St. Bolt. 6A **12**
Rainbow Dri. Ath 2D **36**
Rainford Ho. Bolt 3D **22**
(off Beta St.)
Rainford St. Bolt 3G **13**
Rainham Dri. Bolt 2C **22**
Rainham Gro. Bolt. 2D **22**
(off Rainham Dri.)
Rainshaw St. Bolt 5D **12**
Rake La. Swin 4H **41**
Ralph St. Bolt 1B **22**
Ramsay Av. Farn 6E **31**
Ramsay St. Bolt 5C **12**
Ramsbottom Rd. Hor 6E **9**
Ramsbottom Rd.
Tur & Hawk 5B **4**
Ramsden Fold. Swin 5H **41**
Ramsden St. Bolt 6H **23**
Ramsey Clo. Ath 5E **37**
Ram St. L Hul 3D **38**
Ramwell Gdns. Bolt. 6B **22**

Ramwells Brow. Brom X 1D **12**
Ramwells Ct. Brom X. 6F **3**
Ramwells M. Brom X 1F **13**
Randal St. Bolt 1A **30**
Randle St. Hind. 1A **34**
Randolph Rd. Kear 6B **32**
Randolph St. Bolt 5A **22**
Range St. Bolt. 1B **30**
Ranicar St. Hind 4E **35**
Rankine Ter. Bolt 5B **22**
Rannoch Rd. Bolt 4B **24**
Ranworth Clo. Bolt 3E **13**
Raphael St. Bolt 1B **22**
Rasbottom St. Bolt 6C **22**
Ratcliffe Rd. Asp. 5G **17**
Ratcliffe St. Tyl 6H **37**
Rathybank Clo. Bolt. 2A **22**
Raveden Clo. Bolt 6A **12**
Ravenfield Gro. Bolt 3B **22**
Ravenhurst Dri. Bolt 5D **20**
Raven Rd. Bolt 1G **29**
Ravenscar Wlk. Farn 6H **31**
Ravenscraig Rd. L Hul 1F **39**
Ravensdale Rd. Bolt 4D **20**
Ravens Holme. Bolt. 4E **21**
Ravenside Retail Pk. Bolt. . . 5D **22**
Ravens Wood. Bolt 4E **21**
Ravenswood Dri. Bolt 3E **21**
Ravenswood Dri. Hind. 6A **26**
Rawcliffe Av. Bolt 4B **24**
Rawlinson La.
Hth C & Adl. 1D **6**
Rawlinson St. Hor. 5D **8**
(off Winter Hey La.)
Rawlyn Rd. Bolt 1G **21**
Rawson Av. Farn 4A **32**
Rawson Rd. Bolt 2A **22**
Rawson St. Farn 4H **31**
Rawsthorne St. Bolt 1C **22**
Rawsthorne St. Tyl 6B **38**
Rayden Cres. W'houg 1G **35**
Raymond St. Swin 6H **41**
Rayner Av. Hind 5A **34**
Reach, The. Wors 5A **40**
Recreation St. Bolt 1C **30**
Recreation St. Brad 4A **14**
Rectory Gdns. W'houg 2G **35**
Rectory La. Stand 2A **16**
Red Bank Rd. Rad. 6H **25**
Red Bri. Bolt 2C **24**
Redbrook Clo. Farn 4A **32**
Redcar Rd. Bolt. 5H **11**
Redcar Rd. L Lev 2C **32**
Reddish Clo. Bolt 3A **14**
Redgate Way. Farn 4D **30**
Redhill Gro. Bolt 2C **22**
Redisher Clo. Rams 4H **5**
Redisher Cft. Holc. 4H **5**
Redisher La. Hawk 3G **5**
Red La. Bolt 2H **23**
(in two parts)
Red Rock. 3A **16**
Red Rock Brow. Wigan 3A **16**
Red Rock La. Haigh. 3A **16**
Red Rock La. Rad 1F **41**
Red Rose Gdns. Wors 3E **39**
Redshaw Av. Bolt. 3F **13**
Redstock Clo. W'houg. 4A **28**
Red St. Ath 4E **37**
Redwing Rd. G'mnt. 5H **5**
Redwood. W'houg 1F **35**
Reebok Stadium. 4F **19**
(Bolton Wanderers F.C.)
Reedbank. Rad 5H **33**
Reedham Clo. Bolt 3A **22**
Reedmace Clo. Wors 6A **40**
Regaby Gro. Hind 2C **34**
Regan St. Bolt. 6B **12**
Regent Av. L Hul 3G **39**
Regent Dri. Los 4B **20**
Regent Rd. Los 4B **20**
Regent St. Ath. 5E **37**
Regent Wlk. Farn 5H **31**
(in two parts)
Reginald St. Bolt. 3G **29**
Reginald St. Swin 6F **41**
Renfrew Clo. Bolt 2F **29**

Renfrew Dri. —St Leonard's Av.

Renfrew Dri. *Bolt* 2F 29
Renfrew Rd. *Asp* 6H 17
Renton Rd. *Bolt* 2H 29
Renwick Gro. *Bolt* 2A 30
Reservoir St. *Asp* 2B 26
Restormel Av. *Asp* 6H 17
Reynolds Clo. *Bolt* 1F 37
Reynolds Dri. *Bolt* 6F 29
Rhine Clo. *T'ton* 2H 15
Rhode St. *T'ton* 3H 15
Rhosleigh Av. *Bolt* 5B 12
Ribble Av. *Bolt* 4A 24
Ribble Dri. *Kear* 2C 40
Ribblesdale Rd. *Bolt* 1B 30
Ribbleton Clo. *Bury* 2H 25
Ribchester Gro. *Bolt* 2A 24
Richard Gwyn Clo. *W'houg* 1F 35
Richard St. *Rad* 2H 33
Richelieu St. *Bolt* 1E 31
Richmond Clo. *Stand* 4A 16
Richmond Clo. *T'ton* 3H 15
Richmond Gdns. *Bolt* 2F 31
Richmond Gro. *Farn* 4E 31
Richmond Ho. Swin 5H 41 (off Berry St.)
Richmond Ho. *Tyl* 6E 37
Richmond Rd. *Hind* 4C 34
Richmond St. *Ath* 4C 36
Richmond St. *Hor* 6D 8
Richmond Wlk. *Rad* 5H 25
Ridge Av. *Stand* 4A 16
Ridgeway Ga. *Bolt* 4D 22
Ridgmont Clo. *Hor* 6H 9
Ridgmont Dri. *Hor* 6H 9
Ridgway. *B'rod* 1G 17
Riding Ga. *Bolt* 3A 14
Riding Ga. M. *Bolt* 3A 14
Riding St. *Adl* 2E 7
Ridyard St. *L Hul* 3F 39
Riefield. *Bolt* 6H 11
Rigby Av. *B'rod* 1G 17
Rigby Ct. *Bolt* 1D 30 (in two parts)
Rigby Gro. *L Hul* 3C 38
Rigby La. *Bolt* 3G 13 (in two parts)
Rigby St. *Bolt* 1D 30
Rigby St. *Hind* 1A 34
Riley Ct. *Bolt* 2D 22
Riley La. *Haigh* 3F 17
Riley St. *Ath* 6A 36
Riley St. *Bolt* 2D 22
Rimsdale Wlk. *Bolt* 6E 21 (in two parts)
Ringley 6E 33
Ringley Gro. *Bolt* 4C 12
Ringley Meadows. *Rad* 6E 33
Ringley Old Brow. *Rad* 6E 33
Ringley Rd. *Rad* 5D 32 (in three parts)
Ringley Rd. W. *Rad* 5G 33
Ringwood Av. *Rams* 3H 5
Ripley St. *Bolt* 5F 13
Ripon Av. *Bolt* 2F 21
Ripon Clo. *L Lev* 2B 32
Ripon Dri. *Bolt* 2F 21
Rishton Av. *Bolt* 2D 30
Rishton La. *Bolt* 1D 30
Riverbanks. *Bolt* 6G 23
River Bank, The. *Rad* 5C 32
Riverside. *Bolt* 1D 22
Riverside Dri. *Rad* 5D 32
Riversleigh Clo. *Bolt* 6F 11
Riversmeade. *Brom X* 2G 13
River St. *Bolt* 4E 23
Riverview Wlk. Bolt 5B 22 (off Bridgewater St.)
Rivington Av. *Adl* 2F 7
Rivington Dri. *Bick* 6B 34
Rivington Dri. *Bury* 2H 25
Rivington Ho. *Hor* 5D 8
Rivington La. *And* 3H 7
Rivington La. *Hor* 1B 8
Rivington Pike Tower 1E 9
Rivington St. *Ath* 5A 36
Rivington St. *B'rod* 1H 17
Rivington Terraced Gardens 1D 8
Rix St. *Bolt* 1C 22
Rixton Dri. *Tyl* 6H 37
Roading Brook Rd. *Bolt* 6C 14
Robertson St. *Rad* 1H 33
Robert St. *Ath* 6E 37
Robert St. *Bolt* 4A 14
Robert St. *Farn* 5A 32
Robert St. *Rad* 1H 33
Robin Clo. *Farn* 6D 30
Robinson St. *Hor* 5D 8
Robinson St. *Tyl* 6G 37
Rochester Av. *Bolt* 2A 24
Rochester Av. *Wors* 6G 39
Rock Av. *Bolt* 1A 22
Rock Fold. *Eger* 6D 2
Rock Hall (Vis. Cen.) 3A 32
Rockhaven Av. *Hor* 5E 9
Rock St. *Hor* 6D 8
Rock Ter. *Eger* 6D 2
Rodgers Clo. *W'houg* 1G 35
Rodgers Way. *W'houg* 1G 35
Rodmell Clo. *Brom X* 2D 12
Rodney St. *Ath* 5C 36
Roebuck St. *Hind* 4E 35
Rogerstead. *Bolt* 5A 22
Roland Rd. *Bolt* 1A 30
Roman St. *Rad* 2G 33
Romer St. *Bolt* 4G 23
Romford Pl. *Hind* 2A 34
Romford St. *Hind* 2A 34
Romiley Cres. *Bolt* 3H 23
Romiley Dri. *Bolt* 3H 23
Romney Chase. *Bolt* 5C 12
Romney Rd. *Bolt* 1E 21
Romsley Dri. *Bolt* 2A 30
Roocroft Ct. *Bolt* 2B 22
Roocroft Sq. *B'rod* 1G 17
Roosevelt Rd. *Kear* 6B 32
Rosamond St. *Bolt* 1A 30
Roscoe Ct. *W'houg* 6H 27
Roscoe Lowe Brow. *And* 2H 7
Roscow Av. *Bolt* 3A 24
Roscow Fold 3H 23
Roscow Rd. *Kear* 6C 32
Roseacre Clo. *Bolt* 3G 23
Rose Av. *Farn* 4G 31
Rose Bank. *Los* 4C 20
Rosebank Clo. *A'wth* 2E 25
Roseberry St. *Bolt* 1A 30
Rosebery St. *W'houg* 5H 27
Rosedale Av. *Ath* 4C 36
Rosedale Av. *Bolt* 4C 12
Rose Gro. *Bury* 1H 25
Rose Gro. *Kear* 6B 32
Rose Hill 6E 23
Rose Hill. *Bolt* 6E 23
Rose Hill Clo. *Brom X* 2E 13
Rose Hill Dri. *Brom X* 2E 13
Rosehill M. *Swin* 5H 41
Rosehill Rd. *Swin* 5H 41 (in two parts)
Rose Hill Ter. *Ath* 4D 36
Rose Lea. *Bolt* 5A 14
Rosemary La. *Bolt* 2G 37
Roseneath Gro. *Bolt* 3B 30
Roseneath Rd. *Bolt* 2B 30
Rose St. *Bolt* 6E 23
Rose St. *Hind* 2A 34
Rosewood. *W'houg* 1F 35
Rosewood Av. *T'ton* 4H 15
Roslin Gdns. *Bolt* 6A 12
Rossall Clo. *Bolt* 3G 23
Rossall Rd. *Bolt* 3G 23 (in two parts)
Rossall St. *Bolt* 3G 23
Ross Dri. *Swin* 3G 41
Rossini St. *Bolt* 6B 12
Ross St. *Bolt* 2C 22
Rostherne Gdns. *Bolt* 1H 29
Rothay Clo. *Bolt* 2B 24
Rothbury Clo. *Bury* 1H 25
Rothbury Ct. *Bolt* 2H 29
Rotherhead Clo. *Hor* 1B 18
Rothesay Rd. *Bolt* 2H 29
Rothwell Cres. *L Hul* 1C 38
Rothwell La. *L Hul* 2C 38
Rothwell Rd. *And* 2F 7
Rothwell St. *Bolt* 6C 22 (in two parts)
Rothwell St. *Wors* 4B 40
Round Hill Way. *Bolt* 3D 22
Roundthorn La. *W'houg* 6G 27
Rowan Av. *Hor* 2G 19
Rowans, The. *Adl* 1E 7
Rowans, The. *Bolt* 4E 21
Rowena St. *Bolt* 3G 31
Rowe St. *Tyl* 6H 37
Rowland St. N. *Ath* 4D 36 (in two parts)
Rowland St. S. *Ath* 5D 36
Rowsley Av. *Bolt* 2G 21
Rowton Ri. *Stand* 3A 16
Rowton St. *Bolt* 6F 13
Roxalina St. *Bolt* 1C 30
Roxby Clo. *Wors* 4F 39
Roxton Clo. *Hor* 4D 8
ROYAL BOLTON HOSPITAL 4D 30
Royal Ct. Dri. *Bolt* 3B 22
Royal Ho. *Rams* 1B 22
Royds St. *T'ton* 2H 15
Royland Av. *Bolt* 2E 31
Royland Ct. *Bolt* 2D 30
Royle St. *Wors* 5H 39
Roynton Rd. *Hor* 3D 8
Royston Av. *Bolt* 3F 23
Royston Clo. *G'mnt* 6H 5
Roy St. *Bolt* 1H 29
Ruabon Cres. *Hind* 3B 34
Ruby St. *Bolt* 6D 12
Rudford Gdns. *Bolt* 1D 30
Rudolph St. *Bolt* 2D 30
Rufford Dri. *Bolt* 3B 30
Rufford Gro. *Bolt* 3B 30
Ruins 5A 14
Ruins La. *Bolt* 5A 14
Rumworth Rd. *Los* 5C 20
Rumworth St. *Bolt* 1B 30
Runnymede Ct. *Bolt* 6B 22
Rupert St. *Bolt* 1D 30
Rush Acre Clo. *Rad* 2G 33
Rushey Fld. *Brom X* 1D 12
Rushey Fold Ct. *Bolt* 1B 22
Rushey Fold La. *Bolt* 1B 22
Rusheylea Clo. *Bolt* 1A 22
Rushford Gro. *Bolt* 5D 12
Rushlake Dri. *Bolt* 2C 22
Rushton Rd. *Bolt* 2H 21
Rushton St. *Wors* 5H 39
Ruskin Av. *Kear* 6B 32
Ruskin Rd. *L Lev* 1D 32
Rusland Dri. *Bolt* 1A 24
Russell Clo. *Bolt* 3A 22
Russell Ct. *Farn* 6A 32
Russell Ct. *L Hul* 4G 39
Russell St. *Ath* 3B 36
Russell St. *Bolt* 3B 22
Russell St. *Farn* 6A 32
Russell St. *Hind* 5E 35
Russell St. *L Hul* 4G 39
Russet Wlk. *Bolt* 5C 12
Rutherford Dri. *Bolt* 6F 29
Rutherglen Dri. *Bolt* 5F 21
Ruth St. *Bolt* 3C 22
Rutland Av. *Ath* 2F 37
Rutland Av. *Swin* 5H 41
Rutland Clo. *L Lev* 1D 32
Rutland Gro. *Bolt* 2A 22
Rutland Gro. *Farn* 6G 31
Rutland Rd. *Hind* 1B 34
Rutland Rd. *Tyl* 5F 37
Rutland Rd. *Wors* 6G 39
Rutland St. *Bolt* 1B 30
Rutland St. *Swin* 6G 41
Rydal Av. *Hind* 2A 34
Rydal Clo. *B'rod* 6G 7
Rydal Ct. *Bolt* 2F 21
Rydal Cres. *Wors* 6A 40
Rydal Gro. *Farn* 6D 30
Rydal Rd. *Bolt* 2G 21
Rydal Rd. *L Lev* 2C 32
Ryder St. *Bolt* 1A 22
Ryde St. *Bolt* 1G 29
Rydley St. *Bolt* 5F 23
Ryeburn Dri. *Bolt* 4F 13
Ryecroft Av. *T'ton* 3H 15
Ryecroft Dri. *W'houg* 2F 27
Ryefield St. *Bolt* 2E 23
Rye Hill. *W'houg* 5H 27
Ryelands. *W'houg* 5H 27
Ryelands Ct. W'houg 5H 27 (off Ryelands)
Ryley Av. *Bolt* 6H 21
Ryley St. *Bolt* 5A 22

S

Sabden Rd. *Bolt* 1E 21
Sackville St. *Bolt* 4G 23
Saddle St. *Bolt* 1F 23
Sadler St. *Bolt* 1E 31
St Aidans Clo. *Rad* 4H 33
St Andrew's Ct. Bolt 4D 22 (off Chancery La.)
St Andrew's Cres. *Hind* 2A 34
St Andrews Rd. *Los* 4A 20
St Andrews Rd. *Rad* 5H 25
St Andrews St. *Rad* 5H 25
St Andrews Vw. *Rad* 5H 25
St Anne's Av. *Ath* 6E 37
St Annes M. W. *T'ton* 2H 15
St Annes Rd. *Hor* 5E 9
ST ANN'S HOSPICE 3E 39
St Ann St. *Bolt* 2C 22
St Aubin's Rd. *Bolt* 5F 23
St Augustine's Ct. *Bolt* 2F 23
St Augustine St. *Bolt* 1B 22
St Austell Dri. *G'mnt* 5H 5
St Bartholomew St. *Bolt* 1E 31
St Bede's Av. *Bolt* 3H 29
St Bees Rd. *Bolt* 1G 23
St Brides Clo. *Hor* 5C 8
St Catherines Dri. *Farn* 5D 30
St Clair Rd. *G'mnt* 4H 5
St Clare Ter. Los 3H 19 (off Chorley New Rd.)
St David's Cres. *Asp* 5F 17
St Dominic's M. *Bolt* 2A 30
St Edmund St. *Bolt* 4C 22
St Edmund's Wlk. *L Hul* 3F 39
St Elizabeth's Rd. *Asp* 6F 17
St Ethelbert's Av. *Bolt* 6H 21
St Georges Av. *W'houg* 1G 35
St George's Ct. *Bolt* 3D 22 (Bridge St.)
St George's Ct. *Bolt* 3C 22 (Vernon St.)
St Georges Ct. *Tyl* 6F 37
St George's Cres. *Wors* 5H 39
St George's Pl. *Ath* 3B 36
St George's Rd. *Bolt* 3C 22
St Georges Sq. *Bolt* 3D 22
St George's St. *Bolt* 3D 22
St George's St. *Tyl* 6F 37
St Germain St. *Farn* 5G 31
St Gregorys Clo. *Farn* 6G 31
St Helena Rd. *Bolt* 4C 22 (in two parts)
St Helens Rd. *Bolt* 4G 29
St Helier St. *Bolt* 1B 30
St Higher Bri. St. *Bolt* 3D 22
St James Av. *Bolt* 3A 24
St James Cres. *Bick* 6B 34
St James St. *Farn* 6F 31
St James St. *W'houg* 2H 35
St John's Av. *W'houg* 2F 27
St John's Rd. *Asp* 6F 17
St John's Rd. *W'houg & Los* 2B 28
St John's St. *Farn* 5A 32
St John St. *Ath* 4D 36
St John St. *Hor* 6D 8
St John St. *Wors* 3G 39
St Johns Wood. *Los* 1B 28
St Joseph St. *Bolt* 1B 22
St Katherine's Dri. *B'rod* 6G 7
St Kilda Av. *Kear* 1B 40
St Leonard's Av. *Los* 2H 19

62 A-Z Bolton

St Lukes Ct. *Bolt* 3A **22**
St Margarets Clo. *Bolt*. 3H **21**
St Margaret's Rd. *Bolt*. 3H **21**
St Marks Cres. *Wors*. 6H **39**
St Mark's St. *Bolt* 6D **22**
St Mark's Vw. *Bolt*. 6D **22**
St Mark's Wlk. *Bolt* 1C **30**
St Mary's Av. *Bolt* 6H **21**
St Mary's Clo. *Asp* 6F **17**
St Mary's Clo. *Ath* 5E **37**
St Mary's Rd. *Asp* 5F **17**
St Mary's Rd. *Wors* 2G **39**
St Matthews Grange.
    Bolt 2C **22**
St Matthews Ter. Bolt 2C **22**
    (off St Matthews Wlk.)
St Matthews Wlk. *Bolt* 2C **22**
    (in two parts)
St Mawes Ct. *Rad* 6E **25**
St Michael's Av. *Ath* 6A **36**
St Michael's Av. *Bolt*. 3F **31**
St Michael's Clo. *Bury* 3H **25**
St Osmund's Dri. *Bolt* 4A **24**
St Osmund's Gro. *Bolt*. 4A **24**
St Ouen Cen. *Wors* 4H **39**
St Paul's Clo. *Adl* 1E **7**
St Pauls Clo. *Rad* 4H **33**
St Paul's Ct. *Wors* 5H **39**
St Paul's Pl. *Bolt*. 6A **12**
St Paul's Rd. *Wors* 5A **40**
St Peter's Av. *Bolt* 1G **21**
St Peter's Ter. *Farn* 6H **31**
St Peter's Way.
    Bolt (BL1,BL2) 2D **22**
St Peter's Way.
    Bolt (BL3) 6F **23**
St Philip's Av. *Bolt*. 1B **30**
St Stephens Clo. *Bolt* 6G **23**
St Stephens Gdns. *Kear*. . . . 1C **40**
St Stephen's St. *Kear*. 1C **40**
St Thomas St. *Bolt* 1B **22**
St Williams Av. *Bolt* 2C **30**
Salcombe Av. *Bolt* 2F **25**
Salcombe Gro. *Bolt* 5C **24**
Sale La. *Tyl* 6B **38**
Salford Rd. *Bolt* 5G **29**
Salisbury Av. *Hind* 1A **34**
Salisbury Rd. *Hor* 2H **19**
Salisbury Rd. *Rad* 6G **25**
Salisbury St. *Bolt*. 5B **22**
Salop St. *Bolt* 5E **23**
Saltergate Clo. *Bolt* 1E **29**
Salters Ct. *Ath* 4D **36**
Salterton Dri. *Bolt* 3F **29**
Saltram Clo. *Rad* 6E **25**
Saltwood Gro. *Bolt* 2D **22**
Samuel St. *Ath* 6F **37**
    (in two parts)
Samuel St. *Tyl* 6F **37**
Sandalwood. *W'houg*. 1F **35**
Sand Banks. *Bolt*. 3D **12**
Sanderling Clo. *W'houg* 1F **35**
Sandfield Dri. *Los* 5C **20**
Sandford Clo. *Bolt*. 5A **14**
Sandgate Av. *Rad* 6D **32**
Sandham St. *Bolt* 1D **30**
Sandham Wlk. *Bolt* 1D **30**
Sandhill Clo. *Bolt* 1D **30**
Sand Hole Rd. *Kear*. 1C **40**
Sandhurst Ct. *Bolt*. 5A **24**
Sandhurst Dri. *Bolt* 5A **24**
Sandon St. *Bolt*. 1B **30**
Sandown Cres. *L Lev* 3C **32**
Sandown Rd. *Bolt* 6A **14**
Sandpiper Clo. *Farn*. 6D **30**
Sandray Clo. *Bolt*. 6F **21**
Sandridge Clo. *Kear*. 5A **32**
Sandringham Clo. *Adl* 3C **6**
Sandringham Dri. *G'mnt* 6H **5**
Sandringham Rd. *Hind* 3A **34**
Sandringham Rd. *Hor* 1F **19**
Sandwich St. *Wors* 5H **39**
Sandwich Cres. *Bolt* 6B **22**
Sandwood Av. *Bolt* 6E **21**
Sandyacre Clo. *Bolt*. 1G **37**
Sandy Bank Rd. *Tur* 2H **3**

Sandybrook Clo. *T'ton* 3H **15**
Sandyhills. *Bolt* 1C **30**
Sandy La. *Adl* 2B **6**
    (in two parts)
Sandy La. *Hind* 1B **34**
Sandy La. *Hind* 1C **34**
Sandy Pk. *Hind* 1C **34**
Sandy Way. *Hind*. 1B **34**
Sandyway Clo. *W'houg* 5F **27**
Sapling Rd. *Bolt* 3H **29**
Sarah St. *Hind* 5D **34**
Saunton Av. *Bolt* 6B **14**
Savick Av. *Bolt* 4A **24**
Saville Rd. *Rad* 4H **25**
Saville St. *Bolt* 4E **23**
Saviours Ter. *Bolt* 6A **22**
Saw St. *Bolt* 1C **22**
Saxby Av. *Brom X* 1D **12**
Saxon St. *Rad* 2H **33**
Scant Row. *Hor*. 6C **10**
Scargill Rd. *Bolt* 1G **29**
Scarsdale Av. *Bolt* 2G **21**
Scarthwood Clo. *Bolt*. 4A **14**
Scawfell Av. *Bolt* 1F **23**
Schofield La. *Ath*. 4H **35**
Scholes Bank. *Hor*. 5C **8**
Scholey St. *Bolt*. 6E **23**
School Ct. Eger *5C **2***
    (off Bk. Water St.)
School Hill. *Bolt* 3C **22**
School La. *Haigh* 4C **16**
School St. *Ath*. 5B **36**
School St. *Brom X* 2D **12**
School St. *Hor*. 6E **9**
School St. *L Lev* 2D **32**
School St. *Rad* 2H **33**
School St. *Tyl* 6F **37**
School St. *W'houg*. 5G **27**
Scobell St. *T'ton* 4H **15**
Scope o' th' La. *Bolt*. 5G **13**
Scopton St. *Bolt* 3A **22**
Scorton Av. *Bolt* 4B **24**
Scot La. *Asp & B'rod*. 6H **17**
Scot Lane End. **4A 18**
Scott Av. *Bolt* 1A **34**
Scott Av. *Wigan*. 6A **16**
Scott St. *Rad* 6F **33**
Scott St. *W'houg*. 3G **27**
Scout Rd. *Bolt* 1H **11**
Scout Vw. *T'ton* 3H **15**
Scowcroft St. *Bolt* 2F **23**
Seaford Rd. *Bolt* 3A **14**
Seaforth Av. *Ath* 3C **36**
Seaforth Rd. *Bolt*. 4C **12**
Seathwaite Rd. *Farn* 6D **30**
Seaton Rd. *Bolt*. 1A **22**
Second Av. *Ath* 3D **36**
Second Av. *Bolt*. 4H **21**
Second Av. *L Lev* 1B **32**
Second St. *Bolt* 5F **11**
Section St. *Bolt* 5D **22**
    (off Soho St.)
Seddon Clo. *Ath* 4C **36**
Seddon Gdns. *Rad* 5C **32**
Seddon La. *Rad* 5C **32**
Seddon St. *L Hul*. 2D **38**
Seddon St. *L Lev* 2D **32**
Seddon St. *W'houg*. 2G **27**
Sedgefield Dri. *Bolt*. 6H **11**
Sedgefield Rd. *Rad* 5H **33**
Sedgemoor Va. *Bolt* 1B **24**
Sedgley Dri. *W'houg*. 2G **35**
Sedgwick Clo. *Ath*. 4E **37**
Seedley Av. *L Hul* 3F **39**
Seed St. *Bolt* 4A **22**
Sefton Av. *Ath* 2C **36**
Sefton Ct. Bolt *3C **22***
    (off School Hill)
Sefton La. *Hor* 3F **19**
    (in two parts)
Sefton Rd. *Bolt* 1H **21**
Sefton Rd. *Rad* 4G **25**
Sefton Rd. *Swin* 6H **41**
Selbourne Clo.
    W'houg 4A **28**
Selby Wlk. *Bury* 1H **25**
Selkirk Rd. *Bolt* 4B **12**
Selwyn St. *Bolt*. 5E **23**

Sennicar La.
    Wigan & Haigh 6A **16**
    (in three parts)
Settle Clo. *Bury*. 1H **25**
Settle St. *Bolt*. 2B **30**
Settle St. *L Lev* 2E **33**
Seven Acres Country Pk. . . . 2H **23**
Sevenoaks Dri. *Bolt*. 2C **30**
Severn Dri. *Hind* 4E **35**
Severn Way. *Kear* 1D **40**
Sewell Way. *L Hul* 4D **38**
Seymour Dri. *Bolt*. 3G **13**
Seymour Gro. *Farn* 4E **31**
Seymour Rd. *Bolt* 6C **12**
Seymour St. *Bolt*. 3G **13**
Shackleton Gro. *Bolt* 1E **21**
Shady La. *Brom X* 3F **13**
Shaftesbury Av. *Los* 3H **19**
Shaftesbury Clo. *Bolt*. 2C **22**
Shaftesbury Clo. *Los*. 3H **19**
Shakerley. **5G 37**
Shakerley La. *Ath*. 3F **37**
Shakerley Rd. *Tyl*. 6F **37**
Shakespeare Av. *Rad*. 1G **33**
Shakespeare Rd. *Swin* 6F **41**
Shalbourne Rd. *Wors* 4G **39**
Shalfleet Clo. *Bolt* 4A **14**
Shamrock Ct. *Wors* 4F **39**
Shamrock Wlk. *Bolt*. 2B **22**
Shanklin Wlk. *Bolt*. 6G **23**
Shap Cres. *Wors*. 6B **40**
Shap Dri. *Wors* 5B **40**
Sharman St. *Bolt*. 6F **23**
Sharnbrook Wlk. *Bolt*. 2C **22**
Sharnford Clo. *Bolt* 5F **23**
Sharples. **3D 12**
Sharples Av. *Bolt*. 3C **12**
Sharples Dri. *Bury*. 5H **15**
Sharples Grn. *Tur* 1H **3**
Sharples Hall. *Bolt*. 3D **12**
Sharples Hall Dri. *Bolt*. 3D **12**
Sharples Hall Fold. *Bolt*. . . . 4D **12**
Sharples Hall M. *Bolt*. 3D **12**
Sharples Leisure Cen. 4D **12**
Sharples Mdw. *Tur* 1H **3**
Sharples Pk. *Bolt*. 5B **12**
Sharples Va. *Bolt*. 6C **12**
Sharples Va. Cotts. *Bolt*. . . . 6C **12**
Sharp St. *Bolt* 4A **40**
Shaving La. *Wors* 6H **39**
Shawbrook Av. *Wors*. 6G **39**
Shawbury Clo. *B'rod* 2H **17**
Shawes Dri. *And*. 2G **7**
Shaw Ho. Ath *3D **36***
    (off Brooklands Av.)
Shaw Ho. Farn *6H **31***
    (off Moorfield Chase)
Shaw Rd. *Hor*. 4D **8**
Shaw St. *Bolt* 6C **22**
Shaw St. *Farn* 3G **31**
Shearwater Dri. *W'houg*. . . . 1F **35**
Shearwater Dri. *Wors* 4G **39**
Sheddings, The. *Bolt* 1E **31**
Sheep Ga. Dri. *T'ton* 4G **15**
Shelbourne Av. *Bolt*. 2H **21**
Sheldon Clo. *Farn* 3F **31**
Shelley Rd. *L Hul*. 2E **39**
Shelley Wlk. *Ath* 2D **36**
Shelley Wlk. *Bolt*. 2B **22**
Shepherd Cross St. *Bolt* . . . 2A **22**
Shepherd Cross St. Ind. Est.
    Bolt 1B **22**
    (off Shepherd Cross St.)
Shepherds Clo. *B'rod* 6G **7**
Shepherds Clo. *G'mnt*. 6H **5**
Shepherd's Dri. *Hor* 6A **10**
Shepherd's St. *G'mnt*. 1H **15**
Shepley Av. *Bolt* 6A **22**
Shepton Clo. *Bolt* 2B **12**
Sherborne Av. *Hind* 2C **34**
Sherborne Clo. *Rad* 6F **25**
Sherborne Rd. *Bolt* 2G **21**
Sheriffs Dri. *Tyl* 6B **38**
Sheriff St. *Bolt*. 2F **23**
Sheringham Pl. *Bolt* 6B **22**
Sherwood Av. *Rad*. 3H **25**
Sherwood Clo. *T'ton* 2H **15**
Sherwood St. *Bolt*. 6D **12**

Shetland Way. *Rad* 6H **25**
Shield Dri. *Wors* 6E **41**
Shiel St. *Wors* 4H **39**
Shiffnall St. *Bolt* 5E **23**
Shillingford Rd. *Farn* 5F **31**
Shillingstone Clo. *Bolt* 6B **14**
Shillington Clo. *Wors*. 4D **38**
Shilton Gdns. *Bolt* 6C **22**
Shipton St. *Bolt*. 2H **21**
Shireburn Av. *Bolt*. 3G **23**
Shire Gdns. *Rad* 1H **33**
Shires Clo. *Hind* 3A **34**
Shoemaker Gdns. *Asp*. 5G **17**
Shorefield Mt. *Eger* 1C **12**
Shoreswood. *Bolt* 4B **12**
Shorrocks St. *Bury* 6H **15**
Shortland Pl. *Bick* 6C **34**
Short St. *Ath* 6F **37**
Shrewsbury Clo. *Hind* 1B **34**
Shrewsbury Rd. *Bolt*. 3H **21**
Shrub St. *Bolt*. 3A **30**
Shudehill Rd. *Wors* 6E **39**
Shurdington Rd.
    Ath & Bolt 1F **37**
Shurmer St. *Bolt*. 1A **30**
Shuttle St. *Hind*. 1A **34**
Shuttle St. *Tyl* 6F **37**
Sicklefield. *Wigan* 6A **16**
Siddall St. *Rad* 1H **33**
Side of the Moor. 3B **14**
Sidford Clo. *Bolt* 6H **23**
Sidney St. *Bolt* 6D **22**
Siemens St. *Hor* 1E **19**
Silchester Way. *Bolt* 2A **24**
Silkhey Gro. *Wors* 6H **39**
Silk St. *W'houg*. 4G **27**
Silverdale Av. *L Hul* 2E **39**
Silverdale Rd. *Bolt*. 4A **22**
Silverdale Rd. *Farn* 4E **31**
Silverdale Rd. *Hind* 2B **34**
Silverton Gro. *Bolt* 5D **12**
Silverwell La. *Bolt* 4D **22**
Silverwell St. *Bolt* 4D **22**
Silverwell St. *Hor* 5D **8**
Silvester St. *B'rod* 1H **17**
Simm's Sq. *Asp*. 1A **26**
Simms Yd. *Asp* 1A **26**
Simonbury Clo. *Bury*. 1H **25**
Sindsley Ct. Swin. *6F **41***
    (off Moss La.)
Sindsley Gro. *Bolt* 2C **30**
Sindsley Rd. *Swin* 5F **41**
Singleton Av. *Bolt* 4A **24**
Singleton Av. *Hor* 4E **9**
Singleton Gro. *W'houg* 5B **28**
Singleton St. *Rad*. 1F **33**
Sion St. *Rad* 3H **33**
Sixth Av. *Bolt* 4H **21**
Sixth Av. *L Lev* 1B **32**
Skagen St. *Bolt* 2C **22**
    (in two parts)
Skelton Gro. *Bolt*. 3B **24**
Skelwith Av. *Bolt*. 3D **30**
Skipton Av. *Hind* 3C **34**
Skipton Clo. *Bury* 1H **25**
Skipton St. *Bolt*. 4G **23**
Skipton Wlk. *Bolt* 4G **23**
Slackey Brow. *Kear* 1E **41**
Slackey Fold. *Hind*. 6D **34**
Slack Fold La.
    Farn & Bolt 3A **30**
Slack La. *Bolt* 2H **13**
Slack La. *W'houg* 3H **27**
Slade St. *L Lev* 2C **32**
Slaidburn Av. *Bolt* 5B **24**
Slaidburn Dri. *Bury*. 6G **15**
Slater Av. *Hor* 5E **9**
Slaterfield. *Bolt* 6C **22**
Slater La. *Bolt* 3E **23**
Slater's Nook. *W'houg*. 4G **27**
Slater St. *Bolt* 3D **22**
Slater St. *Farn*. 5H **31**
Sledmere Clo. *Bolt* 1D **22**
Slimbridge Clo. *Bolt* 2C **24**
Sloane St. *Bolt* 2H **29**
Smallbrook La. *Leigh*. 4F **35**
Smeaton St. *Hor* 1E **19**

Smedley Av. *Bolt* 2E **31**
Smethurst Ct. *Bolt* *3H 29*
(off Smethurst La.)
Smethurst La. *Bolt* 3H **29**
Smithalls Cft. Rd. *Bolt* 6G **11**
Smith Brow. *B'rod* 6G **7**
Smithfold La. *Wors* 4E **39**
Smithills 5H **11**
Smithills Dean 3E **11**
Smithills Dean Rd. *Bolt* 3G **11**
Smithills Dri. *Bolt* 1F **21**
Smithills Hall Country Pk.
. . . . 4H **11**
Smithill's Hall Mus. 5H **11**
Smith La. *Eger* 1D **32**
Smith's La. *Hind* 6C **34**
Smith's Pl. *Ath* 4D **36**
Smith's Rd. *Bolt* 2H **31**
Smith St. *Adl* 3D **6**
Smith St. *Asp* 6G **17**
Smith St. *Ath* 4C **36**
Smith St. *Wors* 4H **39**
Smithwood Av. *Hind* 1B **34**
Smithy Cft. *Brom X* 1D **12**
Smithy Hill. *Bolt* 1G **29**
Smithy St. *W'houg* 2G **27**
Smyrna St. *Rad* 1H **33**
Smyrna Wlk. *Rad* *1H 33*
(off Smyrna St.)
Snape St. *Rad* 5H **25**
(in two parts)
Snipe St. *Bolt* 6D **22**
Snowden St. *Bolt* 3C **22**
Snowdon Dri. *Hor* 4E **9**
Snow Hill Rd. *Bolt* 6H **23**
Snydale Clo. *W'houg* 3A **28**
Snydale Way. *Bolt* 4C **28**
Sofa St. *Bolt* 2H **21**
Soham Clo. *Hind* 3A **34**
Soho St. *Bolt* 5D **22**
Solent Dri. *Bolt* 6H **23**
Solway Clo. *Bolt* 2B **30**
Solway Clo. *Swin* 3G **41**
Somerdale Av. *Bolt* 3G **21**
Somersby Dri. *Brom X* 1D **12**
Somersby Wlk. *Bolt* *6D 22*
(off Hallington Clo.)
Somerset Av. *Tyl* 4F **37**
Somerset Rd. *Ath* 2B **36**
Somerset Rd. *Bolt* 3H **21**
Somerton Rd. *Bolt* 5B **24**
Somerville Sq. *Bolt* 6A **12**
Somerville St. *Bolt* 6A **12**
Sonning Dri. *Bolt* 3G **29**
South Av. *Kear* 1B **40**
Southbrook Gro. *Bolt* 2D **30**
South Dri. *Bolt* 6A **14**
Southend St. *Bolt* 2A **30**
Southern Ho. *Bolt* *2B 22*
(off Kirk Hope Dri.)
Southern St. *Wors* 2H **39**
Southfield Dri. *W'houg* 6G **27**
Southfield Rd. *Rams* 5H **5**
Southfield St. *Bolt* 1F **31**
Southgate. *Har* 5A **14**
South Gro. *Wors* 5G **39**
Southgrove Av. *Bolt* 3C **12**
Southlands. *Bolt* 3A **24**
Southleigh Dri. *Bolt* 5C **24**
Southmoor Wlk. *Bolt* *6C 22*
(off Parrot St.)
Southover. *W'houg* 1G **35**
S. Royd St. *T'ton* 2H **15**
Southside Ind. Pk. *Ath* 2A **36**
South St. *Bolt* 2C **30**
South St. *Tyl* 6E **37**
South Vw. *Ath* 4C **36**
S. View St. *Bolt* 4G **23**
Southwell Clo. *Bolt* 3B **22**
Southwood Clo. *Bolt* 2D **30**
Sovereign Fold Rd.
Leigh 6G **35**
Sowerby Clo. *Bury* 1H **25**
Spa Cres. *L Hul* 1D **38**
Spa Gro. *L Hul* 1E **39**
Spa La. *L Hul* 1E **39**
Spa Rd. *Ath* 2C **36**

Spa Rd. *Bolt* 5B **22**
Sparta Av. *Wors* 5G **39**
Spencer Av. *L Lev* 2E **33**
Spen Fold. *Bury* 3H **25**
Spenleach La. *Hawk* 3E **5**
Spenser Av. *Rad* 1G **33**
Spindle Cft. *Farn* 5H **31**
Spindle Wlk. *W'houg* 3H **27**
Spinners M. *Bolt* 3C **22**
Spinney Nook. *Bolt* 1H **23**
Spinney, The. *Bolt* 4H **21**
Spinney, The. *Tur* 5G **3**
Spinningdale. *L Hul* 1B **38**
Spinningfields. *Bolt* 3B **22**
Spinning Meadows. *Bolt* . . . 3B **22**
Sportside Av. *Wors* 4A **40**
Sportside Clo. *Wors* 4H **39**
Sportside Gro. *Wors* 3H **39**
Springburn Clo. *Hor* 2F **19**
Spring Clo. *T'ton* 3G **15**
Spring Clough Av. *Wors* . . . 5B **40**
Spring Clough Dri. *Wors* . . . 5B **40**
Springfield 5E **23**
Springfield. *Bolt* 5E **23**
Springfield. *Rad* 1E **41**
Springfield Gdns. *Kear* 1C **40**
Springfield Rd. *Adl* 1E **7**
Springfield Rd. *Ath* 3E **37**
Springfield Rd. *Bolt* 2C **12**
Springfield Rd. *Farn* 4E **31**
Springfield Rd. *Hor* 2G **19**
Springfield Rd. *Kear* 1A **40**
Springfield Rd. *Rams* 5H **5**
Springfield St. *Bolt* 1E **31**
Springfield Ter. *Hth C* 1F **7**
Spring Gdns. *Ath* *4D 36*
(off Mather St.)
Spring Gdns. *Bolt* 5A **14**
Spring Gdns. *Hor* 5D **8**
Springlawns. *Bolt* 3F **21**
Spring Mill Clo. *Bolt* 1C **30**
Springside Av. *Wors* 4A **40**
Springside Clo. *Wors* 4A **40**
Springside Gro. *Wors* 4A **40**
Spring St. *Bolt* 6D **22**
Spring St. *Farn* 4H **31**
Spring St. *Hor* 5D **8**
Spring St. *T'ton* 2G **15**
Spring St. *Wals* 5H **15**
Spring Ter. *T'ton* *2G 15*
(off Spring St.)
Springvale Dri. *T'ton* 2G **15**
Spring Va. St. *T'ton* 3G **15**
Spring Vw. *Kear* 1C **40**
Spring Vw. *L Lev* 2D **32**
Springwater Av. *Rams* 4H **5**
Spring Water Clo. *Bolt* 6A **14**
Square, The. *Bolt* 2F **29**
Square, The. *Tyl* 6G **37**
Squires La. *Tyl* 6E **37**
Squirrel La. *Hor* 5C **8**
Stafford Rd. *Wors* 6G **39**
Stainforth Clo. *Bury* 6H **15**
Stainsbury St. *Bolt* 1A **30**
Stainton Clo. *Rad* 6H **25**
Stainton Rd. *Rad* 6G **25**
Stambourne Dri. *Bolt* 5D **12**
Stamford St. *Ath* 3E **37**
Stamford St. *Swin* 6H **41**
Stancliffe Gro. *Asp* 5G **17**
Standring Av. *Bury* 3H **25**
Stanford Clo. *Rad* 6E **33**
Stanier Pl. *Hor* 1E **19**
Stanley Clo. *W'houg* 6H **27**
Stanley Gro. *Hor* 2F **19**
Stanley La. *Asp* 4F **17**
Stanley M. *Bolt* 4H **23**
Stanley Pk. Wlk. *Bolt* 4G **23**
Stanley Rd. *Asp* 5G **17**
Stanley Rd. *Bolt* 2H **21**
Stanley Rd. *Farn* 5C **30**
Stanley Rd. *Rad* 5G **25**
Stanley Rd. *Wors* 5H **39**
Stanley St. *Ath* 5C **36**
Stanley St. *Tyl* 6G **37**
Stanley St. S. *Bolt* 5C **22**
Stanmere Ct. *Hawk* 4D **4**

Stanmoor Dri. *Asp* 5H **17**
Stanmore Dri. *Bolt* 6A **22**
Stanrose Clo. *Eger* 6C **2**
Stanrose Vs. *Eger* 5C **2**
Stansfield Clo. *Bolt* 3F **23**
Stanway Av. *Bolt* 5B **22**
Stanway Clo. *Bolt* 5B **22**
Stanworth Av. *Bolt* 4A **24**
Stapleford Clo. *Bury* 1G **37**
Stapleford Clo. *Bury* 1H **25**
Staplehurst Clo. *Leigh* 5E **35**
Stapleton Av. *Bolt* 2E **21**
Starbeck Clo. *Bury* 1H **25**
Starcliffe St. *Bolt* 3H **31**
Starkie Rd. *Bolt* 4F **23**
(Bury Rd.)
Starkie Rd. *Bolt* 2F **23**
(Tonge Moor Rd.)
Star La. *Hor* 6B **8**
Starling 2H **25**
Starling Dri. *Farn* 6D **30**
Starling Rd. *Rad & Bury* . . . 3G **25**
Starmount Clo. *Brad F* 5C **24**
Station App. *Ath* 3E **37**
Station Av. *Bick* 6A **34**
Station Rd. *Adl* 3D **6**
Station Rd. *B'rod* 2A **18**
Station Rd. *G'mnt* 6H **5**
Station Rd. *Kear* 6B **32**
Station Rd. *Swin* 6H **41**
Station Rd. *Tur* 3G **3**
Station St. *Bolt* 5D **22**
Staton Av. *Bolt* 3G **23**
Staveley Av. *Bolt* 3C **12**
Steele Gdns. *Bolt* 6A **24**
Stephenson St. *Hor* 1D **18**
Stephens St. *Bolt* 4H **23**
Sterratt St. *Bolt* 4B **22**
Stevenson Ct. *Kear* 6A **32**
Stevenson Rd. *Swin* 6G **41**
Stevenson St. *Wors* 4F **39**
Stewart Av. *Farn* 6F **31**
Stewart St. *Bolt* 2C **22**
Steynton Clo. *Bolt* 3F **21**
Stirling Rd. *Bolt* 4C **12**
Stirling Rd. *Hind* 3B **34**
Stitch-Mi-La. *Bolt* 1A **24**
Stockbury Clo. *Bolt* *2D 22*
(off Lindbury Dri.)
Stockdale Gro. *Bolt* 2B **24**
Stockley Av. *Bolt* 1A **24**
Stocksfield Dri. *L Hul* 2D **38**
Stocks Pk. Dri. *Hor* 6E **9**
Stockton Rd. *Farn* 3G **31**
Stokesby Gdns. *Los* 3B **20**
Stokesley Wlk. *Bolt* 1C **30**
(in two parts)
Stoneacre. *Los* 3H **19**
Stonebeck Ct. *W'houg* 5F **29**
Stonebridge Clo. *Los* 5C **20**
Stonechurch. *Bolt* 6B **22**
Stone Clo. *Rams* 3H **5**
Stoneclough 6D **32**
Stoneclough Rd.
Kear & Rad 6B **32**
Stonedelph Clo. *A'wth* 2F **25**
Stonefield. *Tyl* 6A **38**
Stonegate Fold. *Hth C* 1F **7**
Stonehaven. *Bolt* 2F **29**
Stone Hill Ind Est. *Farn* . . . 1H **39**
Stone Hill Rd. *Farn* 1H **39**
Stonehouse. *Brom X* 2F **13**
Stoneleigh Dri. *Rad* 6D **32**
Stonemead Clo. *Bolt* 1D **30**
Stones Bank Rd. *Eger* 2A **2**
Stonesteads Dri.
Brom X 1E **13**
Stonesteads Way.
Brom X 1E **13**
Stone St. *Bolt* 2F **23**
Stoneybank. *Rad* 6E **33**
Stoneycroft Clo. *Hor* 4F **9**
Stoney La. *Adl* 5C **6**
Stoneyside Av. *Wors* 3A **40**
Stoneyside Gro. *Wors* 3A **40**
Stonor Rd. *Adl* 2D **6**
Stonyhurst Av. *Bolt* 4C **12**

Stopes Rd.
L Lev & Rad 2E **33**
Store St. *Hor* 5E **9**
Stormer Hill Fold. *T'ton* 1H **15**
Stott La. *Bolt* 2F **23**
Stourbridge Av. *L Hul* 1E **39**
Stowell Ct. *Bolt* 2C **22**
Stowell St. *Bolt* 2C **22**
Strand, The. *Hor* 6F **9**
Strangford St. *Rad* 1F **33**
Stratford Av. *Bolt* 2G **21**
Stratford Clo. *Farn* 4D **30**
Strathmore Rd. *Bolt* 2A **24**
Stratton Gro. *Hor* 4D **8**
Stratton Rd. *Swin* 6H **41**
Strawberry Hill Rd.
Bolt 6F **23**
Stray, The. *Bolt* 5F **13**
Streetgate. *L Hul* 2D **38**
Street La. *Rad* 3G **25**
Stretton Rd. *Bolt* 1H **29**
Stretton Rd.
Rams & G'mnt 5H **5**
Strines Clo. *Hind* 1A **34**
Stuart Av. *Hind* 4D **34**
Studley Ct. *Tyl* 6F **37**
Styal St. *Bolt* 3H **21**
Sudbury Dri. *Los* 5C **20**
Sudren St. *Bury* 6H **15**
Suffolk Clo. *L Lev* 6D **24**
Suffolk Clo. *Stand* 3A **16**
Sulby St. *Rad* 6D **32**
Summerfield La. *Tyl* 6H **37**
Summerfield Rd. *Bolt* 1F **31**
Summer Hill Clo. *Bolt* 3B **12**
Summerseat La. *Rams* 4H **5**
(in three parts)
Summer St. *Hor* 5D **8**
Sumner Av. *Bolt* 2F **25**
Sumner St. *Asp* 6H **17**
Sumner St. *Ath* 4C **36**
Sumner St. *Bolt* 3H **29**
Sunadale Clo. *Bolt* 6H **21**
Sundridge Clo. *Bolt* 2G **29**
Sunleigh Rd. *Hind* 1A **34**
Sunlight Rd. *Bolt* 4A **22**
Sunningdale Av. *Rad* 6F **25**
Sunningdale Wlk. *Bolt* 6B **22**
Sunning Hill St. *Bolt* 1B **30**
Sunny Bank. *Rad* 5C **32**
Sunnybank Rd. *Bolt* 1A **22**
Sunny Bower St. *T'ton* 3G **15**
Sunny Gth. *W'houg* 5G **27**
Sunnymead Av. *Bolt* 5D **12**
Sunnyside Rd. *Bolt* 1A **22**
Sunnywood Dri. *T'ton* 3H **15**
Sunnywood La. *T'ton* 3H **15**
Sunset Bus. Pk. *Kear* 2E **41**
Surrey Clo. *L Lev* 1D **32**
Sussex Clo. *Hind* 2C **34**
Sussex Clo. *Swin* 5H **41**
Sussex Pl. *Tyl* 4G **37**
Sutcliffe St. *Bolt* 1C **22**
Sutherland Gro. *Farn* 5G **31**
Sutherland Rd. *Bolt* 2G **21**
Sutherland St. *Farn* 5G **31**
Sutherland St. *Swin* 6G **41**
Sutton La. *Adl* 1E **7**
(in two parts)
Sutton Rd. *Bolt* 1F **29**
Swan La. *Bolt* 1B **30**
Swan La. *Hind* 3D **34**
Swan Rd. *G'mnt* 5H **5**
Sweetlove's Gro. *Bolt* 4C **12**
Sweetlove's La. *Bolt* 4C **12**
Swinside Rd. *Bolt* 3B **24**
Swinton St. *Bolt* 4A **24**
Swithemby St. *Hor* 5C **8**
Swithun Wells Ct.
L Hul 2E **39**
Sycamore Av. *Hind* 4B **34**
Sycamore Av. *Rad* 5H **33**
Sycamore Av. *Tyl* 6B **38**
Sycamore Dri. *Rad* 6H **25**
Sycamore Rd. *Ath* 4E **37**
Sycamore Rd. *T'ton* 4H **15**
Sycamores, The. *Rad* 1D **40**

Sycamore Wlk. *Hor* 1G **19**
Syderstone Clo. *Hind* 3A **34**

T

Tabley Rd. *Bolt* 1H **29**
Tadmor Clo. *L Hul* 3D **38**
Talbenny Clo. *Bolt* 3F **21**
Talbot Av. *L Lev* 1C **32**
Talbot Ct. *Bolt* 5D **12**
Tamar Clo. *Rad* 2D **40**
Tamarin Clo. *Swin* 6E **41**
Tamer Gro. *Leigh* 6E **35**
Tanfield Dri. *Rad* 6D **32**
Tanner Brook Clo. *Bolt*. 1C **30**
Tanner's Brow. *B'rod* 2A **18**
Tansley Clo. *Hor* 1E **19**
Tanworth Wlk. *Bolt* 1C **22**
Tarbet Dri. *Bolt* 4B **24**
Tarleton Av. *Ath* 2B **36**
Tarleton Clo. *Bury* 2H **25**
Tarleton Pl. *Bolt*. 2G **29**
Tarnbrook Dri. *Asp*. 6F **17**
Tarn Gro. *Wors* 6B **40**
Tarvin Wlk. *Bolt*. 1C **22**
Tattersall Av. *Bolt*. 1E **21**
Tatton Ho. *Bolt* 4A **22**
Taunton Av. *Leigh* 5F **35**
Taunton Clo. *Bolt*. 2A **22**
Taunton Dri. *Farn* 4D **30**
Tavistock Rd. *Bolt* 5B **22**
Tavistock Rd. *Hind* 3C **34**
Tavistock St. *Ath* 4B **36**
Taylor Bldgs. *Kear* 1D **40**
Taylor Gro. *Hind* 4E **35**
Taylor Rd. *Hind* 4E **35**
Taylor's La. *Bolt* 4C **24**
(in two parts)
Taylor St. *Bolt* 5D **22**
Taylor St. *Hor* 6D **8**
Taylor St. *Rad*. 2H **33**
Tayton Clo. *Tyl*. 6A **38**
Taywood Rd. *Bolt* 3D **28**
Teak Dri. *Kear* 3F **41**
Teal St. *Bolt* 1D **30**
Telford St. *Ath* 5A **36**
Telford St. *Hor*. 1E **19**
Tellers Clo. *Ath* 4D **36**
Temperance St. *Bolt* 6C **22**
Tempest Chase. *Los* 1B **28**
Tempest Rd. *Los* 2B **28**
Tempest St. *Bolt* 1H **29**
Templecombe Dri. *Bolt* 3B **12**
Temple Dri. *Bolt* 6A **12**
(in two parts)
Templeton Clo. *W'houg*. 5G **27**
Tenby Av. *Bolt*. 2G **21**
Tennis St. *Bolt*. 6B **12**
Tennyson Av. *Rad* 1G **33**
Tennyson Rd. *Farn*. 1F **39**
Tennyson Rd. *Swin* 6F **41**
Tennyson St. *Bolt* 2B **22**
Tennyson Wlk. *Bolt* 1C **22**
Tensing Av. *Ath* 2C **36**
Tern Av. *Farn*. 5D **30**
Ternhill Ct. *Farn*. 5H **31**
Tetbury Dri. *Bolt* 2B **24**
Thaxted Pl. *Bolt*. 3A **22**
Thelwall Av. *Bolt* 3H **23**
Thetford Clo. *Hind*. 3A **34**
Thicketford Brow. 2G **23**
Thicketford Brow. *Bolt*. 2H **23**
Thicketford Clo. *Bolt* 1G **23**
Thicketford Rd. *Bolt*. 2F **23**
Third Av. *Bolt* 4H **21**
Third Av. *L Lev* 1B **32**
Third St. *Bolt* 5F **11**
Thirlmere Av. *Hor* 1E **19**
Thirlmere Clo. *Adl* 1F **7**
Thirlmere Dri. *L Hul* 2E **39**
Thirlmere Gro. *Farn* 5C **30**
Thirlmere Rd. *B'rod* 6G **7**
Thirlmere Rd. *Bolt* 6F **29**
Thirlmere Rd. *Hind* 2A **34**

Thirlspot Clo. *Bolt* 3C **12**
Thirsk Rd. *L Lev* 2C **32**
Thistleton Rd. *Bolt*. 2F **29**
Thomas Ct. Brom X 2E **13**
(off Toppings Grn.)
Thomas Dri. *Bolt* 6B **22**
Thomas Garnet Ct. Farn 5G **31**
(off Glynne St.)
Thomas Holden St. *Bolt* 3B **22**
Thomas More Clo. *Kear* 1B **40**
Thomason Fold. *Tur* 1H **3**
Thomasson Clo. *Bolt* 2C **22**
Thomas St. *Asp* 5F **17**
Thomas St. *Ath* 4D **36**
Thomas St. *Bolt* 6B **22**
Thomas St. *Farn* 5A **32**
Thomas St. *Hind* 4D **34**
Thomas St. *Kear* 6A **32**
Thomas St. *W'houg* 2G **27**
Thompson Av. *Bolt* 2F **25**
Thompson Ho. *Ath* 4C **36**
Thompson Rd. *Bolt* 2H **21**
Thompson St. *Bolt* 6D **22**
Thompson St. *Hor* 6C **8**
Thoresby Clo. *Rad* 6E **25**
Thornbank E. Bolt 6A **22**
(off Deane Rd.)
Thornbank Est. *Bolt* 5A **22**
Thornbeck Dri. *Bolt*. 2F **21**
Thornbeck Rd. *Bolt* 2F **21**
Thornbury Clo. *Bolt*. 3C **22**
Thorncliffe Av. *Bolt* 4C **12**
Thorncliffe Rd. *Bolt*. 4C **12**
Thorne St. *Farn*. 4G **31**
Thorneyholme Clo. *Los* 5C **20**
Thornfield Cres. *L Hul* 2D **38**
Thornfield Gro. *L Hul* 2D **38**
Thornfield Rd. *T'ton* 2G **15**
Thornham Dri. *Bolt*. 3D **12**
Thorn Hill. **6A 16**
Thornhill Clo. *Bolt* 6A **12**
Thornhill Dri. *Wors* 6A **40**
Thorn Lea. *Ath* 5E **37**
Thorn Lea. *Bolt* 5H **13**
Thorn Lea Clo. *Bolt* 4F **21**
Thornley Av. *Bolt* 1A **22**
Thornmere Clo. *Swin* 5E **41**
Thorns Av. *Bolt* 6B **12**
Thorns Clo. *Bolt* 6B **12**
Thorns Rd. *Bolt* 6B **12**
Thorn St. *Bolt* 1D **22**
Thorn St. *Hind* 3A **34**
Thornton Av. *Bolt*. 2F **21**
Thornton Clo. *Farn* 6F **31**
Thornton Clo. *L Lev* 2E **33**
Thornton St. *Bolt* 4E **23**
Thorn Well. *W'houg* 6G **27**
Thorpe Av. *Swin* 6G **41**
Thorpe St. *Bolt* 1B **22**
Thorpe St. *Wors* 3H **39**
Thorsby Clo. *Brom X* 1D **12**
Threadfold Way. *Brom X* 2D **12**
Threlkeld Rd. *Bolt* 3B **12**
(in two parts)
Thrush Av. *Farn*. 5D **30**
Thurlestone Av. *Bolt* 2F **25**
Thurnham St. *Bolt*. 2A **30**
Thursford Gro. *B'rod* 2H **17**
Thurstane St. *Bolt* 1A **22**
Thurstons. *W'houg*. 5G **27**
Thynne St. *Bolt* 5D **22**
Thynne St. *Farn*. 4G **31**
Tig Fold Rd. *Farn*. 5C **30**
Tildsley St. *Bolt* 1C **30**
Tillington Clo. *Bolt* 6C **12**
Tilside Gro. *Los*. 4B **20**
Timberbottom. *Bolt* 5G **13**
Timsbury Clo. *Bolt*. 6B **24**
Tindle St. *Wors* 4B **40**
Tinsley Gro. *Bolt* 3F **23**
Tin St. *Bolt* 6C **22**
Tintagel Ct. *Rad* 6E **25**
Tintagel Rd. *Hind* 3C **34**
Tintern Av. *Bolt* 1F **23**
Tipton Clo. *Rad* 6F **25**
Tithe Barn Cres. *Bolt* 5F **13**
Tithe Barn St. *W'houg* 4G **27**

Tiverton Av. *Leigh* 5F **35**
Tiverton Clo. *Rad*. 6E **25**
Tiverton Wlk. *Bolt* 2A **22**
Toddington La. *Haigh* 3F **17**
Tollgreen Clo. *Hind* 6A **26**
Toll St. *Rad* 1F **33**
Tomlinson St. *Hor*. 6D **8**
Tomlin Sq. *Bolt* 4G **23**
Tommy La. *Bolt* 2E **25**
Tonbridge Pl. *Bolt* 2F **23**
Tong Clough. *Brom X* 1D **12**
(in two parts)
Tonge Bri. Ind. Est. *Bolt* 3F **23**
Tonge Bri. Way. *Bolt* 3F **23**
Tonge Bri. Way Ind. Est.
Bolt 4F **23**
(off Tonge Bri. Way)
Tonge Fold. 4G **23**
Tonge Fold Cotts. *Bury* 4E **5**
Tonge Fold Rd. *Bolt* 4F **23**
Tonge Moor. 1F **23**
Tonge Moor Rd. *Bolt* 2F **23**
Tonge Old Rd. *Bolt* 4G **23**
Tonge Pk. Av. *Bolt*. 2G **23**
Tong Fields. *Eger* 1D **12**
Tong Head Av. *Bolt* 5F **13**
Tong Rd. *L Lev* 1C **32**
Tong St. *Kear* 2E **41**
Topcliffe St. *Hind* 1B **34**
Top of Wallsuches. *Hor* 5H **9**
Top o' th' Brow. 1H **23**
Top o' th' Brow. *Bolt* 3A **14**
Top o' th' Gorses. *Bolt*. 6G **23**
Top o' th' La. *Bolt* 6H **23**
Topphome Ct. *Farn* 6A **32**
Toppings. 2F **13**
Toppings Grn. *Brom X* 2E **13**
Topping St. *Bolt* 2C **22**
Topp St. *Farn* 6A **32**
Topp Way. *Bolt* 3C **22**
Tor Av. *G'mnt* 6H **5**
Torbay Clo. *Bolt*. 5A **22**
Tor Hey M. *G'mnt* 5H **5**
Torkington Av. *Swin* 6H **41**
Toronto St. *Bolt* 3A **24**
Torra Barn Clo. *Eger* 4C **2**
Torridon Rd. *Bolt* 4B **24**
Torrington Av. *Bolt* 1C **22**
Torrisdale Clo. *Bolt* 6H **21**
Torside Clo. *Hind*. 1A **34**
Torside Way. *Swin*. 5H **41**
Torver Dri. *Bolt* 3B **24**
Tottington. 3H **15**
Tottington Fold. *Bolt* 4A **14**
Tottington Rd. *Bolt* 4A **14**
Tottington Rd.
Tur & Hawk 5B **4**
Tower Bldgs. *Hor* 6A **10**
Tower Ct. *G'mnt* 1H **15**
Tower Ct. *Tur* 3G **3**
Tower Dri. *Tur*. 4G **3**
Towers Av. *Bolt* 1G **29**
Tower St. *Tur* 3G **3**
Tower Ter. *G'mnt*. 1H **15**
Tower Vw. *B'rod* 6G **7**
Towncroft La. *Bolt* 3E **21**
Townsend Rd. *Swin* 6H **41**
Townsfield Rd. *W'houg* 6G **27**
Toxhead Clo. *Hor*. 6C **8**
Trafalgar Rd. *Hind* 2A **34**
Trafford Dri. *L Hul* 2F **39**
Trafford Gro. *Farn* 4A **32**
Trafford St. *Farn* 4G **31**
Travers St. *Hor* 2F **19**
Trawden Av. *Bolt* 1F **21**
Tredgold St. *Hor* 1E **19**
Tree Tops. *Brom X* 3G **13**
Treetops Av. *Rams* 4H **5**
Tregaron Gro. *Hind* 4C **34**
Trencherbone. *Rad* 6G **25**
Trent Dri. *Wors* 5F **39**
Trentham Av. *Farn* 4G **31**
Trentham Clo. *Farn* 4G **31**
Trentham St. *Farn* 4G **31**
Trentham St. *Swin*. 6G **41**
Trent Rd. *Hind* 4E **35**

Trent Way. *Kear* 2D **40**
(in two parts)
Trevarrick Ct. *Hor* 1G **19**
Trevor Av. *Bolt*. 3B **30**
Trillo Av. *Bolt* 5F **23**
Trinity Cres. *Wors* 5A **40**
Trinity Retail Pk. *Bolt* 5E **23**
Trinity St. *Bolt*. 5C **22**
Troon Clo. *Bolt* 2F **29**
Troutbeck Clo. *Hawk*. 5D **4**
Tuckers Hill Brow. *Haigh* . . . 2F **17**
Tudor Av. *Bolt*. 4H **21**
Tudor Av. *Farn*. 6F **31**
Tudor Ct. *Bolt* 3C **22**
Tudor Ct. *Wors* 6B **40**
Tudor St. *Bolt* 1A **30**
Tulip Av. *Bolt* 4E **31**
Tulip Av. *Kear* 2B **40**
Turf St. *Rad*. 2H **33**
Turks Rd. *Rad* 6F **25**
Turk St. *Bolt* 3A **22**
Turnberry. *Bolt* 2F **29**
Turner Av. *Bick* 6A **34**
Turner Bri. Rd. *Bolt* 3G **23**
Turner Gro. *Eger* 6C **2**
Turnerford Clo. *Eger* 6C **2**
Turner St. *Bolt*. 3E **23**
Turner St. *Hind* 6A **26**
Turner St. *W'houg* 2G **35**
Turnstone Rd. *Bolt*. 5E **23**
Turton. 2G **3**
Turton Av. *L Lev* 1C **32**
Turton Bottoms. 3H **3**
Turton Clo. *Bury* 3H **25**
Turton Heights. *Bolt* 3F **13**
Turton Leisure Cen. 2F **13**
Turton Rd. *Bolt* 3F **13**
Turton Rd. *Tur*. 5C **4**
Turton St. *Bolt* 3D **22**
Turton Tower. 4G **3**
Twisse Rd. *Bolt* 4B **24**
Two Brooks La. *Hawk* 5D **4**
Tyldesley. 6G **37**
Tyldesley Old Rd. *Ath* 5D **36**
Tyldesley Pas. *Ath* 6F **37**
Tyldesley Rd. *Ath & Tyl* 4D **36**
Tyldesley Swimming Pool.
. . . . 6F **37**
Tyne Ct. *Wors* 4G **39**
Tynesbank. *Wors* 5G **39**

U

Uganda St. *Bolt*. 3A **30**
Ulleswater Clo. *L Lev* 2B **32**
Ulleswater St. *Bolt* 1D **22**
Ullswater Dri. *Farn*. 6C **30**
Ulundi St *Rad* 2H **33**
Umberton Rd. *Bolt*. 6F **29**
Underwood Ter. *Tyl* 6G **37**
Unicorn St. *Rad* 2G **33**
Union Bldgs. *Bolt* 5D **22**
Union Ct. *Bolt* 1E **23**
Union Rd. *Bolt* 1E **23**
Union St. *Eger*. 5B **2**
Union St. *Tyl*. 6E **37**
(Lodge Rd.)
Union St. *Tyl* 6F **37**
(Shuttle St.)
Unsworth Av. *Tyl*. 6H **37**
Unsworth St. *Rad* 1H **33**
Unsworth St. *Tyl* 6H **37**
Upland Dri. *L Hul* 1D **38**
Up. Broom Way. *W'houg* . . . 3A **28**
Upper Dri. *W'houg* 4A **28**
Up. George St. *Tyl*. 6G **37**
Up. Mead. *Eger*. 6D **2**
Upton La. *Tyl*. 6A **38**
Upton Rd. *Ath* 3E **37**
Upton Way. *Wals*. 4H **15**
Uttley St. *Bolt* 1B **22**

V

Valdene Clo. *Farn* 6H **31**
Valdene Dri. *Farn* 6H **31**

Vale Av.—Weston Av.

Vale Av. *Hor* 6C 8
Vale Av. *Rad* 6E 33
Vale Coppice. *Hor* 6C 8
Vale Cotts. *Hor* 1B 18
Valentines Rd. *Ath* 6A 36
Vale St. *Bolt* 4C 24
Vale St. *Tur* 3H 3
Vale Vw. *Brom X* 2D 12
Valletts La. *Bolt* 2A 22
Valletts S. Bldgs. *Bolt* 2A 22
Valley Vw. *Brom X* 2E 13
Valpy Av. *Bolt* 6F 13
Vantomme St. *Bolt* 5C 12
Varley Rd. *Bolt* 1G 29
Vauze Av. *B'rod* 2H 17
Vauze Ho. Clo. *B'rod* 1H 17
Venice St. *Bolt* 1A 30
Ventnor Av. *Bolt* 6D 12
Verbena Av. *Farn* 4E 31
Verdure Av. *Bolt* 3E 21
Vermont St. *Bolt* 3B 22
Verne Av. *Swin* 6G 41
Vernham Wlk. *Bolt* 1C 30
Vernon Rd. *G'mnt* 6H 5
Vernon St. *Bolt* 3C 22
Vernon St. *Farn* 5A 32
Vernon Wlk. *Bolt* 3C 22
Vicarage Clo. *Adl* 1E 7
Vicarage La. *Bolt* 6A 12
Vicarage Rd. *B'rod* 1G 17
Vicarage Rd. *Wors* 3G 39
Vicarage Rd. W. *B'rod* 1G 17
Vicarage St. *Bolt* 6B 22
Vicker Clo. *Swin* 5H 41
Vickerman St. *Bolt* 1B 22
Vickers St. *Bolt* 6B 22
Victoria Av. *Bick* 6A 34
Victoria Clo. *Asp* 5F 17
Victoria Ct. *Farn* 3G 31
Victoria Ct. *Hor* 6E 9
Victoria Gro. *Bolt* 2A 22
Victoria Ho. *W'houg* 5H 27
Victoria Rd. *Bolt* 4D 20
Victoria Rd. *Hor* 6E 9
Victoria Rd. *Kear* 1C 40
Victoria Sq. *Bolt* 4D 22
(in three parts)
Victoria Sq. *Wors* 4H 39
Victoria St. *A'wth* 2E 25
Victoria St. *B'rod* 1H 17
Victoria St. *Farn* 3F 31
Victoria St. *Rad* 2H 33
Victoria St. *T'ton* 2G 15
Victoria St. *W'houg* 5H 27
Victory 3A 22
Victory Rd. *L Lev* 1C 32
Victory St. *Bolt* 3A 22
(in two parts)
Victory Trad. Est. *Bolt* 6E 23
View St. *Bolt* 6B 22
Vigo Av. *Bolt* 2H 29
Viking St. *Bolt* 1E 31
Vincent Ct. *Bolt* 2C 30
Vincent St. *Bolt* 5B 22
Vine St. *Hind* 1A 34
Vine St. *Rams* 3H 5
(in two parts)
Viola St. *Bolt* 6C 12
Violet Av. *Farn* 4E 31
Virginia Ho. *Farn* 6H 31
Virginia St. *Bolt* 1H 29

W

Waddington Clo. *Bury* 1G 25
Waddington Rd. *Bolt* 2G 21
Wade Bank. *W'houg* 5H 27
Wadebridge Clo. *Bolt* 2E 23
Wadebridge Dri. *Bury* 1H 25
Wade St. *Bolt* 2D 30
Wadsley St. *Bolt* 3C 22
Wadsworth Ind. Pk. *Bolt* 1C 30
Waggon Rd. *Bolt* 2H 23
Wagner St. *Bolt* 6B 12
Wakefield Dri. *Swin* 2F 41
Wakefield Fold. *Brom X* 2D 12
Wakefield M. *Brom X* 2D 12
Waldeck St. *Bolt* 3A 22
Walden Clo. *Hind* 3B 34
Waldon Clo. *Bolt* 1A 30
Walkden 4H 39
Walkdene Dri. *Wors* 4F 39
Walkden Mkt. Pl. *Wors* 4G 39
Walkden Recreation Cen. 6A 40
Walkden Rd. *Wors* 5H 39
Walkdens Av. *Ath* 5A 36
Walker Av. *Bolt* 2D 30
Walker Clo. *Kear* 1C 40
Walker Fold 4D 10
Walker Fold Rd. *Bolt* 6C 10
Walkers Ct. *Farn* 5H 31
Walker St. *Bolt* 5B 22
Walker St. *W'houg* 5G 27
Walk, The. *Ath* 4D 36
Walkway, The. *Bolt* 6F 21
(in two parts)
Wallbank St. *T'ton* 2H 15
Wallbrook Cres. *L Hul* 1E 39
Wallbrook Gro. *Farn* 3F 31
Walleach Cvn. Site. *Tur* 1A 4
Walleach Fold Cotts. *Tur* 1A 4
Walley St. *Bolt* 6C 12
Walls St. *Hind* 5E 35
Wallsuches 5G 9
Wallsuches. *Hor* 5G 9
Wallwork St. *Rad* 1H 33
Walmer Rd. *Hind* 2C 34
Walmley Gro. *Bolt* 2A 30
Walnut Clo. *Swin* 3F 41
Walnut St. *Bolt* 6D 12
Walshaw 5H 15
Walshaw Brook Clo. *Bury* 5H 15
Walshaw La. *Bury* 5H 15
Walshaw Rd. *Bury* 5H 15
Walshaw Wlk. *T'ton* 4H 15
Walshaw Way. *T'ton* 4H 15
Walsh Fold. *Brom X* 5H 3
Walsh Ho. Ath 3D 36
(off Brooklands Av.)
Walsh St. *Hor* 5D 8
Walter Scott Av. *Wigan* 6A 16
Walter St. *Rad* 4H 25
Walter St. *Wors* 5H 39
Waltham Gdns. *Rad* 1G 33
Walton Ct. *Bolt* 1D 30
Walton Pl. *Kear* 6A 32
Walton St. *Adl* 3E 7
Walton St. *Ath* 3E 37
Walworth Clo. *Rad* 6E 33
Walworth St. *Bolt* 1A 30
Wapping St. *Bolt* 1B 22
Warbeck Clo. *Hind* 4A 34
Warbreck Clo. *Bolt* 4B 24
Warburton Pl. *Ath* 4D 36
Warburton St. *Bolt* 1D 22
Wardend Clo. *L Hul* 1E 39
Warden's Bank. *W'houg* 2G 35
Wardle Clo. *Rad* 6G 25
Wardle St. *Bolt* 6F 23
Wardley 5E 41
Wardley Av. *Wors* 4F 39
Wardley Gro. *Bolt* 4H 21
Wardley Hall La. *Wors* 6C 40
(in two parts)
Wardley Hall Rd. *Wors & Swin* 6D 40
Wardley Ind. Est. *Wors* 6E 41
Wardley Rd. *Tyl* 6B 38
Wardley Sq. *Tyl* 6B 38
Wardlow St. *Bolt* 1H 29
Wardour St. *Ath* 5C 36
(in two parts)
Ward St. *Hind* 6A 26
Wareing St. *Tyl* 6F 37
Wareing Way. *Bolt* 5C 22
Warlow Dri. *Leigh* 6F 35
Warren Clo. *Ath* 3E 37
Warren Rd. *Wors* 4A 40
Warton Clo. *Bury* 2H 25
Warwick Av. *Swin* 5F 41
Warwick Clo. *G'mnt* 6H 5
Warwick Dri. *Hind* 1B 34
Warwick Gdns. *Bolt* 3H 29
Warwick Rd. *Asp* 6G 17
Warwick Rd. *Ath* 2B 36
Warwick Rd. *Rad* 5H 25
Warwick Rd. *Tyl* 5G 37
Warwick Rd. *Wors* 6G 39
Warwick St. *Adl* 3D 6
Warwick St. *Bolt* 5C 12
Warwick St. *Swin* 6H 41
Wasdale Av. *Bolt* 2B 24
Washacre. *W'houg* 6H 27
Washacre Clo. *W'houg* 6H 27
Washbrook Av. *Wors* 6F 39
Washburn Clo. *W'houg* 3H 27
Washington St. *Bolt* 5A 22
Washwood Clo. *L Hul* 1F 39
Watergate Dri. *Bolt* 6A 30
Watergate La. *Bolt* 5A 30
Water La. *Kear* 6A 32
Water La. *Rad* 2H 33
Water La. St. *Rad* 2H 33
(in two parts)
Waterloo Ind. Pk. *Bolt* 2E 23
Waterloo St. *Bolt* 2D 22
Watermans Clo. *Hor* 5E 9
Water Mead Works. *Bolt* 2D 22
Watermillock Gdns. *Bolt* 5D 12
Water Place, The 5D 22
Waters Edge. *Farn* 3E 31
Watersedge. *Wors* 5B 40
Waterside. *Bolt* 6G 23
Waterside Ind. Pk. *Bolt* 2H 31
Waterslea Dri. *Bolt* 3F 21
Watersmead Clo. *Bolt* 1D 22
Watersmead St. *Bolt* 1D 22
Waters Meeting Rd. *Bolt* 6D 12
Water's Nook 4A 28
Water's Nook Rd. *W'houg* 5A 28
Water St. *Adl* 3E 7
Water St. *Ath* 4D 36
Water St. *Bolt* 4D 22
Water St. *Eger* 5B 2
Water St. *Rad* 2H 33
Watford Clo. Bolt 1C 22
(off Chesham Av.)
Watkinson's Yd. *W'houg* 4G 27
Watling St. *Aff* 5B 4
Watling St. *Bury* 2H 25
Watson Rd. *Farn* 5D 30
Watson St. *Rad* 1H 33
Watson St. *Swin* 6H 41
Watton Clo. *Swin* 5H 41
Watts St. *Hor* 1E 19
Waverley Av. *Kear* 1B 40
Waverley Rd. *Bolt* 6C 12
Waverley Rd. *Wors* 6F 39
Waverley Sq. *Farn* 1G 39
Wavertree Av. *Ath* 2C 36
Wavertree Ct. Bolt 3C 22
(off School Hill)
Wayfaring. *W'houg* 3H 27
Wayoh Cft. *Tur* 1H 3
Wayoh Reservoir (Nature Reserve) 1G 3
Wayside Gro. *Wors* 3A 40
Wealdstone Gro. *Bolt* 1F 23
Wearish La. *W'houg* 2E 35
Weaste Av. *L Hul* 3F 39
Weaver Av. *Wors* 5E 39
Weavers Ct. *Bolt* 6C 22
Weavers Grn. *Farn* 5H 31
Webb St. *Hor* 6E 9
Weber Dri. *Bolt* 6B 22
Webster St. *Bolt* 6F 23
Weeton Av. *Bolt* 4B 24
Welbeck Rd. *Bolt* 3G 21
Weldon Av. *Bolt* 3G 29
Welland, The. *W'houg* 5G 27
Wellbank St. *T'ton* 3H 15
Wellburn Clo. *Bolt* 3F 29
Wellfield Rd. *Bolt* 6A 22
Wellfield Rd. *Hind* 3C 34
Welling St. *Bolt* 2F 23
Wellington Ct. *T'ton* 3H 15
Wellington Dri. *Tyl* 6C 38
Wellington M. *Tur* 3H 3
Wellington Rd. *Ath* 2F 37
Wellington Rd. *Tur* 3G 3
Wellington St. *Bolt* 5B 22
Wellington St. *Farn* 5H 31
Wellington St. *W'houg* 2E 27
(in two parts)
Wellington Wlk. *Bolt* 5B 22
Well Rd. *Leigh* 6F 35
Wellsprings. Bolt 4D 22
(off Victoria Sq.)
Wellstock La. *L Hul* 1D 38
Well St. *A'wth* 2E 25
Well St. *Bolt* 4E 23
Well St. *Tyl* 6G 37
Wemsley Gro. *Bolt* 2F 23
Wenderholme Lodge. *Bolt* 3E 21
Wendover Dri. *Bolt* 6E 21
Wenlock Clo. *Hor* 3E 9
Wenlock Gro. *Hind* 3A 34
Wenlock Rd. *Hind* 3A 34
Wenlock St. *Hind* 2A 34
Wentbridge Rd. *Bolt* 3B 22
Wentworth Av. *Farn* 6G 31
Wentworth Clo. *Rad* 1F 33
Wesley Clo. *W'houg* 3G 27
Wesley Ct. *T'ton* 2G 15
Wesley Ct. *W'houg* 3G 27
Wesley Ct. *Wors* 3H 39
Wesley Dri. *Wors* 6B 40
Wesley Ho. *T'ton* 2G 15
Wesley M. *Bolt* 4E 23
Wesleys, The. *Farn* 5D 30
Wesley St. *Ath* 4E 37
Wesley St. *Bolt* 6C 22
Wesley St. *Brom X* 1E 13
Wesley St. *Farn* 6A 32
Wesley St. *Swin* 6H 41
Wesley St. *T'ton* 2G 15
Wesley St. *W'houg* 3G 27
Wessex Clo. *Stand* 2A 16
West Av. *Farn* 5F 31
West Av. *Wors* 4G 39
Westbank Rd. *Los* 5D 20
W. Bank St. *Ath* 6E 37
Westbourne Av. *Bolt* 2E 31
Westbourne Av. *Swin* 2F 41
Westbrook Ct. *Bolt* 5E 23
Westbrook St. *Bolt* 5E 23
(in two parts)
Westbury Clo. *W'houg* 4A 28
Westby Gro. *Bolt* 3G 23
Westcliffe Rd. *Bolt* 3D 12
West Clo. *Ath* 6E 37
Westcott Clo. *Bolt* 4A 14
Westcourt Rd. *Bolt* 2B 30
Westend St. *Farn* 5F 31
W. End Trad. Est. *Swin* 6G 41
Westerdale Clo. *Tyl* 6H 37
Westerdale Dri. *Bolt* 6G 21
Westerton Ct. *Bolt* 6B 22
Westfield Rd. *Ath* 6E 37
Westfield Rd. *Bolt* 3H 29
Westgate Av. *Bolt* 4A 22
Westgate Av. *Rams* 5H 5
West Gro. *W'houg* 1G 35
Westgrove Av. *Bolt* 3C 12
Westhoughton 5G 27
Westhoughton Leisure Cen. 5H 27
Westhoughton Rd. *Hth C* 1D 6
Westlake Gro. *Hind* 3D 34
Westland Av. *Bolt* 2G 21
Westland Av. *Farn* 1G 39
Westleigh La. *Leigh* 5F 35
Westmarsh Clo. *Bolt* 2C 22
West Meade. *Bolt* 3C 30
Westmeade Rd. *Wors* 2G 39
Westminster Av. *Farn* 5G 31
Westminster Av. *Rad* 1F 33
Westminster Rd. *Bolt* 4C 12
Westminster Rd. *Wors* 5H 39
Westminster St. *Farn* 5G 31
Westminster St. *Swin* 6F 41
Westminster Wlk. *Farn* 5G 31
Westmorland Rd. *Tyl* 5G 37
Weston Av. *Swin* 3H 41

Weston Rd. *Rad* 5G **25**
Weston St. *Ath* 3E **37**
Weston St. *Bolt*. 1D **30**
Westover St. *Swin*. 6H **41**
W. Park. *Bolt*. 4A **22**
West St. *Ath* 6E **37**
West St. *Bolt*. 4A **22**
West St. *Farn* 4A **32**
West St. *Hind* 4D **34**
West Vw. *Hor* 4F **9**
West Wlk. *Eger*. 5B **2**
West Way. *Bolt* 6F **13**
West Way. *L Hul* 2E **39**
Westwell Gdns. Bolt 2D **22**
    (off Halliwell Rd.)
Westwick Ter. *Bolt*. 1C **22**
Westwood Av. *Wors* 4E **39**
Westwood Clo. *Farn* 5H **31**
Westwood Ho. Farn. 5H **31**
    (off Hesketh Wlk.)
Westwood Rd. *Bolt*. 3A **22**
Westworth Clo. *Bolt* 3B **22**
Wetheral Clo. *Hind*. 4E **35**
Wetheral Dri. *Bolt* 2C **30**
Weybourne Gro. *Bolt* 5F **13**
Weybridge Clo. *Bolt*. 3C **22**
Weycroft Clo. *Bolt*. 5C **24**
Weydale Gro. *Wigan* 4A **34**
Weymouth Dri. *Hind* 3C **34**
Weymouth St. *Bolt* 1C **22**
Weythorne Dri. *Bolt*. 5D **12**
Whalley Av. *Bolt*. 6F **11**
Whalley Cotts. *B'rod* 3A **18**
Whalley Dri. *Bury* 1H **25**
Whalley Gro. *Leigh* 6F **35**
Wharfedale. *W'houg* 3H **27**
Wharncliffe St. *Hind* 2A **34**
Wharton La. *L Hul* 3B **38**
Wheatfield St. *Bolt*. 6F **23**
Wheatley Rd. *Swin* 5F **41**
Wheeldale Clo. *Bolt* 1C **22**
Wheelton Clo. *Bury* 2H **25**
Whewell St. *Tyl* 6G **37**
Whins Av. *Farn* 5C **30**
Whins Crest. *Los*. 4C **20**
Whinslee Ct. *Los*. 4C **20**
Whinslee Dri. *Los* 4C **20**
Whipney La. *G'mnt* 5F **5**
Whiston Dri. *Bolt* 5G **23**
Whitbeam Gro. *Hind* 5A **34**
Whitburn Clo. *Bolt*. 1E **29**
Whitby Clo. *Bury*. 1H **25**
Whitchurch Gdns. Bolt 1C **22**
    (off Gladstone St.)
Whitebeam Wlk. *W'houg*. . . 3H **27**
White Birk Clo. *G'mnt* 5H **5**
Whitechapel Clo. *Bolt* 4A **24**
White Cft. *Bolt*. 3C **22**
Whitecroft Dri. *Bury* 6H **15**
Whitecroft Rd. *Bolt* 2F **21**
Whitegate. *Bolt* 3C **28**
Whitegate Dri. *Bolt* 4D **12**
Whitegate M. *Eger*. 6C **2**
Whitehall La. *B'rod* 1H **17**
Whitehead Cres. *Rad*. 6E **33**
Whitehead St. *Wors* 3H **39**
Whitehill Cotts. *Bolt*. 3B **12**
Whitehill La. *Bolt*. 3B **12**
White Horse Clo. *Hor*. 4E **9**
White Horse Gro.
   W'houg. 3A **28**
White Lady Clo. *Wors* 4D **38**
Whiteland Av. *Bolt*. 6A **22**
White Lion Brow. *Bolt*. 4C **22**
Whiteoak Vw. *Bolt*. 6H **23**
Whites Cft. *Swin* 6H **41**
Whiteside Av. *Hind* 6A **26**
Whitestone Clo. *Los* 5D **20**
Whiting Gro. *Bolt*. 5E **21**
Whitland Av. *Bolt*. 3F **21**
Whitley Cres. *Wigan* 6A **16**
Whitley St. *Bolt*. 3H **31**
Whitsters Hollow. *Bolt*. 6H **11**
Whitsundale. *W'houg* 3H **27**
Whittle Brook. 5B **40**
Whittlebrook Ho. *Wors* 5A **40**
Whittle Dri. *Wors* 2G **39**

Whittle Gro. *Bolt*. 2H **21**
    (in two parts)
Whittle Gro. *Wors* 4A **40**
Whittle Hill. *Eger*. 4C **2**
Whittle's Ter. *W'houg* 4G **27**
Whittle St. *Wors* 4H **39**
Whitton M. *Hor*. 5D **8**
Whoolden St. *Farn* 4G **31**
Whowell Fold. *Bolt* 6A **12**
Whowell St. *Bolt* 5C **22**
Wichbrook Rd. *Wors*. 4D **38**
Wicheaves Cres. *Wors* 4D **38**
Wicheries, The. *Wors* 4D **38**
Wicket Gro. *Swin* 3G **41**
Wickliffe St. *Bolt*. 3C **22**
Widcombe Dri. *Bolt*. 6B **24**
Widford St. *Bolt*. 2H **17**
Wiend Hall. *W'houg* 3G **27**
Wigan La. *Chor*. 5A **16**
Wigan La. *Wigan*. 6A **16**
Wigan Rd. *Asp* 6F **17**
Wigan Rd. *Ath* 4H **35**
Wigan Rd. *Bolt*. 3D **28**
Wigan Rd.
   Stand & Wigan 5A **16**
Wigan Rd. *W'houg* 6C **26**
Wilbraham Rd. *Wors*. 4H **39**
Wilbraham St. *W'houg* 5G **27**
Wilby Av. *L Lev* 6C **24**
Wilcockson Ho. *Farn* 5H **31**
    (off Hesketh Wlk.)
Wildbrook Clo. *L Hul* 4C **38**
Wildbrook Gro. *L Hul*. 4C **38**
Wildbrook Rd. *L Hul* 3C **38**
Wilderswood. 3F **9**
Wilderswood Av. *Hor*. 5E **9**
Wilderswood Ct. *Hor*. 5E **9**
Wildman La. *Farn* 5D **30**
Wildwood Clo. *Rams*. 3H **5**
Wilfred Geere Ho., The.
   Farn. 5C **30**
Wilfred Rd. *Wors* 5H **39**
Wilfred St. *Brom X* 2E **13**
Wilfred St. *Swin*. 6H **41**
Wilkinson Av. *L Lev*. 6C **24**
Wilkinson Rd. *Bolt*. 4B **12**
Willand Clo. *Bolt* 5C **24**
Willand Dri. *Bolt* 6C **24**
Williamson Av. *Rad*. 5H **25**
William St. *Hind* 2A **34**
William St. *Hor*. 6C **8**
William St. *L Lev*. 2D **32**
Willis St. *Bolt* 1A **30**
Willowbank. *Rad*. 5H **33**
Willowbank. *Swin*. 5H **41**
Willowbank Av. *Bolt*. 5F **23**
Willow Clo. *And*. 1F **7**
Willow Clo. *Bolt* 1H **29**
Willowcroft Av. *Asp*. 2B **26**
Willowdene Clo. *Brom X* . . . 1D **12**
Willow Dri. *Hind* 4B **34**
Willow Hey. *Brom X* 2G **13**
Willowmoss Clo. *Wors* 6A **40**
Willows. 6A **22**
Willows La. *Bolt* 1H **29**
Willows, The. Ath 4D **36**
    (off Water La.)
Willows, The. *Brad F* 6C **24**
Willows St. *Ath* 3C **36**
Wilmcote Clo. *Los*. 5D **20**
Wilmot St. *Bolt* 6A **12**
Wilmslow Av. *Bolt* 4C **12**
Wilson Fold Av. *Los* 2H **19**
Wilsons Brow. *Farn* 4B **32**
Wilson St. *Bolt* 5D **22**
Wilson St. *Farn* 5A **32**
Wilson St. *Hor* 5C **8**
Wilson St. *Rad* 1H **33**
Wilton Rd. *Bolt*. 4C **12**
Wilton St. *Bolt* 6D **12**
Wimberry Hill Rd.
   W'houg 2F **27**
Wimborne Clo. *Los* 2H **19**
Wincanton Dri. *Bolt*. 2B **12**
Winchester Rd. *Rad*. 6F **25**

Winchester Way. *Bolt* 2H **23**
Windale. *Wors*. 4F **39**
Windermere Av. *Ath* 2D **36**
Windermere Av. *L Lev* 1C **32**
Windermere Dri. *Adl* 1F **7**
Windermere Rd. *Farn* 5C **30**
Windermere Rd. *Hind* 2A **34**
Windermere St. *Bolt* 6D **12**
Winder St. *Bolt*. 3D **22**
Windley St. *Bolt*. 3E **23**
Windmill Clo. *Wors* 2G **39**
Windmill Rd. *Wors* 2G **39**
Windover Clo. *Bolt*. 6G **29**
Windover St. *Bolt* 1G **29**
Windrush Dri. *W'houg*. 4H **27**
Windsor Av. *Adl* 3D **6**
Windsor Av. *L Hul* 2F **39**
Windsor Av. *L Lev* 2C **32**
Windsor Clo. *G'mnt*. 6H **5**
Windsor Cres. *Asp* 6H **17**
Windsor Dri. *Hor*. 1H **19**
Windsor Gro. *Bolt* 2A **22**
Windsor Gro. *Hind* 4D **34**
Windsor Gro. *Rad*. 6D **32**
Windsor Rd. *Brom X* 2E **13**
Windsor St. *Ath*. 5E **37**
Windycroft. *Brom X*. 1F **13**
Windy Harbour La.
   Brom X 1F **13**
    (in two parts)
Windyhill Dri. *Bolt*. 2G **29**
Wingate Rd. *L Hul* 3F **39**
Wingates. 2G **27**
Wingates Gro. *W'houg*. 2F **27**
Wingates Ind. Est.
   W'houg 2F **27**
    (in two parts)
Wingates La. *W'houg* 6G **19**
Wingates Rd. *Wigan* 6A **16**
Wingates Sq. *W'houg* 2G **27**
Winifred Kettle Ho.
   W'houg 6H **27**
Winifred Rd. *Farn* 4E **31**
Winmarleigh Clo. *Bury* 2H **25**
Winscar Rd. *Hind* 6A **26**
Winsford Gro. *Bolt*. 6F **21**
Winslade M. *Farn* 4H **31**
Winslow Rd. *Bolt* 3C **28**
Winsmoor Dri. *Hind* 3A **34**
Winson Clo. *Bolt*. 1C **30**
Winster Clo. *Bolt*. 2B **24**
Winster Dri. *Bolt*. 2B **24**
Winston Av. *L Lev* 2E **33**
Winston Clo. *Rad* 6G **25**
Winterburn Av. *Bolt* 3F **13**
Winterfield Dri. *Bolt*. 2G **29**
Winter Hey La. *Hor*. 6D **8**
Winter St. *Bolt* 6B **12**
Winterton Clo. *W'houg* 4A **28**
Winton Grn. *Los*. 3H **19**
Winton Gro. *Bolt* 1E **29**
Winward St. *Bolt*. 1G **29**
Winward St. *W'houg*. 4G **27**
Wirral Clo. *Swin* 5H **41**
Wisbeck Rd. *Bolt* 3G **23**
Withington La. *Asp* 4A **26**
Withins Clo. *Bolt*. 3A **24**
Withins Dri. *Bolt* 3A **24**
Withins Gro. *Bolt*. 3A **24**
Withins La. *Bolt*. 3A **24**
Withins Leisure Cen. 1A **24**
Withnell Dri. *Bury* 2H **25**
Witney Clo. *Bolt* 1C **22**
Woburn Av. *Bolt* 6G **13**
Woburn Av. *Leigh* 6F **35**
Woking Gdns. *Bolt* 2C **22**
Woking Ter. Bolt 2C **22**
    (off Bk. Woking Gdns.)
Wolfenden St. *Bolt* 1C **22**
Wolfenden Ter. *Bolt*. 1C **22**
Wolford Dri. *Tyl*. 6A **38**
Wolsey St. *Rad* 2H **33**
Wolver Clo. *L Hul*. 1F **39**
Woodbank. *Bolt* 1H **23**
Woodbine Rd. *Bolt* 2A **30**
    (in two parts)
Woodbridge Dri. *Bolt*. 2F **23**

Woodburn Dri. *Bolt*. 6H **11**
Woodchurch Clo. *Bolt* 2C **22**
Wood Cottage Clo. *Wors*. . . 4D **38**
Woodcott Bank. *Bolt* 5C **12**
Wooddagger Clo. *Hind* 2B **34**
Wood Edge Clo. *Bolt*. 3G **31**
Woodfield Gro. *Farn* 1G **39**
Woodfield St. *Bolt* 2E **31**
Wood Fold. *Brom X*. 3G **13**
Woodford Ct. Hind 1A **34**
    (off Woodford St.)
Woodford Dri. *Swin* 5G **41**
Woodford Gro. *Bolt* 1A **30**
Woodford St. *Bolt* 1A **34**
Woodgate St. *Bolt* 2E **31**
Woodhall Clo. *Bolt* 6G **13**
Woodham Wlk. *Bolt* 6B **22**
Wood Hey Clo. *Rad* 2F **33**
Woodhey Rd. *Rams* 4H **5**
Woodhouse St. *Ath* 5D **36**
Woodland Av. *Bolt* 3F **31**
Woodland Av. *Hind* 4C **34**
Woodland Gro. *Eger* 5B **2**
Woodlands Dri. *Ath* 2F **37**
WOODLANDS. 3D **38**
Woodlands, The. *Los*. 3C **20**
Woodland Vw. *Brom X* 1F **13**
Wood's Ct. *Bolt*. 4D **22**
Woodside Av. *Wors* 5B **40**
Woodside Pl. *Bolt* 6G **23**
Woodside Sq. *Bolt*. 6G **23**
Woodside Vw. *Ath* 2E **37**
Woods Lea. *Bolt*. 4F **21**
Woodsleigh Coppice.
   Bolt 4F **21**
Woodsley Rd. *Bolt*. 1F **21**
Woods Rd. *Asp*. 6G **17**
Woodstock Dri. *Bolt* 2G **21**
Woodstock Dri. *T'ton*. 2F **15**
Wood St. *Ath* 3B **36**
Wood St. *Bolt* 4D **22**
Wood St. *Farn*. 3H **31**
Wood St. *Hind* 4D **34**
Wood St. *Hor* 6E **9**
Wood St. *Rad* 5G **33**
Wood St. *Tyl* 6H **37**
Wood St. *W'houg* 5G **27**
Wood Ter. *A'wth*. 2F **25**
Woodvale Av. *Asp* 2B **26**
Woodvale Av. *Ath* 2B **36**
Woodvale Av. *Bolt*. 3B **30**
Woodvale Dri. *Bolt* 3B **30**
Woodvale Gdns. *Bolt*. 3B **30**
Woodvale Gro. *Bolt* 3B **30**
Woodwards Rd. *W'houg* . . . 1H **35**
Woolden St. *Swin* 5G **41**
Woolston Dri. *Tyl* 6A **38**
Worcester Av. *Hind* 1B **34**
Worcester Rd. *L Lev* 2B **32**
Worcester Rd. *Swin*. 5F **41**
Worcester St. *Bolt*. 2C **22**
Wordsworth Av. *Ath* 3D **36**
Wordsworth Av. *Farn* 6F **31**
Wordsworth Av. *Rad* 1G **33**
Wordsworth Ind. Est.
   Bolt 1B **22**
Wordsworth Rd. *L Hul*. 2F **39**
Wordsworth Rd. *Swin* 6F **41**
Wordsworth St. *Bolt* 2B **22**
Worrell Clo. *Rad* 1H **33**
Worsbrough Av. *Wors*. 5G **39**
Worsel St. *Bolt* 1A **30**
Worsley Av. *Wors* 4E **39**
Worsley Gro. *Wors* 5E **39**
Worsley Rd. *Bolt*. 1G **29**
Worsley Rd. *Farn* 1H **39**
Worsley Rd. Ind. Est.
   Farn 1H **39**
Worsley Rd. N. *Wors*. 2H **39**
Worsley St. *Bolt* 6C **22**
Worsley St. *Swin* 5H **41**
Worsley St. *T'ton* 2G **15**
Worsley Swimming Pool. . . . 5G **39**
Worsley Trad. Est. *L Lev* . . . 2C **38**
Worston Av. *Bolt* 6F **11**
Worthing Gro. *Ath* 4B **36**
Worthington Fold. *Ath* 4B **36**

Worthington Lakes Bus. Pk.
   Stand. 3A 16
Worthington Lakes Vis. Cen.
   . . . . 2A 16
Worthington St. *Bolt* 2A 30
Worthington St. *Hind*. 1A 34
Wrath Clo. *Bolt* 4F 13
Wrenbury Dri. *Bolt* 3D 12
Wren Clo. *Farn* 5D 30
Wrigglesworth Clo. *Bury* . . . 6H 15
Wright St. *Hor* 5D 8
Wright St. *Rad* 2H 33
Wright St. W. *Hor* *5D 8*
   (off Julia St.)
Wroe St. *Swin*. 4H 41
Wroe Ter. *Swin* 4H 41
Wykeham M. *Bolt* 4G 21

Wyndham Av. *Bolt*. 3G 29
Wyndham Av. *Swin*. 4H 41
Wynne Av. *Swin* 4H 41
Wynne St. *Bolt* 1C 22
Wynne St. *L Hul* 3E 39
Wynne St. *Tyl* 6F 37
Wyresdale Rd. *Bolt* 3A 22
Wythall Av. *L Hul* 1F 39
Wythburn Av. *Bolt*. 2G 21

Y

Yarrow Gro. *Hor* 5D 8
Yarrow Pl. *Bolt* 2B 22
Yates Dri. *Wors* 4E 39
Yates St. *Bolt*. 2E 23

Yealand Gro. *Hind* 2C 34
Yellowbrook Clo. *Asp* 5G 17
Yellow Lodge Dri.
   W'houg 4B 28
Yew Clo. *Bolt* 1H 29
Yewdale Av. *Bolt* 1B 24
Yewdale Gdns. *Bolt* 1B 24
Yewtree Av. *Ath*. 3C 36
Yew Tree Dri. *Los* 5B 20
Yew Tree La. *Bolt*. 4E 13
York Av. *L Lev*. 2C 32
York Av. *Swin* 5F 41
York Av. *Tyl* 5F 37
York Pl. *Adl*. 1E 7
York Rd. *Hind* 2B 34
York St. *Ath* 4D 36
York St. *Farn* 5A 32

York Ter. *Bolt* 1C 22
Young St. *Farn* 6A 32
Young St. *Rad*. 6H 25

Z

Zetland Av. *Bolt*. 3H 29
Zetland Av. N. *Bolt* 3H 29
Zulu St. *Bolt* 4F 23